Slapende honden

Bezoek onze internetsite www.awbruna.nl
voor informatie over al onze boeken en dvd's.

Ruth Rendell

Slapende honden

A.W. Bruna Uitgevers B.V., Utrecht

Oorspronkelijke titel
The Monster in the Box
© Kingsmarkham Enterprises Ltd 2009
Vertaling
Rogier van Kappel
Omslagbeeld
© Jitka Saniova / Arcangel Images
Omslagontwerp
Wil Immink Design
© 2011 A.W. Bruna Uitgevers B.V., Utrecht

ISBN 978 90 229 9739 0
NUR 305

Voor Simon, mijn zoon, die me over de doos heeft verteld

1

Hij had er nooit iets over gezegd. Deze vreemde relatie, als dat geen al te groot woord was, had jarenlang voortgeduurd, tientallen jaren zelfs, en nooit had hij er ook maar iets over gezegd tegen wie dan ook. Hij had gezwegen omdat hij wist dat niemand hem zou geloven. Niets ervan viel te bewijzen, het stalken niet, en de starende blikken en samenzweerderige glimlachjes al evenmin. En ook de moorden niet, noch ook maar één van die tekens die Targo had achtergelaten omdat hij wist dat Wexford er weet van had en toch niets kon uitrichten.

Het was jarenlang zo doorgegaan en toen was het opgehouden. Of hij had de indruk gehad dat het was opgehouden. Targo was verdwenen. Voor de zoveelste keer terug naar Birmingham, of misschien naar Coventry. Het was al lang geleden dat hij voor het laatst in Kingsmarkham was gesignaleerd en Wexford had gedacht dat het allemaal voorbij was. Die gedachte was vergezeld gegaan van spijt, niet van opluchting, want als Targo was verdwenen – en wat meer ter zake deed, als Targo nooit meer zoiets zou doen – hoe kon hij dan ooit nog hopen de man voor het gerecht te brengen? Maar toch was hij er inmiddels bijna zeker van geweest dat hij de man nooit meer te zien zou krijgen. Nooit meer zou hij zijn blik laten rusten op die korte, gespierde gestalte met die brede schouders en die dikke, stevige benen, de ruwe bos donkerblond haar, de grove gelaatstrekken en de helderblauwe ogen... en de wijnvlek die altijd bedekt moest blijven. Wexford had hem maar één keer gezien zonder dat hij iets om zijn nek droeg. 's Winters een wollen das en in de zomer een sjaal van zijde of katoen, die misschien toebehoorde aan een van zijn vele echtgenotes. Het maakte niet uit wat, zolang Targo er de paarse wijnvlek maar mee kon bedekken die zijn nek ontsierde, zich uitstrekte over zijn wang en omlaag droop over zijn borstkas. Hij had de man slechts één keer zonder sjaal gezien, en nooit zonder hond.

Eric Targo, zeven of acht jaar ouder dan Wexford. Een man die vaak getrouwd was geweest, vrachtwagenchauffeur, projectontwikkelaar, kenneluitbater, dierenliefhebber, moordenaar. Wexford had zich net voor het eerst in weken weer eens afgevraagd wat er van de man geworden zou zijn en vervolgens in gedachten even stilgestaan bij het gerucht dat hij weer terug was en hier ergens in de buurt woonde. En of het nou voorbestemd was of puur toeval – Wexford ging uit van het laatste – had hij die gedachten net van zich afgezet, vol ergernis over het feit dat hij nooit iets had kunnen vinden dat belastend voor de man was, toen hij Targo in eigen persoon voor zich zag, honderd meter verderop. Wexford twijfelde geen moment, zelfs op die afstand niet, ook al was Targo's dikke bos haar inmiddels volkomen wit geworden. De man had nog steeds datzelfde hanige loopje met kaarsrechte rug dat zo typerend is voor kleine mannetjes, en hij droeg nog steeds een sjaal. In zijn linkerhand, de hand die het dichtst naar Wexford toegekeerd was, droeg hij een laptop. Of liever gezegd, een koffertje dat bestemd was voor een laptop.

Wexford zat in zijn auto en reed door Glebe Road. Hij parkeerde langs de stoeprand en zette de motor af. Targo was uit een witte bestelwagen gestapt en een huis binnengelopen aan de kant van de straat waar Wexford nu geparkeerd stond. Geen hond? Wexford moest nu besluiten of hij door Targo gezien wilde worden. Misschien maakte dat nauwelijks meer uit. Hoe lang was het inmiddels geleden? Tien jaar? Langer? Hij stapte uit de auto en liep naar het huis waar hij de man net naar binnen had zien gaan. Het huis maakte deel uit van een rijtje dat stond ingeklemd tussen een krakkemikkig flatblok en een stel winkeltjes: een makelaar o.g., een nagelbar, een tijdschriftenwinkel en een zaakje dat Webb & Cobb heette (wat Wexford een grappige naam vond omdat die hem deed denken aan het Engelse woord voor spinnenweb). De winkel had ooit keramiek en keukengerei verkocht, maar was nu gesloten en er waren grote platen hout voor de ramen gespijkerd. Mike Burden had hier ooit gewoond, toen hij voor de eerste keer getrouwd was geweest; Wexford herinnerde zich nog dat het nr. 36 was. Nr. 34 was het huis waar Targo naar binnen was gelopen. De voordeur van Burdens oude huis was nu paars geschilderd en de nieuwe bewoners hadden hun smalle voortuintje betegeld, zodat ze er hun motorfietsen kwijt konden. Burden zei dat hij dat hun kwalijk nam, alsof hij het recht had om te bepalen wat de huidige eigenaren met hun huis uitspookten. Terwijl Wexford daaraan dacht, moest hij glimlachen.

Van Targo was niets meer te bekennen. Wexford liep naar de naar de straat toegekeerde zijde van de bestelwagen en keek door het zijraampje naast het stuur. Het was een centimeter of tien naar beneden gedraaid ten behoeve van een tamelijk klein hondje dat op de linkervoorstoel zat. Het had een wit en geelbruin gevlekte vacht en was van een ras dat hij niet kon thuisbrengen, met dunne, puntige oren en lange haren. De hond draaide zijn kop naar Wexford toe en liet één scherpe blaf horen, niet bijzonder luid en helemaal niet boos. Wexford liep terug naar zijn auto, reed een eindje verder en parkeerde recht tegenover de witte bestelwagen, aan de overkant van de straat, zodat hij vlak tussen een Honda en een Vauxhall in kwam te staan. Van hieruit had hij een goed zicht op nr. 34. Hoe lang zou Targo daar blijven? En wat voerde hij uit met die laptop of laptopkoffer? Het leek hem een wonderlijke plek voor Targo om vrienden te hebben wonen. De vorige keer dat hij de eigenaar van de witte bestelwagen en de hond met de geelbruine vlekken had gezien, was Targo in goeden doen geweest, rijk zelfs, en Glebe Road was een armoedig straatje waar zich inmiddels verschillende allochtone gezinnen hadden gevestigd en waar Burden zo snel hij zich dat maar kon veroorloven weer was weggegaan.

Hij noteerde het kentekennummer van de witte bestelwagen en bleef zitten wachten. Het was, zo dacht hij, een heel Engels soort dag. Het waaide niet en de hemel was volkomen bewolkt. Op net zo'n dag, min of meer in dezelfde tijd van het jaar, het einde van de zomer, had hij een bezoek gebracht aan de kennel waar Targo honden huisvestte voor baasjes die tijdelijk van huis waren, en daar had hij de ratelslang gezien. De sjaal om Targo's nek was van zwarte, groene en gele zijde geweest en had de grote wijnvlek vrijwel geheel aan het oog onttrokken, maar net niet helemaal, en de ratelslang die Targo toen om zijn nek had gehangen, had min of meer dezelfde kleuren gehad, al was de kleurtekening op zijn huid ingewikkelder. Toeval of opzet? Niets wat Targo deed, zou hem ooit verrassen. De eerste keer dat hij de man had gezien, jaren en jaren geleden, toen ze allebei jong waren, maar hij, Wexford, nog héél jong, had Targo een bruine wollen das om gehad. Het was winter geweest, en koud. De hond die hij toen bij zich had, was een spaniël. Hoe heette het beest ook weer? Wexford kon het zich niet herinneren. Hij herinnerde zich de tweede keer dat hij Targo had gezien, omdat dat de enige keer was geweest dat Targo een paar minuten zonder sjaal om had gelopen. Hij had de voordeur opengedaan voor Wexford en hem daar laten staan terwijl hij een sjaal van zijn vrouw van de kapstok plukte en om zijn nek wikkelde. In die paar seconden had Wexford een paarsbruine wijnvlek gezien, die de vorm had van een of ander onbekend continent, met schiereilanden die uitlopers vormden over Targo's borstkas, en landtongen die zich uitstrekten tot op zijn kin en wang, een continent met een oneffen oppervlak vol valleien en bergketens, en toen had Targo die sjaal eroverheen getrokken...

Nu ging de voordeur van nr. 34 open en kwam de man weer tevoorschijn. In de deuropening bleef hij even staan praten met een jonge man van Aziatische afkomst, die kennelijk de bewoner was, of een van de bewoners. De jongeman, die een spijkerbroek en een oogverblindend wit overhemd aanhad, was minstens vijftien centimeter langer dan Targo. Het was een knappe man, met een lichte, geelbruine huid en gitzwart haar. Targo, zo merkte Wexford op, mocht dan misschien oud zijn geworden, maar had nog steeds het lijf van een jonge man. Onder het T-shirt dat hij aanhad, tekende zijn zwaargespierde bovenlijf zich duidelijk af en zijn zwarte spijkerbroek richtte nadrukkelijk de aandacht op zijn platte buik. Hij had de laptop in het huis achtergelaten. Terwijl hij binnen was, had hij zijn blauwwitte sjaal afgedaan. Ongetwijfeld omdat het warm was, en ongelooflijk genoeg ook omdat hij die niet langer nodig had om iets verborgen te houden. De wijnvlek was verdwenen.

Een ogenblik vroeg Wexford zich af of hij zich misschien vergist had, en of dit misschien iemand anders was. Het geelblonde haar was wit geworden en de lichtblauwe ogen waren van hieruit niet te zien. De paarse wijnvlek was Targo's meest opvallende kenmerk geweest, datgene waaraan hij altijd onmiddellijk te herkennen viel. Maar nee, dit was Targo, de gedrongen, gespierde Targo, met dat hanige loopje en die lichaamshouding die zoveel zelfvertrouwen uitstraalde. De Aziatische man liep een paar meter met hem mee over het korte tuinpad. Hij stak zijn hand uit en na een korte aarzeling nam Targo die aan. Het was Wexford al eerder opgevallen dat Aziaten elkaar vaak een hand gaven. Als ze elkaar tegenkwamen op straat bijvoorbeeld, al waren het altijd mannen die dat deden, en nooit vrouwen. Iemand had hem verteld dat de Aziaten op nr. 34 de eigenaars waren van de inmiddels gesloten winkel van Webb & Cobb ernaast... wat dat dan ook waard mocht zijn. Ze zouden ongetwijfeld huur ontvangen van de bewoners van de woningen daarboven.

Targo stak het trottoir over naar de bestelwagen, trok het portier open en stapte in. Wexford kon nog net zien hoe hij de hond een aai over zijn kop gaf, zijn arm om het dier sloeg en het snel even een knuffel gaf. Als er nog enige twijfel had bestaan dan was die daarmee verdwenen. Er kwam een herinnering in hem op uit een heel ver verleden; de eerste mevrouw Targo, die tegen die tijd al van hem gescheiden was en over haar ex zei: 'Hij houdt veel meer van dieren dan van mensen. Eigenlijk houdt hij helemaal niet van mensen.'

De witte bestelwagen reed weg. Het zou misschien niet verstandig zijn om die te volgen, dacht Wexford. Hij had niet veel vertrouwen in zijn vermogen om een auto te volgen zonder dat de bestuurder hem opmerkte. En het zou niet moeilijk zijn om erachter te komen waar Targo nu woonde. Het zou al een stuk moeilijker worden om te zeggen wat het nut ervan was om te weten waar de man woonde. Hij bleef nog even zitten, en dacht peinzend na over de wijze waarop het zien van Targo hem onmiddellijk sterk bewust had gemaakt van zijn eigen lichamelijke tekortkomingen. Maar toen hij de man voor het eerst had gezien, al die jaren geleden, was hij een lange, jonge politieman geweest, heel jong en heel fit, terwijl Targo gedrongen was geweest en te zwaar gespierd, en met die afschuwelijke wijnvlek in zijn nek en op zijn gezicht.

Ergens in de loop van al die jaren sinds ze elkaar voor het laatst hadden gezien, had Targo die wijnvlek kennelijk laten weghalen. Dat viel met een laser te doen... Dat had Wexford gelezen in een tijdschriftartikel over nieuwe geneeswijzen voor verminkingen en mismaaktheid. De man had destijds een hoop geld verdiend, en ongetwijfeld een deel daarvan besteed aan het verbeteren van zijn uiterlijk, net zoals anderen hun neus wat lieten corrigeren of hun borsten lieten vergroten. Het merkwaardige was, dacht hij, dat Targo kennelijk nog steeds een sjaal droeg, zelfs op een zomerdag... totdat hij eraan dacht en het ding afdeed. Zou hij het soms koud hebben zonder zo'n ding om zijn nek te hebben? Dat was hij per slot van rekening het grootste deel van zijn leven gewend geweest.

Er liep een meisje langs zijn auto. Toen stapte ze tussen zijn auto en de Honda de stoep af en maakte aanstalten om de straat over te steken. Zo te zien was ze een jaar of zestien, en ze droeg de donkerblauwe rok, witte blouse en blazer die samen het schooluniform vormden van de scholengemeenschap van Kingsmarkham. Haar hoofd ging schuil onder een hijab in hetzelfde egaal blauw als haar rok, die haar weliswaar niet goed stond, maar toch niets afdeed aan haar schoonheid. Haar donkerbruine ogen, bekroond door een paar welgevormde wenkbrauwen, keken even zijn kant uit. Ze liep naar het huis waar Targo zojuist naar buiten was gekomen, haalde een sleutel uit haar tasje en ging naar binnen. Te oud om de dochter van de knappe jongeman te zijn. Zijn zus? Dat zou kunnen.

Vijf minuten later parkeerde hij de auto op de oprit naar zijn eigen garage. In plaats van door de voordeur naar binnen te gaan, liep hij om het huis heen en keek even naar zijn tuin. Het was een grote tuin en sinds de tuinman drie maanden geleden ontslag had genomen, had Dora voortdurend haar best gedaan om alles netjes te houden. Maar ze was aan de verliezende hand. Die drie maanden waren nou juist de tijd van het jaar waarin een tuin voortdurend aandacht nodig heeft. Het gras moest gemaaid worden, het onkruid gewied, dood hout moest worden weggehaald en planten die al te enthousiast uitgroeiden, moesten worden bijgesnoeid. En er was maar heel weinig van dat alles gebeurd. Ik neem aan dat ik van het weekend weleens echt mijn best zou kunnen gaan doen, dacht hij. En onmiddellijk daarop: nee, dat doe ik toch niet. We moeten een tuinman zien te vinden, en snel ook. Hij wierp nog een laatste blik op het rafelige gazon, de dode rozen die een voor een hun blaadjes lieten vallen en de brandnetels die vol energie en levenskracht opschoten tussen de dahlia's, waarna hij door de achterdeur het huis binnenliep. Dora zat in de woonkamer de plaatselijke avondkrant te lezen.

'We moeten een tuinman zien te vinden,' zei Wexford.

Ze keek op, glimlachte, en zei met een redelijk goede imitatie van zijn eigen stem: 'Hallo schat, wat heerlijk om weer thuis te zijn. Hoe gaat het met je?'

Hij gaf haar een kus. 'Oké, ik weet dat ik dat had moeten zeggen. Maar we hebben echt dringend een tuinman nodig. Ik haal wel iets te drinken voor je.' In de keuken haalde hij een fles sauvignon uit de koelkast en schonk een glas voor haar in. Voor zichzelf pakte hij een fles merlot uit de keukenkast. Het had geen zin om noten of chips in een kommetje te doen, want zodra ze dat zag, zou ze hem dat toch maar uit handen rukken en het ergens verstoppen. Hij dacht weer aan Targo's gespierde lijf en stapte met de twee glazen wijn de woonkamer binnen.

'Wat vind jij van moslimmeisjes die een hijab dragen?'

'Is dat een hoofddoek? Als ze daar zin in hebben, vind ik dat ze dat vooral moeten doen, als ze dat werkelijk zelf willen, bedoel ik. Maar niet als dat onder dwang gebeurt, en al helemaal niet als ze daartoe gedwongen worden door hun vaders en broers.'

'Ik vind dat het ze erg onaantrekkelijk maakt, maar ik neem aan dat dat juist de bedoeling is.'

'Of misschien vind je het als je moslim bent helemaal niet zo onaantrekkelijk. Nu we het er toch over hebben, Jenny heeft het de laatste tijd weleens over een of ander meisje, een moslimmeisje van zestien, dat bij haar in de klas zit. Ze schijnt te denken dat jij daarvan zou moeten weten.'

'Wat zou ik dan moeten weten?' Wexford mocht Burdens vrouw graag, hij wist dat ze intelligent was, en een goede lerares, maar hij vond het vervelend dat ze telkens probeerde om hem bij allerlei tijdrovende onderzoeken te betrekken, die over het algemeen niets opleverden. 'Wat is er nu weer mis?'

'Dit meisje, ze heet Tamima Huppeldepup... Tamima Rahman, en ze woont bij haar ouders aan Glebe Road, naast het huis waar Mike en Jean vroeger woonden...'

'Ik heb haar gezien. Vandaag nog.'

'Hoe kun je dat nou weten, Reg?'

'Nou, tenzij er twee moslimmeisjes van zestien zijn die aan Glebe Road wonen, naast het oude huis van Mike, en die naar school gaan op Kingsmarkham Comprehensive, kan ik er vrij zeker van zijn dat ik haar gezien heb. Wat heeft Jenny met haar te maken?'

'Ze zegt dat Tamima een stuk of acht deelcertificaten op het hoogste niveau heeft gehaald, en nog met schitterende cijfers ook, en dat ze als alles naar wens verloopt, kan doorstromen naar het pre-universitaire traject. Maar het meisje lijkt ongelukkig te zijn. Kennelijk voelt ze zich niet op haar gemak of zit ze zelfs in de zorgen over het een of ander. Ze heeft een vriendje, een moslim net zoals zij, dus dat zit waarschijnlijk wel goed, maar volgens Jenny is er toch iets niet in de haak. Ze denkt dat jij eens bij die mensen langs moet gaan om erachter te komen wat er aan de hand is. Kennelijk vindt Mike het geval niet interessant.'

'Heel verstandig van Mike,' zei Wexford. 'Als het om mensen gaat die zijn tijd willen verspillen, is hij strenger dan ik. Nou, hoe zit het met die tuinman? Zal ik een advertentie zetten in de *Courier*?'

2

Hij kon die Targo maar niet uit zijn hoofd zetten. Zelf kon hij nauwelijks met computers overweg, en hij had eigenlijk geen zin om rechercheur Coleman of brigadier Goldsmith te vragen om voor hem uit te zoeken waar de man tegenwoordig woonde, of hij getrouwd was of niet, en hoe hij aan de kost kwam. Hij had eigenlijk geen reden om dat allemaal te willen weten, alleen maar vermoedens en verdenkingen die in de loop der jaren waren ontstaan. In plaats daarvan vroeg hij het een van zijn kleinzoons, en zoals alle intelligente kinderen, wist de jongen binnen een paar minuten alles te vinden. Eric William Targo was nu getrouwd met Mavis Jean Targo-Seabright, en het echtpaar woonde in Wymondham Lodge, de oude pastorie van Stringfield.

Wexford kende dat huis wel. Hij kende de meeste grote huizen in de omgeving van Kingsmarkham. Er woonde al jaren geen dominee meer. De eerwaarde James Neame, die als predikant voor Stringfield fungeerde, had nu vier kerken onder zijn hoede, en in geen enkele daarvan werden de zondagsdiensten bijgewoond door meer dan tien mensen. Als Neame ergens anders preekte, werd de dienst waargenomen door een leek. De dominee woonde in een klein huisje van rode baksteen tussen de inmiddels gesloten dorpswinkel en de grote pastorie. Sinds de vorige dominee het grote huis voorgoed had verlaten, hadden er verschillende gezinnen in gewoond, maar zijn huidige naam had het huis pas gekregen toen het in het begin van de jaren negentig was aangekocht door een rijke man uit Londen die het ingrijpend had laten verbouwen. Nu heette het Wymondham Lodge, en toen Targo het nog geen jaar geleden had overgenomen, beschikte het over een uitgebreid landgoed, prachtig verzorgde tuinen, twee garages, drie badkamers en een gastenverblijf.

De volgende dag was het zondag en Wexford besloot naar Stringfield te rijden om daar... ja, wat eigenlijk? Het terrein eens te verkennen? De kans dat hij Targo te zien zou krijgen terwijl hij erlangs reed, was klein, maar hij had het gevoel dat hij niet kon rusten tot hij er op z'n minst heen was gegaan om het te proberen. Wonderlijk genoeg vroeg hij zich af hoeveel en wat voor soorten dieren de man zou houden, daar binnen de oude stenen muren rondom het terrein van de pastorie.

Het was een fraaie dag, heiig en zacht. De blaadjes waren nog lang niet aan vallen toe maar inmiddels al wel donker van kleur, en deden vermoeid aan. Alles zag eruit zoals de dingen eruitzien aan het eind van de zomer: een beetje haveloos en slecht opgeruimd, het gras lang en bruin, de bloemen verwelkt, en de grond bezaaid met gevallen kwetsen die lagen te rotten aan de voet van de bomen waarvan ze afkomstig waren. Hij nam de brug over de rivier de Brede en was binnen tien minuten in Stringfield. Er was maar weinig verkeer. De dorpskern maakte zoals gebruikelijk een verwaarloosde en zelfs verlaten indruk, de kerktoren was dringend aan restauratie toe, de grafstenen hingen uit het lood, en voor verschillende, ooit zeer gewilde huizen zag hij nu een TE KOOP-bordje in de voortuin staan. Hij reed het landweggetje op dat naar Wymondham Lodge leidde, en dat zo smal was dat tegenliggers er elkaar niet konden passeren. Toen hij de lange stenen muur rondom het landgoed bereikte, werd het weggetje iets breder.

Aan de andere kant van de muur werd het terrein wat hoger, zodat Wexford een paar lama's kon zien grazen. Hij kon zijn ogen bijna niet geloven toen hij vlak bij de muur een Bambi-achtig wezentje zag, een soort minihertje. Hij zette de auto in de met gras begroeide berm en dacht dat het hem niet zou verbazen om hier een luipaard te zien of zelfs een olifant. Maar dat bleek niet het geval, al ving hij in de verte wel een glimp op van hoge gaashekken van het soort dat om tennisvelden heen staat. Het gebrul dat hij gehoord meende te hebben, zou hij zich wel verbeeld hebben, besloot hij. Tijdens de rit naar het huis viel er heel wat minder te zien. Targo zelf in elk geval niet, en zijn vrouw al evenmin, maar dat zou ook te veel van het goede zijn geweest. Maar de witte bestelwagen die hij aan Glebe Road had gezien, stond op het gravel van de oprit, naast een zilvergrijze Mercedes. De oude pastorie zag eruit zoals een huis er alleen maar uit kan zien als de eigenaren rijk zijn en er voortdurend een hoop geld aan besteden. Het metselwerk was opnieuw gevoegd, het houtwerk was niet lang geleden opnieuw in de verf gezet en het leistenen dak straalde in de zon een soort doffe glans uit en was volkomen vrij van mos. Nergens viel iets te horen... Maar wat zou er dan ook te horen kunnen zijn op deze afgelegen plek, behalve de roep van een of ander dier? Hij reed verder, zodat hij vanuit Wymondham Lodge niet langer te zien was. In gedachten was hij nu echter bij een van de huizen waarin Targo vroeger had gewoond; niet het middelgrote huis in Myringham waar de kennel zich had bevonden, noch het huisje van de oude mevrouw Targo aan Glebe Road, van waaruit de man zichzelf tot stalker had gemaakt, maar het kleine huisje in Stowerton, aan Jewel Road, waarin Targo aan zijn carrière was begonnen. Het was eigenlijk niet meer dan een arbeiderswoninkje geweest, en Targo was toen nog heel jong, maar toch al een getrouwd man, met een kind, een tweede op komst, en natuurlijk een hond... een spaniël.

Nr. 32 was dat geweest, en meneer en mevrouw Carroll hadden op nr. 16 gewoond. Wexford herinnerde het zich nu allemaal weer alsof het gisteren was. Ze waren allemaal precies hetzelfde, die rijtjeshuizen: beneden twee piepkleine kamertjes en een keuken, en boven twee slaapkamers. Sommige huizen hadden een badkamer, maar de meeste niet. De tuintjes waren kleine rechthoeken met een poortje aan de achterkant dat uitkwam op een steegje waar het vuilnis werd buitengezet en de kolenboer de kolen kwam brengen. Iedereen stookte in die tijd nog kolen of cokes.

Op een avond was Elsie Carroll dood aangetroffen in haar slaapkamer terwijl haar echtgenoot een kaartavondje had. Whist hadden ze daar gespeeld. Zouden er tegenwoordig nog mensen zijn die whist speelden? De politie was gekomen, en Wexford was daarbij geweest. Hij was destijds nog een heel jonge politieman geweest en had zich opgewonden gevoeld, en een beetje overdonderd. Hij had het lijk van de vrouw niet te zien gekregen. Hij had alleen maar gezien hoe het, nadat de patholoog-anatoom was geweest, met een laken eroverheen naar buiten werd gedragen. Een tijd later was hij naar buiten gekomen. Ventura had hem naar huis gestuurd toen George Carroll, de echtgenoot, was gevonden. En toen was hij Targo tegengekomen, die zijn spaniël aan het uitlaten was. Om middernacht, op een klamme, kille avond. Dat was de eerste keer geweest, de allereerste keer, dat hij de man te zien had gekregen die nu in dat indrukwekkende huis achter die stenen muren woonde.

Natuurlijk had de man een das om gehad. Een dik, waterbestendig jack, rubberlaarzen en een das van bruine wol, met ruitjes die wat lichter van kleur waren. De man had hem strak aangekeken, recht in zijn ogen. En terwijl hij Wexford zo strak stond aan te kijken, had de hond zijn achterpootje opgetild om tegen een boom te plassen. Omdat het zo lang door-ging was dat gestaar absurd geweest, sinister zelfs, en onwillekeurig had Wexford een ongeduldig gebaar gemaakt, voordat hij zich omdraaide en naar de auto liep waarin hij naar huis zou rijden. Hij had nog één keer omgekeken en zag toen dat de man nog steeds met die strakke blik in zijn ogen naar hem stond te kijken. En hij herinnerde zich dat hij tegen zichzelf had gezegd: die man, die heeft het gedaan. Wie het ook mag zijn, hij heeft Elsie Carroll vermoord. En dat hij zichzelf toen had voorgehouden dat hij niet zo belachelijk moest doen, en niet van die onzinnige dingen moest zeggen... dat hij die zelfs niet moest dénken.

Terwijl hij een half leven later naar huis reed, dacht hij: Ik heb hier nog nooit iemand iets over verteld, maar nu ga ik dat wel doen. Ik ga het Mike vertellen. Ik ga nu gezellig lunchen met Dora en Sylvia en de kinderen, ik kijk een tijdje naar mijn verwaarloosde tuin en dan schrijf ik een briefje met een advertentie erin waarin ik om een tuinman vraag, en dat stuur ik dan naar de *Courier*. En nadat ik dat allemaal gedaan heb, bel ik Mike en dan vraag ik hem of hij meegaat om iets te drinken. Nu Targo terug is en ik hem gezien heb, is het tijd om hier met iemand over te praten... en wie kan ik dat anders vertellen?

'Als het over dat meisje van de familie Rahman gaat, dan liever niet,' zei Burden.

Wexford was zo met zijn aandacht bij Targo geweest, dat hij dat meisje bijna vergeten was. 'Wie?'

'Dat schoolmeisje van wie Jenny schijnt te denken dat ze op de een of an-dere manier ergens het slachtoffer van is. Dat meisje uit die Aziatische fa-milie die naast mijn vorige huis woont.'

'Daar gaat het niet over, Mike. Daar heeft het niets mee te maken. Dit is iets heel anders. Ik heb er nooit met iemand over gesproken, maar het is niet nieuw, het is al langer aan de gang dan me lief is, en nu gaat het vol-gens mij opnieuw beginnen. Maakt dat je niet nieuwsgierig?'

'Wil je daarmee zeggen dat je mij erover gaat vertellen?'

'Als je wilt luisteren,' zei Wexford.

Ze gingen naar de Olive and Dove, en gingen in de gelagkamer zitten die ze in de loop der jaren tot hun vaste stek hadden gemaakt. Die werd na-tuurlijk ook door andere mensen gebruikt, zoals het geelgevlekte plafond en de lucht van de duizenden en duizenden sigaretten die hier waren gerookt wel duidelijk maakten. Over enkele jaren zou roken hier verboden worden, de muren en het plafond zouden een nieuw verfje krijgen, er zouden nieuwe gordijnen voor de beslagen ramen worden gehangen en de asbakken zouden worden verbannen, maar eind jaren negentig was er nog niets wat daar op wees. De avond was al net zo zacht als de afgelopen dag en de meeste jonge mensen zaten buiten, onder kleurige parasols, terwijl de ouderen dicht op elkaar gepakt binnen zaten. Als ze even een sigaretje wilden roken, zouden al die mensen, of degenen na hen, over tien jaar dicht op elkaar gepakt op de veranda staan, weer of geen weer.

Wexford vroeg om zijn gebruikelijke rode wijn, Burden om een halve pint lagerbier. Hij was geen grote drinker. Wel had de inspecteur altijd een forse eetlust, en het zou Wexford niets verbazen als Burden voordat hij hiernaartoe was gekomen, niet op zijn minst eerst een tweegangendiner naar binnen had gewerkt. Hij zou er ongetwijfeld brood of aardappelen bij hebben gegeten, dacht Wexford, die van de dokter geen aardappelen meer mocht hebben en zelf besloten had geen brood meer te eten. Toch had de inspecteur altijd een slank en elegant figuur gehouden. Wexford vond het bijna onfatsoenlijk dat een man van Burdens leeftijd vrijwel geen buik had en nog steeds een spijkerbroek kon aantrekken zonder er belachelijk uit te zien.

Hoewel hij eerder op de dag had gezegd dat hij niet kwam als het gesprek over Tamima Rahman zou gaan, begon Burden toch meteen over haar.

'Ik hoop dat ik Jenny daarmee niet achter haar rug om afval, maar soms denk ik weleens dat mensen die zo fel antiracistisch zijn zo nu en dan weleens discriminatie menen te zien wanneer daarvan eigenlijk helemaal geen sprake is. En bovendien heb ik het idee, en dat heb ik haar ook gezegd, dat als die Tamima een blank meisje was geweest dat een beetje een gedeprimeerde indruk maakte en, tja, zich niet goed kon concentreren, Jenny dat absoluut niet opgemerkt zou hebben. Nou, ik neem aan dat ik haar nu toch achter haar rug om afval.'

'Het is in elk geval politiek incorrect, Mike. Maar ik vraag me af of het nou werkelijk zo erg is om tegen mij iets te zeggen waar je vrouw het niet mee eens zou zijn. Wat dat meisje betreft, ik weet alleen maar wat Dora tegen mij heeft gezegd, en die heeft het allemaal weer van Jenny.'

'Voor zover ik weet, valt er verder niets te weten.'

Burden nam een slokje bier en knikte instemmend. 'Nou, wat wilde je me vertellen?'

'Iets wat nogal lang kan gaan duren,' zei Wexford peinzend. Hij liet een korte stilte vallen en ging toen verder: 'Je moet begrijpen dat ik hier nog nooit tegen wie dan ook iets over heb gezegd. Ik heb het altijd helemaal voor me gehouden, en ik dacht dat ik er nooit iemand iets over zou vertellen. Dat kwam voor een deel omdat de man om wie het gaat hier is weggegaan. Het was niet de eerste keer dat hij ergens anders naartoe ging, maar hij is nooit eerder zo lang weggebleven. Ik begon te denken... nee, ik had al besloten... dat het allemaal voorbij was. Maar nu is hij terug. Ik heb hem gezien.'

'Wat bedoel je met "voor een deel"?'

'Omdat ik niemand anders kon bedenken die me zou geloven,' zei Wexford.

'En ik zal het wél geloven?'

'Waarschijnlijk niet. Nee, ik denk niet dat je het zult geloven. Maar ik weet dat je zult luisteren, en het voor jezelf zult houden.'

'Als je dat graag wilt, doe ik dat.'

Het verhaal dat hij nu zou gaan vertellen, begon toen hij nog heel jong was, en bij zijn vader en moeder thuis zat omdat hij zich nog niet kon veroorloven op zichzelf te gaan wonen. Hij kon goed met zijn ouders overweg, dat was het probleem niet, maar toch waren er twee redenen waarom hij na verloop van tijd het huis uit was gegaan: het was niet 'volwassen' om bij je ouders thuis te wonen en bovendien was hij verloofd. Hij had zich verloofd op zijn eenentwintigste. Maar daar ging hij het nu niet over hebben. Hij wilde nu niet praten over de seksuele revolutie die zich destijds weliswaar aandiende, maar nog niet had voltrokken, en hij had geen zin om uit te leggen dat het destijds volstrekt ondenkbaar was geweest dat zijn ouders Alison bij hem op de kamer zouden laten slapen. Zelfs toen hij een eigen kamer had gevonden, met een klein elektrisch oventje met twee kookplaten en gebruik van de badkamer verderop in de gang, had hij Alison nog steeds niet kunnen laten logeren. Haar ouders verwachtten van haar dat ze uiterlijk om elf uur 's avonds thuiskwam. Zijn hospita zou haar de deur uit hebben gezet, en hém waarschijnlijk ook. Er zou geroddeld zijn. Meisjes moesten destijds nog op hun reputatie letten. Ze beseften nog steeds maar al te goed wat dat inhield, en als ze probeerden het te vergeten, kregen ze van hun vader wel te horen hoe het met hen zou aflopen als ze die kwijtraakten.

Maar Alison en hij hadden wel samen de avonden kunnen doorbrengen.

Mevrouw Brunton, zijn hospita, was er een van het slag dat oprecht geloofde dat seks iets was wat alleen kon plaatsvinden na tien uur 's avonds. Hij was jong en waarschijnlijk was hij niet anders geweest dan andere mannen, over wie destijds voor het eerst zo nu en dan in allerlei tijdschriften te lezen had gestaan dat ze elke zes minuten aan seks dachten. Alison en hij kenden elkaar al sinds hun zestiende, en al beviel het vrijen hem best, hij vond het toch niet zo leuk als hij had verwacht. Er moest meer aan vastzitten, want anders snapte hij niet waar zoveel mensen zich zo druk om maakten.

Hij probeerde er maar niet over na te denken. Hij was verlóófd, en daar had hij heel ouderwetse ideeën over. Niet dat hij zich geestelijk nog in die tijd bevond waarin mannen die het uitmaakten met hun verloofde in Engeland vervolgd konden worden wegens verbreking van de trouwbelofte, maar toch had hij het destijds slecht en oneervol gevonden voor een man om een verloving af te breken als de vrouw er heel duidelijk op gebrand was om verloofd te blijven. Maar was dat eigenlijk wel zo? Ze zei dat ze van hem hield. Hij had geprobeerd er maar niet aan te denken en in plaats daarvan zijn gedachten op zijn werk te richten.

En over dat werk wilde hij het nu met Burden hebben. De inspecteur zat te wachten, en terwijl hij hem aandachtig aankeek, nam deze een handje van de noten die Wexford niet meer mocht hebben.

'Het was voornamelijk verklaringen opnemen,' begon Wexford. 'Verklaringen van mensen die zich schuldig hadden gemaakt aan heling, of die iemand kenden die zich aan heling schuldig had gemaakt of ergens had ingebroken en vijf pond uit een tasje had gestolen. En van huis tot huis gaan. En één keer heb ik net als een heleboel anderen bij toerbeurt in het ziekenhuis een tijdje bij iemand aan het bed moeten zitten, een man die op straat was neergestoken. Heel opwindend vond ik dat. In die tijd gebeurden zulke dingen hier in Kingsmarkham bijna nooit. En toen werd Elsie Carroll vermoord.

In hun deel van mid-Sussex was dit de eerste moord geweest in twee jaar, en de vorige was eigenlijk geen moord geweest, maar doodslag. In dit geval ging het wel degelijk om moord. Ze was gevonden door een van de buren. De buurvrouw, mevrouw Dawn Morrow, had zitten wachten totdat Elsie Carroll bij haar langskwam voor een praatje en een kopje koffie.

In die tijd zouden twee vrouwen nooit samen hebben afgesproken voor een drankje, dat wil zeggen voor wijn, bier of sterkedrank. Er was trouwens niemand die wijn dronk, behalve Fransen en mensen van het slag dat dure restaurants bezocht. Dawn had twee kinderen, eentje van drie en een van één, en op dinsdagavond ging haar man op bezoek bij zijn moeder, die weduwe was, zodat ze dan het huis niet uit kon, behalve om snel even bij de buurvrouw "langs te wippen".'

Op dat moment viel Burden hem in de rede. 'Waar was dat precies?'

'Heb ik dat niet gezegd? Jewel Road in Stowerton.'

'Ja, die huisjes ken ik wel. Nogal chic, en alle voordeuren hebben een andere kleur. Erg in trek bij forensen uit Londen.'

'In die tijd zag het er daar nog heel anders uit. Het waren... zijn... rijtjeshuizen. Sommige mensen hadden een lampje in een portiek of op een buitenmuur, maar meneer en mevrouw Carroll op nr. 16 niet. De achtertuinen waren klein en ze hadden allemaal een poortje in de achtermuur dat uitkwam op een steegje waar het vuilnis werd opgehaald en de kolen werden bezorgd. Niemand deed die poortjes ooit op slot en hetzelfde gold voor de achterdeuren. Er gebeurde nooit iets, het was neurotisch om bang te zijn voor indringers.

Dawn belde aan op nr. 16 en toen er niet werd opengedaan, liep ze via de achtertuin van haar eigen huisje en het steegje daarachter de tuin van de buren in. Er zat een glazen ruit in de achterdeur en er brandde licht in de keuken. De deur was niet op slot, dat sprak vanzelf. Dawn liep naar binnen en riep "Hallo", en "Elsie, waar ben je?" Toen ze geen antwoord kreeg, riep ze nog eens en stapte toen vanuit de keukendeur de gang binnen. Daar brandde ook licht.

Ik was nooit eerder in een van die huizen binnen geweest, maar ze hadden allemaal precies dezelfde indeling, en de volgende avond wist ik precies hoe dit huis in elkaar zat. Er waren twee kleine kamertjes op de benedenverdieping. De volgende eigenaren hebben die samengevoegd tot één grote woonkamer. Boven waren er twee slaapkamertjes, een badkamer en een piepklein kinderkamertje, dat net groot genoeg was om het bedje van een kleinkind neer te zetten. Meneer en mevrouw Carroll hadden geen kinderen, en dus had Dawn geen reden om niet luidkeels Elsies naam te roepen terwijl ze de trap op liep. Het was net acht uur geweest.'

Wexford liet een korte stilte vallen en nam een slokje wijn.

'De volgende dag,' ging hij verder, 'nam rechercheur Miller – Cliff Miller – een verklaring op die door Dawn Morrow werd afgelegd. Ik zat erbij omdat ik moest leren hoe zoiets in zijn werk ging. De volgende verklaring zou ik zelf moeten opnemen. Dawn zei dat er licht had gebrand in de slaapkamer van mevrouw Carroll, en dat ze naar binnen was gestapt. Aanvankelijk had ze Elsie niet gezien. Het bed was nogal een rommeltje. Het zag eruit alsof het niet was opgemaakt. Iemand had de kussens dwars door de kamer gesmeten en het donzen dekbed was half op de vloer gezakt. Het was helemaal niets voor Elsie om haar bed niet op te maken. Dawn liep om het bed heen, en zag haar op de grond liggen tussen het bed en het raam. "Ik dacht dat ze flauwgevallen was," zei ze. "Ik ben naar haar toe gelopen en heb wat aandachtiger gekeken, maar zonder haar aan te raken. Naderhand heb ik te horen gekregen dat ze dood was, maar dat wist ik niet. Ze lag op haar buik, met haar gezicht op het tapijt, dus dat kon ik niet zien."

Dat was min of meer wat ze heeft gezegd, Mike. Misschien dat ik het me niet honderd procent nauwkeurig meer herinner. En ik zeg het nu heel koeltjes en laat weg wat er toen door haar heen gegaan moet zijn: schrik, verbazing, en angst. Ze liep naar nr. 18, waar een echtpaar woonde dat Johnson heet, en meneer en mevrouw Johnson kwamen met haar mee. Ze liepen met zijn drieën de trap op. Vóór haar trouwen was mevrouw Johnson verpleegster geweest. Ze keek even naar Elsie Carroll en zei dat ze dacht dat die dood was, en dat de anderen even de kamer uit moesten gaan terwijl zij keek of ze nog een pols kon voelen. Niet lang daarna kwam ze ook de slaapkamer uit en zei tegen haar man dat Elsie dood was, en dat hij de politie moest bellen. En dat deed hij.'

Elsie Carroll was gewurgd met het koord van haar ochtendjas, dat dwars over het bed had gelegen. Dat was de mening van dokter Crocker, die Wexford destijds nooit eerder had ontmoet, maar met wie hij later bevriend zou raken. Crocker was ruim een halfuur later ter plekke en verklaarde dat het slachtoffer niet meer dan een uur eerder overleden moest zijn, en misschien nog maar een halfuur eerder. Tegen die tijd was inspecteur Jim Ventura gearriveerd, samen met de rechercheurs Miller, Pendle en Wexford zelf. Enkele minuten daarna was inspecteur Fulford ook ter plekke geweest. Voor die plaats en die tijd was deze moord iets buitengewoons, een sensatie.

'We hadden destijds nog geen plaatsdelictfunctionaris. Rechercheur Pendle – Dennis heette hij – en ik doorzochten het hele huis op vingerafdrukken, en daarbij besteedden we vooral veel aandacht aan de slaapkamer. Het DNA was al ontdekt, maar Watson, Crick en Wilkins moesten de Nobelprijs voor hun ontdekking nog krijgen, en het zou nog heel lang gaan duren voordat DNA-onderzoek deel ging uitmaken van het forensisch onderzoek. Zelfs tegenwoordig is het nog niet honderd procent betrouwbaar, toch? Maar vingerafdrukken gebruikten we al wel heel lang. Terwijl we die slaapkamer onderzochten, een fraaie kamer die Elsie Carroll zelf had behangen met roze behang met een motief van zilveren blaadjes, zaten Ventura en inspecteur Fulford beneden te wachten totdat Elsies echtgenoot George thuiskwam.

Vrijwel onmiddellijk na zijn komst had Ventura al met Harold Johnson gesproken, en met diens vrouw Margaret, de vrouw die vroeger verpleegster was geweest. Het was toen tien minuten over halfnegen. Johnson had hem verteld dat George Carroll regelmatig naar de bijeenkomsten van de whistclub in St. Mary's Church in Stowerton ging, en dat hij daar nu wel zou zijn. De kerk stond daar nog geen kilometer vandaan en net als altijd was George Carroll er op de fiets naartoe gegaan. Margaret Johnson zei dat hij meestal om halftien al thuiskwam, al werd het soms weleens na tienen. Ventura stuurde Miller – Cliff Miller – naar St. Mary's om George Carroll te gaan halen, hem te vertellen wat er was gebeurd en hem naar huis te brengen.'

'Tegenwoordig zouden we dat allemaal heel anders aanpakken, hè?' zei Burden. 'De kerk zou telefoon gehad hebben, en dat was toen zeker niet het geval, en al die kaartspelers hadden een mobieltje gehad.'

'En Elsie Carroll zou haar achterdeur niet opengelaten hebben, en de grendel voor het deurtje in de tuinmuur geschoven hebben. En er zouden meer straatlantaarns zijn geweest.'

'Met andere woorden,' zei Burden. 'Je zou kunnen zeggen dat anders dan altijd beweerd wordt, het leven toen juist veiliger was.'

'In sommige opzichten wel, ja.'

'Nou, dus nu ga je me zeker vertellen dat George Carroll nergens te vinden was?'

'Niet zo ongeduldig. Laten we het er maar op houden dat we hem niet onmiddellijk konden vinden. Nog iets drinken?'

'Ik haal wel.'

Toen Mike terugkwam, zag hij dat Wexford aandachtig naar de fotokopie zat te kijken van het artikel over de moord op Elsie Carroll in W.J. Chambers' *Unsolved Crimes and Some Solutions*. Hij keek op en zei: 'Je dacht toch niet dat ik me dat na al die tijd allemaal nog kon herinneren?'

Burden lachte. 'Jouw geheugen is behoorlijk goed.'

'Ik vertel je dit allemaal omdat het noodzakelijk is, maar waar ik het werkelijk over wil hebben, is de man die ik ervan verdenk de moord gepleegd te hebben. Nee, verdenken is niet het juiste woord. Ik wéét dat hij het heeft gedaan, en ik weet ook dat hij op zijn minst nóg een moord heeft gepleegd. Hij heet Eric Targo, en we gaan het zo meteen over hem hebben.' En op bijna nederige wijze voegde Wexford daaraan toe: 'Althans als je er geen bezwaar tegen hebt dat ik doorga.'

'Nee hoor, Reg. Natuurlijk heb ik daar geen bezwaar tegen.'

3

'Miller kwam terug naar Jewel Road zonder dat hij Carroll had kunnen vinden, en we bleven op hem zitten wachten. Met "we" bedoel ik Fulford, Ventura en ik. Elsies stoffelijk overschot was weggehaald. Beoordeeld naar hedendaagse maatstaven gingen we in die tijd als het om het opmeten en fotograferen van de plaats delict ging tamelijk nonchalant te werk, maar ik durf toch te beweren dat het nauwkeurig genoeg was. De slaapkamer werd tot plaats delict verklaard en verzegeld. En toen kwam Harold Johnson met wat Ventura zijn "schokkende onthulling" noemde. Hij vroeg of hij Ventura even kon spreken. Waarschijnlijk vond hij die een minder angstaanjagende verschijning dan Fulford. Fulford had meer van een ouderwetse legerofficier, zo'n echte dienstklopper, dan van een politieman.

Johnson en zijn vrouw waren de hele avond thuisgebleven om tv te kijken. Ze vormden een van de weinige huishoudens aan Jewel Road die televisie hadden, en zo te horen zaten ze elke avond aan de buis gekluisterd. Als het om tv-kijken ging, waren er destijds allerlei regels en voorschriften. Zo hoorde je bijvoorbeeld op een afstand van de beeldbuis te zitten die gelijk was aan het aantal inches van de beeldbuis in meters gedeeld door drie, en je mocht beslist niet in het donker kijken. En zo waren er nog een heleboel regeltjes die allemaal flauwekul bleken te zijn. Maar toch, de Johnsons wilden het op de juiste wijze aanpakken, en ze geloofden ook dat ze eerst de gordijnen dicht moesten doen en daarna voor, zoals Margaret Johnson het omschreef, "gedempte verlichting" moesten zorgen. Maar ik vermoed dat ze een van de gordijnen zo lang mogelijk openlieten, zodat alle voorbijgangers de gloed van hun beeldscherm zouden opmerken en dus zouden weten dat zij televisiebezitters waren, en ik herinner me nog dat ik dat ook toen al dacht. En dan is er nog iets, wat ik vergeten ben te vertellen... het huis van meneer en mevrouw Johnson was ook een van de weinige waar de twee kamers op de benedenverdieping waren doorgebroken, zodat ze nu zowel aan de voorzijde van het huis als aan de achterzijde ramen hadden en gordijnen die dichtgetrokken moesten worden.

Hij vertelde Ventura dat hij om een uur of zeven 's avonds van de bank was opgestaan om de gordijnen dicht te trekken. Hij was niet helemaal zeker van de tijd, maar hij wist wel dat het al over zevenen was geweest, omdat het programma dat ze wilden zien al was begonnen. Eerst had hij de gordijnen in de erker in de voorgevel dichtgetrokken, en daarna was hij naar de achterkant van het huis gelopen. Daar hadden ze openslaande dubbele deuren en de gordijnen reikten dan ook tot aan de vloer en waren nogal zwaar. Hij trok de gordijnen dicht maar het rechtergordijn bleef ergens aan haken, aan de rugleuning van een stoel, en toen hij een paar stappen opzij deed om het los te trekken, keek hij toevallig naar buiten en zag daar in het donker de gedaante van een man die wegliep van de achterdeur van nr. 16, in de richting van het poortje in de achtermuur. Op dat moment had hij gedacht dat het George Carroll was die zijn fiets in het schuurtje had staan en dus altijd via de achterdeur het huis uit ging als hij de fiets nam. Maar nu was hij daar niet meer zo zeker van.

Hij dacht dat de man die hij had gezien kort van stuk was geweest, niet meer dan één meter zestig, terwijl George Carroll bijna één meter zeventig was. Maar het was donker geweest en Harold Johnson zei naderhand dat hij er niet op durfde te zweren – dat was de uitdrukking die hij gebruikte – dat het Carroll was geweest. Wel zeker was hij over het tijdstip: het was net zeven uur geweest. Elsie kon natuurlijk niet meer zeggen hoe laat haar man het huis uit was gegaan, maar Dawn Morrow vertelde Ventura de volgende dag dat hij meestal iets voor zevenen wegging, vaak zelfs al om tien vóór.'

'En hoe laat kwam Carroll thuis?'

'Heel wat later dan verwacht. Rond kwart voor elf. Ik had de indruk dat het een enorme schok voor hem was, maar zoals Pendle naderhand tegen me zei, hij zou zich hoe dan ook rot geschrokken zijn toen hij merkte dat overal licht brandde en dat zijn huis vol politiemensen zat, los van de vraag of hij haar nou wel of niet had vermoord. Fulford zei tegen hem dat hij het lijk mocht zien, als hij dat wilde, maar Carroll weigerde en begon te huilen. Fulford toonde geen medeleven. Hij zei dat hij hem wat vragen wilde stellen en dat hij dat nú wilde doen, dat het niet anders kon. Ventura en hij verhoorden de man, en Pendle en ik werden naar huis gestuurd.

Als het je interesseert, kun je in het boek van Chambers nalezen wat Carroll heeft gezegd. Ik heb een fotokopie voor je gemaakt. Maar waar het om ging, was dat Carroll vertelde dat hij de avond had doorgebracht met een zekere Tina Malcolm. De term "vriendin" werd in Engeland destijds niet veel gebruikt, en Carroll vertelde Fulford dat hij Tina Malcoms "minnaar" was. Daarbij had hij Fulford onmiddellijk mee tegen zich ingenomen. Fulford was een uitzonderlijk strenge en puriteinse man... nog een heel stuk erger dan jij.'

'Nou, bedankt.'

Wexford lachte. 'Die vrouw, zei Carroll, zou wel bevestigen dat hij bij haar was geweest van halfacht tot tien en hij voegde eraan toe dat hij blij was dat het nu "allemaal uitgekomen was". Toen herinnerde hij zich dat zijn vrouw dood was en hij begon hard te huilen.'

'Mijn god,' zei Burden. 'Dat is wel heftig.'

'Nou, dat was het inderdaad. Ik was blij dat ik daar weg kon, de frisse lucht in. De auto waarmee we gekomen waren, stond voor het huis geparkeerd. Pendle ging aan het stuur zitten – hij woonde niet ver bij mij vandaan in Kingsmarkham High Street – en ik liep om de auto heen om naast hem te gaan zitten. In die tijd hadden portiersloten natuurlijk nog geen afstandsbediening...'

'Ik was toen al geboren, hoor. Ik kan me zelfs de maanlandingen nog herinneren.'

'Sorry,' zei Wexford. 'Al is het me niet helemaal duidelijk waarom ik me zou moeten verontschuldigen omdat ik iemand heb toegesproken alsof hij jonger is dan zijn werkelijke leeftijd. Pendle moest opzij leunen en het knopje omhoogtrekken waarmee je het portier op slot kon doen – ik weet eigenlijk niet hoe zoiets heet – en terwijl hij daarmee bezig was, zag ik een man voor nr. 16 staan. Hij had een hond aan de lijn en hij stond te wachten totdat het dier klaar was met plassen tegen een boom op het trottoir. Targo heet hij. Eric Targo, al wist ik dat destijds nog niet. Over het algemeen zal iemand die je op zo'n manier tegenkomt de andere kant uit kijken zodra hij in de gaten heeft dat je hem hebt gezien. En al helemaal als je net hebt staan kijken hoe zijn hond de stoep bevuilt. Maar Targo wendde zijn blik niet af. Hij keek me strak aan. Je denkt misschien dat ik overdrijf, maar zo ging het echt. In boeken staat soms dat iemand recht in je ziel kan kijken, weet je wel?' Het was Burden duidelijk aan te zien dat hij dat niet wist en ook nog nooit zoiets had gelezen. 'Nou ja, laat maar, maar dat is nou precies wat Targo deed. Hij stond me aan te staren – we stonden in het licht van een straatlantaarn – en gaf toen een heel licht knikje, niet veel meer dan een zenuwtrekje, en terwijl hij zich omdraaide zag ik de wijnvlek. Hij had een das om, hij heeft altijd een das om, of liever gezegd, dat had hij vroeger altijd – maar die zakte een eindje af toen hij zijn hoofd omdraaide. Aanvankelijk dacht ik dat het een schaduw was en dat het iets te maken had met de lichtval, maar toen hij wegliep, zag ik wat het was: een wijnvlek die zich uitstrekte over zijn hele nek, een wijnvlek in de vorm van een kreeft met grote scharen of een eiland met verschillende kapen.' Wexford haalde zijn schouders op. 'Kies zelf maar.'

Het had hem anderhalf uur gekost om dit allemaal te vertellen en al die tijd hadden ze rustig alleen gezeten, maar nu kwamen er drie mensen het achterkamertje binnen, een vrouw en twee mannen. Hoewel het vertrek niet groot was, stonden er drie tafeltjes in, die de nieuwkomers alle drie hadden kunnen kiezen, maar om de een of andere reden kozen ze uitgere- kend het tafeltje dat het dichtste bij stond. 'Zullen we naar mijn huis gaan?' zei Burden zachtjes tegen Wexford. 'Dan kun je daar verdergaan met je verhaal.'

Burden woonde dichter bij de Olive dan hij. Jenny was thuis omdat ze haar jonge zoontje niet alleen kon laten, en dat had lastig kunnen zijn, maar gelukkig zei ze alleen maar: 'Kan ik binnenkort een keertje bij je langskomen, Reg? Op het bureau?'

Hij noemde een dag en een tijd, meer om haar voorlopig even af te sche- pen dan omdat hij graag wilde horen wat ze te vertellen had. Dat wist hij toch wel. Burden en hij liepen een kamertje binnen dat de studeerkamer werd genoemd, hoewel daar, zoals vaak het geval is, nooit gestudeerd werd en het eigenlijk niet meer was dan een plek waar een van beiden eens een ander tv-programma kon kijken dan er in de woonkamer te zien viel. Bur- den ging even weg om de drankjes te halen, en een paar borrelnootjes die híj wel mocht hebben, maar Wexford niet.

Terwijl hij daar een tijdje in zijn eentje zat, dacht hij peinzend terug aan die middernacht van lang geleden. Hij was die blik nooit vergeten. Hij was nooit vergeten hoe het licht van de straatlantaarn op de dikke bos blond haar van de man viel, en op zijn nogal ruwe en grove gezicht, en hoe die sjaal de donkere vlek die als het ware om zijn nek gewikkeld zat net niet helemaal aan het oog onttrok. En toen dat knikje, alsof de man wilde zeg- gen: 'Wij kennen elkaar. We·zijn nu met elkaar verbonden.' Maar dat was natuurlijk onzin, zoveel betekenis kon er helemaal niet in een knikje liggen.

De volgende dag had hij vrij gehad. Hij zou liever naar zijn werk zijn gegaan, want hij wilde de volgende stadia van het proces niet missen, maar hij had al evenmin zin om dat tegen Ventura te zeggen. Het klonk een beetje... niet te gretig, maar misschien een beetje aanmatigend. Hij werkte hier nog te kort, en bevond zich nog te laag in de hiërarchie om nu al op die manier al de aandacht op zichzelf te kunnen vestigen. In plaats daarvan was hij een dagje uit rijden gegaan met Alison (in de auto van haar vader), en 's avonds had hij op zijn kamer gezeten. In die tijd had hij voortdurend zitten lezen, lezen en nog eens lezen, om te compenseren voor het feit dat hij niet naar de universiteit had gekund. Die avond stond Chaucer op het menu, *The Squire's Tale*. Maar naderhand had hij lange tijd liggen piekeren over die vraag die hem al zo lang zorgen baarde: hoe kon hij nou met een vrouw trouwen van wie hij niet hield en die hij, zo vreesde hij, binnenkort niet eens meer aardig zou vinden?

Burden kwam terug met een fles mineraalwater en voor Wexford een glas rode wijn, waarmee Wexford meteen aan het maximum zat dat hij zichzelf voor vandaag wilde toestaan. Burden schonk zichzelf een groot glas water in en pakte een handje amandelen uit een van de kommetjes met noten en kaaskoekjes die hij had klaargezet.

'Je was net op het punt gekomen waar die Targo en jij elkaar stonden aan te staren,' zei hij op een toon die ergens tussen scepsis en sarcasme in hing. Wexford besloot het maar te negeren. 'De volgende ochtend,' begon hij, 'tijdens wat Fulford zijn dagelijkse taakbespreking noemde, zei Ventura dat hij wilde dat ik meeging om Tina Malcolm te verhoren, de vriendin of "minnares" van George Carroll. In het mortuarium was de patholoog-anatoom inmiddels bezig met de lijkschouwing op diens vermoorde echtgenote. Ventura en ik gingen naar Powys Road. Die vrouw, Tina Malcolm, woonde in een flatje. Twee kamers en een keuken. Geen badkamer, maar dat was in die tijd niet ongebruikelijk. Er was een bad in de keuken met een deksel erop, zodat je het ook als tafel kon gebruiken. Zoiets was toen niet chic en niet armoedig, maar heel gewoon. Voor een jong iemand die daar nu naar binnen zou stappen, zou het interessant zijn geweest, want hoewel de slaapkamer behoorlijk groot was, sliep ze in een eenpersoonsbed.'

'Neem wat nootjes.'

'Je weet dat ik dat beter niet kan doen.' Wexford zuchtte, maar zo zachtjes dat het niet te horen viel.

'Tina Malcolm was halverwege de dertig, met zware make-up en geblondeerd haar. Vrouwen droegen in die tijd veel meer make-up dan nu. Een heleboel meisjes wilden de deur niet uit zonder. Maar ze besteedden meer aandacht aan hun lippen dan aan hun ogen. Ze droeg schoenen met zulke hoge hakken dat je je afvroeg hoe vrouwen op die dingen meer dan een paar stappen konden zetten zonder om te vallen. Dat is niet veranderd trouwens. Ze wist dat we zouden komen en volgens mij had ze zich speciaal voor ons nog wat extra opgedoft, niet omdat we van de politie waren, maar omdat we mannen waren.

Ze nam ons mee naar haar zitkamer en bood ons thee aan, maar dat weigerde Ventura. We hebben de neiging om mensen met zuidelijk bloed te beschouwen als warm en hartelijk, maar Ventura was een zwijgzame man met een norse en bruuske manier van doen. Als hij een kopje thee van haar aannam, zou hij haar daarmee misschien op haar gemak hebben gesteld. Ze was heel nerveus. En gezien de omstandigheden had ze daar alle reden toe.'

'Gezien de omstandigheden? Bedoel je dat ze betrokken was bij de dood van Elsie Carroll?'

'Nou nee, eerder het tegenovergestelde. Of zo leek het in elk geval. Wat er vervolgens gebeurde was echt heel uitzonderlijk, Mike. Het was de allereerste keer dat ik zoiets meemaakte, en wat meer zegt, het was ook voor Ventura de eerste keer. Dat heeft hij me achteraf verteld, toen we in de auto zaten, en over het algemeen deed hij tegenover zo'n onderknuppel als ik nauwelijks zijn mond open.'

Burden lachte. 'Nou, wat was het dan? De suspense wordt nu onverdraaglijk.'

'Ze had niets over de moord gehoord. Of ze zei dat ze daar niets over had gehoord. Je moet niet vergeten dat er in die tijd nog lang niet zoveel nieuws was als nu. Er was natuurlijk radio en tv, maar niet meer dan twee kanalen en geen ontbijt-tv. Er waren kranten, maar daar had je niets aan als je er niet 's ochtends een liet bezorgen. Het was halftien toen we daar aankwamen, en er was nergens een krant te bekennen. Ventura vroeg haar of ze had gehoord over de moord op mevrouw Elsie Carroll, en ze zat hem alleen maar aan te gapen. Haar ogen werden zo groot als schoteltjes en ze fluisterde dat ze daar helemaal niets van wist. Haar handen waren gaan trillen.

Ventura wierp me een blik toe waaruit duidelijk bleek dat ik iets moest zeggen, en dus vroeg ik haar of meneer George Carroll een vriend van haar was. Ze knikte en fluisterde "Ja", en Ventura zei dat ze wat luider moest spreken. In die tijd gebruikte geen mens de term "relatie" als daar een "verhouding" mee werd aangeduid, en Ventura vroeg haar hoe die vriendschap tussen meneer Carroll en haar eruitzag. Toen ze daar antwoord op gaf, was dat wél goed te verstaan. "Het is een goede vriend van me," zei ze. "Er is niets ongepasts aan." Dat was wat mensen in die tijd zeiden als ze bedoelden dat er geen sprake was van een seksuele relatie. We hadden haar geen van beiden verteld wanneer Elsie Carroll precies was overleden. Ventura vroeg haar wanneer ze George Carroll voor het laatst had gezien, en ze zei dat ze daar niet helemaal zeker van was, maar dat het niet lang geleden kon zijn. "Hebt u hem eergisteravond gezien?" vroeg Ventura. Ze ging rechtop zitten en keek geschokt. Plotseling drong het tot me door dat dit geen angstig en bedeesd meisje was, maar een intelligente vrouw. Ventura besteedde geen aandacht aan haar tegenwerpingen dat ze Carroll nooit 's avonds had ontmoet. "Hebt u hem gisteravond gezien tussen halfacht en halftien?" Ze bleef heel rustig en schudde haar hoofd. "Geeft u alstublieft antwoord op mijn vraag, juffrouw Malcolm," zei Ventura, en ze zei met een flauwe glimlach: "Ik heb toch al gezegd dat ik meneer Carroll nooit 's avonds heb ontmoet. Het was niet dat soort vriendschap. Het antwoord luidt nee." Tegen die tijd maakte ze een licht verontwaardigde indruk. Opnieuw een korte blik van Ventura, en ik zei: "Bent u daar volkomen zeker van, juffrouw Malcolm?" Dat leverde me een knikje op en een ongeduldig schouderophalen.

Ventura geloofde haar. Maar hij was erg verbaasd over wat hij omschreef als de "onbeschaamde brutaliteit" van Carroll, die probeerde een alibi voor zichzelf te regelen met een volkomen onschuldige vrouw omdat hij meende wel op haar loyaliteit te kunnen rekenen. Volgens mij was het een klassiek geval van een vrouw die met alle genoegen bereid was om een verhouding te hebben met een getrouwde man zolang alles gladjes verliep, maar die snel van mening veranderde zodra het allemaal wat minder leuk en aardig werd. Ik hield wijselijk mijn mond. Het had toch geen zin om iets te zeggen. Maar Ventura was een te goede politieman om het daarbij te laten zonder nadere bevestiging te zoeken, en hij liet me daar achter met de opdracht om bij alle flats in het blok aan te bellen en te vragen of iemand de vorige avond George Carroll had gezien. In ongeveer driekwart van de

31

flats was een vrouw thuis, en maar in één daarvan een man. Ik stelde hun allemaal dezelfde vraag, maar niemand had gezien dat George Carroll, of welke man dan ook, bij Tina Malcolm naar binnen was gegaan. Of misschien moet ik zeggen dat niemand zéí dat hij of zij zo iemand had gezien. Tegenwoordig zijn de mensen dol op publiciteit. Ze snakken ernaar. Maar destijds lag dat anders. Aan die vijftien minuten beroemdheid – of is het vijftien seconden? – had niemand destijds behoefte. Iedereen hechtte toen enorm aan zijn privacy, en de mensen probeerden uit de openbaarheid te blijven. Bemoei je er niet mee, zeiden moeders tegen hun kinderen als ergens iets gebeurd was.

De volgende dag deden we een huis-aan-huisonderzoek aan Jewel Road, en toen kreeg ik Kathleen Targo en haar zoontje te zien. Maar Eric Targo niet. Bijna alle mannen waren aan het werk, en hij ook. Vrijwel geen enkele vrouw werkte buiten de deur. De mannen van wie Ventura vond dat we ze toch echt moesten spreken, gingen we die avond opzoeken. We namen bij niemand vingerafdrukken. Er was niets te vinden wat op een bepaalde dader wees, behalve dan misschien op George Carroll. Tegenwoordig zouden we ongetwijfeld een DNA-monster hebben genomen van iedereen aan weerszijden van de straat, mannen en vrouwen, en ook van alle inwoners in de straten daaromheen, maar toen was dat nog niet mogelijk.'

'Dus 's avonds heb je Eric Targo gezien?'

Het was een doodgewoon, schijnbaar onbelangrijk gesprekje geweest. Terwijl Pendle zat te praten met een zekere meneer Green op nr. 25 aan de andere kant van de straat, klopte Wexford aan bij nr. 32. Targo deed open. Ergens achter in het huis, waarschijnlijk in de keuken, hoorde hij een kind krijsen, en toen klonk het geluid van stromend water.

'Hij gaat liever niet in bad,' zei Targo.

Dat waren de eerste woorden die Wexford hem ooit had horen spreken. Zoals in huwelijken zo vaak het geval was, was zijn accent lelijker en ruwer dan het hare: een lokale mengeling van het oude dialect van Sussex en Zuid-Londens cockney. De man was kort van stuk. Hij reikte maar net tot aan Wexfords schouders en misschien had hij door te trainen met gewichten geprobeerd om zijn gebrek aan lichaamslengte te compenseren. Zijn armen en benen waren zwaargespierd en hoewel dat in die tijd van het jaar in Kingsmarkham en omgeving hoogst ongebruikelijk was, had hij een korte broek aan, zodat zijn dikke dijbenen en forse kuiten goed te zien waren.

'Hij hield de deur voor me open en precies op dat moment herinnerde hij zich dat zijn nek niet bedekt was. Hij griste een sjaal van een kapstok met een hoop jassen eraan en wikkelde die om zijn nek. Met die sjaal om maakte die korte broek een nog veel vreemdere indruk. Het leek me de sjaal van een vrouw, rood, zwart en wit. Toen pas drong het tot me door dat hij daarmee die wijnvlek aan het oog wilde onttrekken. Misschien verbeeldde ik het me maar, maar de blik die hij me nu toewierp leek me vervuld van haat omdat ik die wijnvlek had gezien.'

'Dat heb je je maar verbeeld,' zei Burden.

'Zou kunnen, maar jij bent er niet bij geweest.' Targo was met Wexford naar de zitkamer gelopen. Alle zitkamers in de straat, en waarschijnlijk in de hele stad, werden verwarmd door ofwel een kolenkachel ofwel een straalkacheltje met twee elementen. In dit geval was het een straalkacheltje, en het was dan ook kil in het vertrek. De spaniël lag languit voor de kachel. Targo was een man van het slag waarvan Wexford verwacht zou hebben dat hij wreed zou zijn tegen dieren, of er in elk geval harteloos mee zou omgaan, maar tot Wexfords verrassing bukte de man zich en streelde de hond even over zijn met zijdeachtig haar begroeide kop voordat hij ging zitten en zonder eromheen te draaien aan Wexford vroeg wat hij wilde.

'Ik vroeg hem hoe goed hij mevrouw Elsie Carroll had gekend. "Was dat de vrouw die vermoord is? Ik heb haar nooit gesproken," zei hij. Ik had geen zin om hem aan te spreken als meneer, maar mij was verteld dat dat wel zo moest. Mijn persoonlijke mening over iemand liet dat onverlet. "Mag ik u vragen, meneer, waar u zich bevond op 18 februari tussen zeven en acht uur 's avonds?" zei ik.

Targo keek me strak aan. Het was niet dezelfde soort blik die hij me had toegeworpen onder die straatlantaarn, geen kort, nauwelijks merkbaar knikje, maar een starende blik vol minachting en weerzin. Zijn ogen waren ijzig lichtblauw en ik neem aan dat ze dat nog steeds zijn.

"Waarom wilt u dat weten?" zei hij.

Tegen die tijd had ik die formule al uit mijn hoofd geleerd. "Pure routine, meneer. Om ervoor te zorgen dat u verder buiten het onderzoek kunt blijven."'

Mike Burden lachte. 'Wat zou je anders moeten zeggen?'

'Targo zei dat hij thuis was geweest, samen met zijn zoontje. De manier waarop hij dat zei, zal ik nooit vergeten. Het was zo kenmerkend voor zijn karakter. "Mijn vrouw was naar haar cursus... hoe heet het ook weer? Haar cursus 'Wees uw eigen modinette'. Dat vind ik helemaal niet erg." Het was nauwelijks te geloven, maar hij knipoogde. "Als ze leert hoe ze haar eigen kleren moet maken, en kleren voor de jongen, dan scheelt dat weer een zakcentje."

Het gekrijs en gespetter vanuit de keuken was nu opgehouden. Er klonken voetstappen in de hal en toen kwam Kathleen Targo binnen met haar zoontje.

"O, neem me niet kwalijk."

Ze herkende hem. "Is er iets mis?"'

Hij had het destijds wel vermakelijk gevonden dat de mensen hem waren gaan beschouwen als een brenger van slechte tijdingen, en dan vooral als ze hem bij hen thuis tegenkwamen.

'Ik vertelde haar dat er niets mis was, en toen vroeg ik hem of hij me wilde vertellen wat hij die avond had gedaan terwijl hij met zijn zoontje thuis was. Er was natuurlijk een kleine kans, Mike, dat ze zou ontkennen dat hij thuis was geweest... Maar nee. Hij knipperde zelfs niet met zijn ogen. "Ik was me aan het opdrukken en rek- en strekoefeningen aan het doen in de keuken." Mevrouw Targo zei tegen de jongen dat hij zijn vader welterusten moest wensen en Alan liep naar zijn vader toe. Hij zei niets, maar... nou, tot mijn verrassing moet ik zeggen, gaf hij hem een kus op zijn wang. Toen aaide hij de hond over zijn nek en dat deed Targo plezier. Hij glimlachte en knikte. Alan liep naar zijn moeder toe en stak zijn armen op, maar ze schudde van nee. "Daarvoor voel ik me nu niet goed genoeg, Allie," zei ze. "Je bent te zwaar."

Ze was heel ongelukkig samen met Targo. Dat vermoedde ik toen al, en die indruk werd bevestigd toen ik haar jaren later toevallig tegenkwam. Targo en zij waren tegen die tijd al gescheiden, en ze was hertrouwd. Die avond aan Jewel Road kon ik wel zien dat ze uitgeput was, maar toch stond hij niet op. "Je kunt jezelf voor deze ene keer weleens nuttig maken, Kath," zei hij, "en deze politieman hier even uitlaten. Ik ben moe. O, wacht even," zei hij tegen mij. "Er is nog iets wat u misschien wel wilt weten. Ik zei dat ik die Elsie Carroll nooit gesproken had, en dat is ook zo, maar het is algemeen bekend hier in de straat dat die man van haar iets had met een vrouw in Kingsmarkham. De vuile hoer."

"Eric! Niet waar de jongen bij is," zei Kathleen.

"Dat snapt hij toch niet. Die Carroll zou hartstikke blij zijn geweest als hij van zijn vrouw verlost was. Neemt u dat maar van mij aan."

Ik bedankte hem en zei dat hij zich uiterst behulpzaam had getoond, want zo hoorde dat, ook al was hij helemaal niet zo behulpzaam geweest. Ik was niets van hem te weten gekomen, behalve dan het een en ander van zijn karakter. Daarna liep Kathleen met me de gang in, en nadat ze de jongen naar boven had gestuurd, deed ze de voordeur open, zodat de koude lucht het huis binnen golfde. In de deuropening draaide ik me om en vroeg haar hoe ze het vond op die avondcursus van haar. Ik zei dat mijn moeder er-over zat te denken om ook zo'n cursus te gaan doen.

"O, het is heerlijk," zei ze, met meer enthousiasme dan ik haar tijdens het hele gesprek daarvoor had zien tonen. "Het is zo aardig van Eric dat hij hier alleen thuis wil blijven met Alan. Ik sla nooit een les over." Ik kreeg de indruk dat ze dat alleen maar zei om mij te laten denken dat het prima ging tussen hun beiden. Het maakt allemaal deel uit van die houding van *laat de buren het vooral niet merken* die de mensen toen hadden. "Nou, ik ben nu in blijde verwachting, dus straks zal ik toch een tijdje moeten over-slaan."

In blijde verwachting, dat zeiden de mensen toen werkelijk. Nou, som-mige mensen in elk geval, de heel ouderwetse, van die mensen die nog steeds een hoedje opzetten als ze naar de winkel gingen. Er waren vrouwen in de dorpjes hier in de omgeving, in huisjes zonder elektriciteit of stro-mend water, die hun man nog aanduidden als "mijn baas".'

'Oké,' zei Burden. 'Ik kan me voorstellen dat Targo zijn zoontje tien minu-ten of zo alleen heeft gelaten en door het steegje achter de huizen naar nr. 16 is gelopen... het was toch nr. 16?'

Wexford knikte.

'En dat hij dan door het deurtje in de achtermuur de tuin binnen is gelo-pen. Misschien heeft hij zich zelfs verborgen en toegekeken hoe George Carroll met zijn fiets de tuin uit liep voordat hij het huis binnenging. Bo-ven treft hij die arme vrouw Carroll aan en wurgt haar. Dan gaat hij weer weg zoals hij gekomen is, en in het donker wordt hij gezien door Harold Johnson, die hem in het donker niet herkent. Zo kan het gegaan zijn. Makkelijk zelfs. Maar waarom, Reg? Waaróm?'

4

Burden zat naar de fotokopieën te kijken van het hoofdstuk uit Chambers dat Wexford hem had gegeven. Het waren tien pagina's. 'Er is absoluut geen motief,' zei hij een hele tijd later. 'Natuurlijk is het niet strikt noodzakelijk om een motief te vinden, maar je zult toch moeten toegeven dat het wel helpt. En waar is het middelijk bewijs? Er is niets wat erop wijst dat Targo de dader is, tenzij je het feit dat Harold Johnson een man door de tuin heeft zien lopen als een aanwijzing wilt beschouwen, maar Johnson heeft nooit onder ede willen verklaren dat het George Carroll was. Of heeft Chambers het mis en heeft Johnson wél onder ede verklaard dat het Carroll niet was?'

'Nee, dat heeft hij nooit gedaan,' zei Wexford. 'Hij wilde alleen maar zeggen dat hij dacht dat het een man was geweest die kort van stuk was, maar zelf was hij juist heel lang, dus misschien maakte één meter zestig of één meter zeventig voor hem weinig verschil.'

'Targo had hetzelfde alibi als alle andere mannen daar in de straat. Hij was thuis, en in zijn geval paste hij op zijn zoontje. Hoe oud was dat jongetje trouwens?'

'In die tijd kon ik nog niet zo goed inschatten hoe oud een kind was. Vier of zo, misschien zelfs nog wat jonger.'

'Dus je baseert die theorie van jou op de manier waarop je die man 's nachts, in het licht van een straatlantaarn hebt zien kijken? Los van de vraag waarom hij dan zo... nou, zo woedend naar jou zou hebben staan kijken, waarom zou hij Elsie Carroll dan vermoord hebben? Om zich om de een of andere reden te wreken op George Carroll? Maar afgezien van het feit dat hij George Carroll kennelijk alleen maar van gezicht kende, zou dat toch eigenlijk geen wraak zijn geweest? Als hij dacht dat Carroll waarschijnlijk wel blij zou zijn omdat hij nu van zijn vrouw verlost was, zou hij door haar te vermoorden hem toch juist een dienst hebben bewezen?'

'Dat weet ik allemaal ook wel,' zei Wexford. 'Daar heb ik zelf ook allemaal al aan gedacht. Maar toch denk ik nog steeds dat hij het heeft gedaan.' Hij stond op. 'Er is nog meer, nog een heleboel meer, maar ik ben moe, en ik weet zeker dat jij ook moe bent. Het is voorlopig wel genoeg zo. Doe Jenny maar de groeten van me.'

'Ik rij je wel even naar huis. Ik heb maar één biertje gehad, en dat is nu al drie uur geleden.'

'Nee, bedankt. Ik loop wel. Tot morgen dan maar.'

De zachte, heldere avond was overgegaan in een kille nacht. Brighton en Londen lagen hier net ver genoeg vandaan om bij heldere hemel in de buitenwijken van Kingsmarkham de sterrenbeelden te kunnen zien, de Grote Beer, Orion en Cassiopeia, al waren ze tegenwoordig minder helder dan hij ze toen hij nog jong was hier op ditzelfde punt had gezien. Maar dat zou natuurlijk net zozeer een gevolg kunnen zijn van zijn afnemende gezichtsvermogen als van de luchtvervuiling die nu als een sluier voor de nachtelijke hemel hing.

De frisse lucht had een verkwikkende uitwerking op hem en hij voelde zijn moeheid wegtrekken. Hij herinnerde zich hoe diepgeraakt hij zich destijds had gevoeld door die paar keer dat hij Eric Targo had gezien. Hij veronderstelde dat dat kwam omdat hij wilde dat het recht zijn loop kreeg, en dat hij het afschuwelijk vond om te moeten toezien hoe dat soms niet lukte. Als het aan hem lag, zou het de boosaardigen van geest niet voor de wind gaan in deze wereld. En hoe jong hij destijds ook geweest mocht zijn, toch had hij zich ook destijds al min of meer zo gevoeld toen het hem duidelijk werd dat de strenge inspecteur Fulford al had besloten dat George Carroll zijn vrouw had vermoord, en dat inspecteur Ventura zich bij het oordeel van zijn chef aansloot. George Carroll was de man die Harold Johnson om zeven uur 's avonds door de donkere tuin naar het deurtje in de muur had zien lopen. George Carroll had een overtuigend motief. Hij wilde zijn vrouw uit de weg ruimen om met Tina Malcolm te kunnen trouwen. In die tijd was het in Engeland heel moeilijk geweest om een huwelijk te ontbinden, en het zou nog heel lang gaan duren voordat het mogelijk werd om te scheiden zonder dat een van beide huwelijkspartners schuld bekende, zeker als het ging om een man die probeerde te scheiden van een onschuldige vrouw. De echtgenote zou de scheiding dan zelf hebben moeten aanvragen, en als ze daar niet toe bereid was, viel er heel weinig aan te doen. Mensen bleven op die manier het grootste deel van hun leven vastzitten aan echtgenotes met wie ze niet konden opschieten. Wexford zelf had een oude man gekend die al dertig jaar samenwoonde met de vrouw van wie hij hield, maar die nooit met haar had kunnen trouwen, omdat zijn echtgenote niet wilde instemmen met een scheiding.

Het feit dat Tina had ontkend dat ze die avond samen met George had doorgebracht, en daarmee zijn alibi had ontkracht, deed niet werkelijk ter zake. Waarschijnlijk had ze verklaard dat ze George die avond niet had gezien omdat ze bang was bij de zaak betrokken te raken. Voor zover Wexford kon zien, deed Fulford geen enkele moeite om erachter te komen waar de man werkelijk geweest was.

En dus zou het volgens hem niet lang meer duren voordat George Carroll zou worden gearresteerd op verdenking van de moord op Elsie Carroll. En toen kwam Tina Malcolm opnieuw met een verrassing. Ze kwam uit eigen beweging naar de politie, trok haar vorige verklaring in en zei dat George wél de avond bij haar had doorgebracht. Het haalde niets uit, want niemand geloofde haar. Waarschijnlijk schaadde het hem zelfs, want het wekte de indruk dat Carroll haar tot die tweede verklaring had gedwongen, wat misschien ook wel het geval was. De volgende dag werd hij officieel in staat van beschuldiging gesteld.

Het was een dag die Wexford zich al die jaren later ook om andere redenen nog steeds goed kon herinneren. Hij had Targo opnieuw zijn spaniël zien uitlaten, maar deze keer in High Street in Kingsmarkham. De man had niets gezegd en Wexford had ook zijn mond dicht gehouden, maar Targo had hem wel strak aangekeken. Na die ontmoeting was Wexford bijna naar Ventura gestapt om hem te vertellen over die strakke blikken, en om te zeggen dat de gangen van de man misschien moesten worden nagegaan. Hij was bíjna naar de inspecteur toe gestapt. Maar misschien was 'bijna' wel te sterk uitgedrukt. Toen de werkdag erop zat, en zonder dat hij al wist dat George Carroll op dat moment in staat van beschuldiging werd gesteld, had hij zich lopen afvragen wat er zou gebeuren als hij naar Ventura toestapte. Hij zag al voor zich hoe de inspecteur hem vol ongeloof aankeek, en hoe dat ongeloof langzaam overging in woede omdat een ondergeschikte die zo laag in de hiërarchie stond en nog zo nieuw in het vak was als hij, durfde te suggereren dat hij een andere oplossing had gevonden voor een moordzaak die wat de inspecteur betrof al was opgelost. Als Ventura zich al zou verwaardigen om te vragen welk bewijs Wexford daarvoor had, wat op zich al onwaarschijnlijk was, hoe zou hij dan reageren als hij te horen kreeg dat Wexford helemaal geen bewijs had, dat het alleen maar een kwestie was van 'gevoel', van een paar strakke blíkken?

Nee, dat kon gewoon niet. Het zou geen enkele zin hebben. Nog los van de mogelijkheid dat het zijn carrière zou kunnen schaden, zou hij zich daarmee meteen een reputatie als 'brutaal' en 'eigenwijs' hebben verworven, de mensen zouden denken dat hij zijn plaats niet kende of zelfs dat hij zichzelf belangrijker wilde maken dan hij werkelijk was. Hij moest het uit zijn hoofd zetten. Merkwaardig genoeg kwam dezelfde kwestie die avond opnieuw aan de orde toen hij met Alison iets te drinken ging halen in de enige *wine bar* van Kingsmarkham. Het werd hun eerste echte ruzie. De volgende dag was het vrijdag, en op vrijdagavond gingen ze altijd ergens naartoe. Een toneelgezelschap in Myringham gaf één enkele uitvoering van Shaws *Saint Joan*, en Wexford wilde die heel graag zien. In die tijd ging hij maar heel weinig naar het theater, en hij had verwacht dat Alison daar ook wel zin in zou hebben. Hij was dan ook verrast door haar vijandige reactie. Ze wilde naar de film, zo'n typisch Engelse comedy uit de Ealing-studio's... wonderlijk dat hij zich zoveel van die dag nog herinnerde, maar dat hij niet meer wist om welke film het nou precies ging.

'Maar die draait ook op zaterdag,' had hij gezegd, 'en volgende week in Stowerton.' Er waren in die tijd veel bioscopen geweest, elk plaatsje had er minstens één.

'Reg,' had ze gezegd, terwijl ze hem indringend aankeek, 'wordt het niet eens tijd dat je de werkelijkheid onder ogen ziet? Je hebt eigenlijk helemaal geen zin om dat moeilijke toneelstuk te gaan bekijken, net zomin als je zin hebt om al die boeken te lezen waar je altijd zo mee loopt te dwepen, Chaucer en Shakespeare en zo. Je bent geen intellectueel, je bent een diender. Je doet dat toch zeker alleen maar omdat je indruk wilt maken? Je wilt je gewoon beter voordoen dan je bent.'

Hij had altijd een kort lontje gehad, maar langzamerhand had hij geleerd zich wat beter te beheersen. 'Dat heb je mis,' zei hij. 'Ik lees wat ik mooi vind, en als ik de kans krijg om naar het theater te gaan, probeer ik iets te kiezen waar ik van zal genieten.'

'Ja, dat zal wel. Het is onnatuurlijk voor een man om altijd met zijn neus in de boeken te zitten.'

Met een uiterst kille klank in zijn stem had hij haar gevraagd wat dan wél natuurlijk zou zijn voor een man.

'Nou, voetballen of golfen. Iets aan sport doen. Ik heb nooit begrepen waarom jij dat niet doet. Een ding is zeker, als wij eenmaal getrouwd zijn, heb jij geen tijd meer om te lezen. Dan hebben we een huis en dan is er meer dan voldoende te klussen. Als hij niet met de tuin bezig is, is mijn vader altijd aan het schilderen en behangen.'

'Dat heb ik gemerkt, ja. Daarom krijgen we hem bijna nooit te zien als we bij jullie thuis zijn. Hij staat altijd ergens hoog op de ladder of diep in een kuil.'

'Dat is altijd nog beter dan met zijn neus in de boeken. Dat is nergens goed voor als je het mij vraagt.'

'Maar ik vraag het jou niet, Alison,' zei hij. 'En morgen ga ik naar *Saint Joan*. Je doet maar wat je zelf wilt.'

'Reken maar.' Ze stond op en maakte aanstalten om weg te gaan. 'En ik ga niet alleen.'

Terwijl hij zijn glas leegdronk, had hij gedacht dat het wel behoorlijk ernstig was als je begon te hopen dat het meisje waarmee je verloofd was met een andere man naar de film zou gaan, met een voetbalkijkende, golfspelende doe-het-zelver – of was dat woord toen nog niet gangbaar geweest? – of een tuinier die een krantje over de hondenrennen las.

Je begint een intellectuele snob te worden, hield hij zich voor, en daar heb je geen enkele reden toe.

De volgende dag had hij te horen gekregen dat George Carroll in staat van beschuldiging was gesteld. Hij was niet van mening veranderd en had gedacht dat als de politie iemand van moord beschuldigde, het vrijwel zeker was dat die schuldig bevonden zou worden en hoewel de doodstraf destijds al was afgeschaft, dan toch zeker levenslang zou krijgen. Bij die gedachte liepen de rillingen hem over de rug. Was het lafheid geweest die hem ervan had weerhouden om Ventura of Fulford aan te spreken? Nee, er was een verschil tussen moed en roekeloosheid. Als hij ook maar enig bewijs had gehad, al was het maar flinterdun... maar dat had hij niet gehad. Zet het van je af, had hij opnieuw gedacht. Laat het achter je.

Het was niet in hem opgekomen dat Carroll in hoger beroep zou kunnen gaan en dat hij dan zou worden vrijgesproken... Niet op grond van het bewijsmateriaal of het gebrek eraan, maar omdat de rechter de jury tijdens het eerste proces te sterk beïnvloed had. Maar dat zou pas veel later gebeuren, nadat Wexford vele dingen had meegemaakt die zijn leven ingrijpend zouden veranderen. Destijds was hij in zijn eentje naar *Saint Joan* gegaan.

Zelfs al had hij een meisje willen meenemen, dan had dat toch niet gekund, want hij kende eigenlijk geen andere meisjes dan Alison. Hij was destijds nog niet in staat tot een kritisch oordeel, en kon niet beoordelen of de uitvoering geslaagd was of niet, al had hij wel het gevoel dat het Franse accent van de Maagd van Orléans een tikkeltje overdreven was, en dat de Dauphin wat te dom en verwijfd was neergezet. In de pauze was hij even naar buiten gegaan om een biertje te halen in de pub en toen hij terugkwam en naar zijn stoel achter in de stalles liep, had hij zijn blik over de rijen voor hem laten gaan, en daar twee meisjes gezien die net op dat moment naast een oudere vrouw gingen zitten. Het ene meisje was blond en mollig geweest, met een lichte huid, het andere donker, met mooie bruine ogen en een volmaakt figuur, dat in haar rode jurk goed tot uiting kwam. En hij had gedacht: dat is de vrouw voor mij, dat is mijn type. Tot nu toe heb ik dat niet geweten, maar nu ik haar gezien heb, weet ik dat dit mijn type is.

De huurkamer waar Wexford destijds had gewoond, bevond zich op de eerste verdieping van een huis aan Queen's Lane. Naar de huidige maatstaven was het daar maar behelpen geweest. Het gebruik van de badkamer was lastig omdat hij die met twee andere huurders moest delen, en hij ging dan ook vaak even bij zijn ouders langs om in bad te gaan, en omdat zijn moeder een van de weinige mensen was die een eigen wasmachine hadden, nam hij dan ook meteen zijn wasgoed mee. Hij had een gasstelletje op zijn kamer, en een keteltje waarin hij zijn scheerwater opwarmde. Het scheren zelf deed hij met een kom op een tafeltje bij het raam en op een ochtend, terwijl hij zijn gezicht afspoelde, zag hij Targo langslopen.

Queen's Lane was de gemakkelijkste route van het pad door de uiterwaarden naar Kingsbrook Bridge, en voor mensen die hun hond gingen uitlaten was het een heel voor de hand liggende route. Wexford had er dan ook weinig aandacht aan besteed, al vroeg hij zich wel af waarom iemand die in Stowerton woonde helemaal hier naartoe kwam om open terrein te vinden, terwijl er heel wat dichter bij huis meer dan voldoende bos en grasland te vinden was. Maar toen hij de man de volgende dag weer zag langskomen, en de dag daarna ook, telkens tussen halfacht en acht uur 's ochtends, was hij gaan vermoeden dat er een andere reden voor was. De tweede keer bleef Targo voor zijn huis even staan – schijnbaar om de hond gelegenheid te geven om wat rond te snuffelen aan de voet van een straatlantaarn en daar vervolgens een plasje tegen te doen – maar in plaats van de hond in de gaten te houden, keek hij omhoog en bleef met een strak gezicht naar Wexfords raam staan kijken. Daarna gebeurde dat elke keer weer. Tegenwoordig zou je zeggen dat Targo hem aan het stalken was.

De maan stond in het derde kwartier en was net boven de bomen uit geklommen. De route waarlangs hij nu naar huis liep, leidde eerst door York Passage en daarna door Queen's Lane. De hele buurt was onherkenbaar veranderd. Niet in nadelige zin trouwens, want de weinige kleine winkeltjes waren nu voorzien van voorgevels in achttiende-eeuwse stijl, de laatvictoriaanse huizen waren gesloopt en vervangen door fraaie nieuwe woningen en op het trottoir waren bomen geplant, die inmiddels groot en schaduwrijk waren geworden. Terwijl Wexford probeerde te bepalen welk van de ramen in het chaletachtige huis waar hij nu voor stond het raam van zijn kamer was geweest, viel hem in dat Targo's spaniël nu zijn achterpoot zou moeten optillen bij de stam van een es in plaats van bij een straatlantaarn. Hoe had die hond ook weer geheten? Hij kon het zich niet herinneren, al had hij Targo toch vaak iets tegen het beest horen zeggen op het moment dat hij het voetpad bereikte en de lijn losmaakte. Het deed er eigenlijk niet toe. Targo gebruikte niet altijd een naam, maar sprak het dier soms ook toe met een koosnaampje. Het was een verkillende ervaring geweest om te horen hoe dit sinistere wezen, deze moordenaar, zijn hond 'schatje' en 'liefje' noemde. Hij liep verder door de eenzame duisternis. Er was niemand op straat.

Toen hij thuiskwam, was het binnen donker, alleen achter het raam van de slaapkamer aan de voorzijde brandde nog een zwak licht. Hij liep de trap op. Dora zat rechtop in bed te lezen.

'Sylvia zegt dat ze wel een tuinman voor ons kan vinden,' zei ze terwijl ze opkeek uit *The Way of All Flesh*, dat ze nu voor de tweede keer aan het lezen was. 'Het is de oom van een vriendin van haar. Hij heeft vroeger op Eton gezeten en zijn hele leven voor het een of andere ministerie gewerkt, maar hij is kortgeleden met pensioen gegaan.'

'En dat hij op Eton heeft gezeten en ambtenaar is geweest, maakt hem geschikt om onze tuin te onderhouden?'

'Waarschijnlijk niet, maar ze zegt dat zijn eigen tuin er prachtig uitziet, en dat is wel een aanbeveling.'

'We zullen het eens met hem proberen en die advertentie zal ik dan nog maar niet op de post doen,' zei Wexford. Hij voelde even aan de omslag van haar boek. 'Als je dat uit hebt, lees ik het zelf misschien ook nog wel een keer.'

Hij werd te zeer in beslag genomen door zijn gedachten om al meteen in slaap te vallen. Terwijl hij in het donker naar het plafond lag te turen, verscheen er een beeld van Targo voor zijn ogen, kort en gedrongen, gekleed zoals hij er in die tijd bij had gelopen, met de pantalon van een oud pak aan en daaroverheen een al even aftandse regenjas. Elke dag dat hij onder Wexfords raam door liep, had hij dezelfde das om gehad, een bruin wollen geval met franje aan beide uiteinden. Hij liep nogal stijfjes, het was meer een soort pronkerig schrijden, en na de eerste paar keer was hij erbij gaan fluiten. De deuntjes die hij floot, waren oud, jaren en jaren oud: *It's a Long Way to Tipperary, Pack Up Your Troubles* en *If You Were the Only Girl in the World*. Wexford had zijn kommetje water en zijn scheerspullen in een ander deel van de kamer neergezet, maar toch voelde hij zich gedwongen om toe te kijken hoe Targo en de spaniël elke ochtend weer langskwamen. Hij werd gewaarschuwd door het fluiten en liep dan naar het raam, maar zonder vervolgens ooit het gordijn weg te schuiven.

In die tijd was er nog geen internet geweest, en er werden lang niet zoveel archieven bijgehouden als tegenwoordig. Het kiesregister stond op papier en werd bewaard in de postkantoren, en natuurlijk ook in de politiebureaus. Hij besloot zoveel informatie over Eric Targo in te winnen als hij maar kon zonder te laten merken dat hij op eigen houtje een onderzoek instelde, en zonder dat het hem hinderde bij zijn werk. Dat laatste kon nou eenmaal niet anders. Al snel kwam hij te weten dat Kathleen Targo, die inmiddels het leven had geschonken aan een meisje, in scheiding lag met haar echtgenoot. Een vrouw die hij moest verhoren in verband met de beroving van een winkel op de hoek van Jewel Road en Oval Road bleek een van die mensen voor wie er niets is wat niet ter zake doet. Hij deed geen moeite om haar vloedgolf aan ditjes en datjes te stuiten en zonder dat hij ook maar iets had hoeven vragen, vertelde ze hem dat Kathleen haar man het huis uit had gezet nadat hij haar een blauw oog had geslagen en haar arm had gebroken.

'Maar denk eraan, hij is sterk hoor...' Hij hoorde het haar nog zeggen. 'Daar had ze echt hulp bij nodig. Er zijn drie grote, sterke kerels voor nodig geweest om hem het huis uit te krijgen en er zeker van te kunnen zijn dat hij nooit meer terugkomt.'

In die tijd kwam de politie nooit tussenbeide als het om een conflict in de 'huiselijke sfeer' ging, en geweld tegen vrouwen werd algemeen beschouwd als iets wat nou eenmaal deel uitmaakte van het huwelijksleven, een privézaak van het echtpaar in kwestie. Kathleen had kennelijk het recht in eigen hand genomen en naderhand kwam Wexford te weten dat Targo inmiddels weer bij zijn verweduwde moeder aan Glebe Road was ingetrokken. Volgens de weinige gegevens die hij wist te vinden, was Targo geboren in Kingsmarkham, als enig kind van Albert Targo en diens echtgenote Winnifred, een vrouw die uit Birmingham hiernaartoe was gekomen. Nadat hij op zijn veertiende van school was gegaan, had hij in een tuinderij in Stowerton gewerkt, daarna twee jaar als vuilnisman in dienst van de gemeente Kingsmarkham, en zodra hij zijn rijbewijs had gehaald, was hij bestelwagenchauffeur geworden voor een ijzerhandel.

Hij kon zich niet onttrekken aan het gevoel dat Targo trots was op wat hij had gedaan, besefte dat Wexford dat wist en hem nu aan het treiteren was. Targo daagde hem gewoon uit om zijn superieuren hierop aan te spreken, in het veilige besef dat hij zonder ook maar iets van bewijs tegen hem volkomen veilig was. Wexford had een tante die soms de uitdrukking 'die voldoening gun ik haar niet' gebruikte, en hij negeerde de moorddadige honduitlater dan ook volkomen; hij weigerde hem die voldoening te gunnen. Voor zover Targo dat kon weten werd hij door Wexford volkomen genegeerd. Maar Wexford keek hem na terwijl hij naar het voetpad liep, en hij wist dat de man zodra hij het gras en de bomen had bereikt, de spaniël van de lijn zou laten, nadat hij het dier eerst even over zijn met zacht goudkleurig haar begroeide kop had geaaid. In de paar dagen dat hij op die manier de man had gadegeslagen, had hij veel gezien wat kenmerkend was voor Targo: die stijve, trotse passen van hem, en dat brutale, hanige loopje dat misschien wel speciaal voor Wexford was bedoeld, maar waarvan hij vermoedde dat het Targo's natuurlijke manier van bewegen was. En dan was er alle aandacht die Targo aan die hond van hem gaf. Elke ochtend bleef hij een paar keer staan om het dier even over zijn kop te aaien en iets te zeggen, 'Brave hond' of 'Goed zo, schatje' misschien, maar hij was te ver van Wexford vandaan om dat te kunnen horen.

Na een paar weken kwam Targo niet langer met de hond langs. Hij had duidelijk gemaakt wat hij duidelijk wilde maken, wat dat dan ook mocht zijn. Rond die tijd werd er een vrouw in Kingsmarkham gewurgd. Ze heette Maureen Roberts en het leed geen twijfel dat ze vermoord was door haar man. Hij was in huis geweest op het moment van haar overlijden, probeerde zichzelf niet te verdedigen en had de volgende dag al bekend. Het was heel anders geweest dan de moord op Elsie Carroll. Maar het was wel moord, en het moordwapen was een van haar eigen kousen. De dag nadat Christopher Roberts, haar man, was aangeklaagd wegens moord, kwam Targo weer opdagen en liep met zijn hond onder Wexfords raam door richting het voetpad naar Kingsbrook Bridge.

'Die keer,' zei Wexford de volgende dag tijdens de lunch tegen Burden, 'stond ik uit het raam te kijken. Ik bedoel, iedereen die langskwam, kon me zien staan. Ik was net naar het raam gelopen om het open te doen. Ik had niet verwacht Targo daar te zien, want ik had de indruk dat hij zijn hond niet langer bij mij in de buurt kwam uitlaten. Maar daar was hij dan, met dat hanige loopje van hem, en recht voor mijn raam bukte hij zich om de hond een aai over zijn kop te geven, en toen hij opkeek, was zijn blik recht op mij gericht. Hij had een blauwwit gestreepte wollen sjaal om zijn nek.'

'Chelsea,' zei Burden.

'O, dat zou heel goed kunnen.' Als hij net zoveel belangstelling voor voetbal had ontwikkeld als Alison hem had aangeraden, zou hij zulke dingen geweten hebben. Maar hij wist wél dat het dezelfde das was die Targo om had gehad toen hij een paar dagen geleden het huis van de familie Rahman aan Glebe Road binnen was gegaan. 'Hij glimlachte niet,' ging hij verder. 'Hij glimlacht niet vaak, maar hij stond me aan te staren en sperde zijn ogen heel wijd open, en ik besefte dat hij wilde dat ik zou denken dat hij Maureen Roberts had vermoord.'

'Hij moet knettergek zijn.'

'In elk geval zeg je niet dat ík knettergek ben.'

'Nee, maar daar neig ik eigenlijk wel toe.'

'Het was een verwurging, snap je wel, en hij was van plan om het wurgen van zijn slachtoffers als handelsmerk te nemen, of hij het nou gedaan had of niet. Hij knipoogde naar me en toen liep hij verder, over dezelfde route die hij tot een paar weken geleden altijd had genomen. Toen hij bij de uiterwaard kwam en het begin van het pad had bereikt, bukte hij zich, aaide de hond over zijn kop en maakte de lijn los. Daarna heb ik hem een hele tijd niet meer gezien. Hij is naar Birmingham verhuisd, waar zijn moeder vandaan kwam. Daar had hij familie, en al snel ook een vriendin. Hij begon een rijschool en ik dacht dat ik hem nooit meer zou zien.

En dat was ook zo, totdat hij me een paar jaar later opnieuw begon te stalken.'

Burden zat hem aan te kijken op de manier waarop hij zijn vrouw zou aankijken als ze opnieuw over Tamima Rahman begon. Het was een blik die bestond uit twee tegenovergestelde elementen: geduld en ergernis.

'Je wilt hier zeker niet nog meer over horen?'

'Is er dan meer?'

'O ja, nog heel veel meer, maar daar zal ik je nu niet mee vervelen.'

Ze verlieten het restaurant en liepen naar de Broadbridge Botanical Garden, waar ze op een bankje langs het middenpad naar het arboretum en de subtropische plantenkas gingen zitten. Peinzend keken ze naar het kunstmatige meertje met zijn eiland, zijn eenden en zijn twee zwarte zwanen. Een eekhoorntje rende langs de stam van een boom naar beneden, bleef een ogenblik rechtop op het gras zitten en rende toen snel langs de stam van een andere boom omhoog. Een hond begon te blaffen aan de voet van de boom terwijl de eekhoorn vervuld van weerzin naar hem zat te kijken en boze, kwetterende geluidjes maakte.

'Ik moet terug,' zei Burden. 'Het is al twee uur en ik moet om halfdrie in de rechtbank zijn, als Scott Molloy voorkomt wegens obstructie van de rechtsgang. Tot straks dan maar.'

Wexford keek hem na terwijl hij wegliep en stond toen zelf ook op. Hij kwam tegenwoordig niet vaak meer in de hortus, maar ooit was hij hier vaak gekomen. Deze hortus botanicus was ontworpen door een plaatselijke filantroop, Samuel V. Broadbridge, die na zijn dood een deel van zijn miljoenen had nagelaten aan de gemeente, op voorwaarde dat het geld werd besteed aan zijn droomtuin, en dat die naar hem vernoemd zou worden. Er moest een tropische kas op het terrein komen te staan, een facsimile van de tropische kas op de campus van zijn alma mater, een ongelofelijk rijke Californische universiteit, plus een alpiene tuin, een 'Red Rocks'-tuin met een miniatuurlandschap in de stijl van de Rocky Mountains en een klein ravijn in de stijl van Yosemite.

Dat was eind jaren zeventig geweest en daarvóór was dit terrein open veld geweest. Wexford neigde er destijds al bij voorbaat toe om het resultaat foeilelijk te vinden, maar toen alles hier een beetje op leeftijd was gekomen en de magnolia's, johannesbroodbomen, Amerikaanse populieren en eiken wat hadden kunnen uitgroeien was hij deze tuin zeer gaan waarderen. Deze hortus was anders dan de meeste andere botanische tuinen, maar anders hoefde niet per se slechter te zijn. Hij moest hier toch weer eens wat vaker gaan wandelen, dacht hij.

Hij moest waar dan ook eens wat vaker gaan wandelen. Maar op welke andere plek kon hij zichzelf plotseling ergens in het westen van de Verenigde Staten wanen terwijl hij niet meer dan anderhalve kilometer van huis was?

Per slot van rekening waren die open weilanden hier niet bijzonder mooi geweest, en de boerderijen die hier gestaan hadden al evenmin. Als Samuel V. Broadbridge niet plotseling was komen opdagen met zijn miljoenen, zou hier ongetwijfeld een van die vele nieuwe woonwijken zijn neergepoot. Hij keek hoe een groene specht neerstreek op het gras, dat precies dezelfde kleur had als zijn verenpak, en wormen uit het gras begon te pikken. Dat was slechts een van de vele betrekkelijk zeldzame vogelsoorten die Sam V. B. (zoals hij hier met veel liefde en waardering werd genoemd) niet alleen van de verdrijving had gered, maar misschien zelfs wel voor uitsterven had behoed. Maar natuurlijk had er een worm in de appel gezeten, en niet het soort worm waar een specht met smaak van gegeten zou hebben. En ook daarvoor was Targo verantwoordelijk geweest...

Wat had Burden ook weer gezegd? 'Er is geen motief. Natuurlijk is het niet strikt noodzakelijk om een motief te vinden, maar je zult toch moeten toegeven dat het wel helpt. En er is geen bewijs.'

Dat was allemaal waar en dat gold ook voor de gebeurtenissen die zich twintig jaar later in Sam V. B.'s hortus botanicus hadden afgespeeld. Onwillekeurig richtte hij zijn blik op de Red Rocks-tuin, al was die van hieruit niet te zien. Het was tijd om terug te gaan. En toch bleef hij nog wat hangen. Hij ging op een bankje bij de uitgang zitten en liet zichzelf wegzinken in peinzende gedachten over Kingsmarkham vroeger en nu.

Er waren destijds nog geen uitgebreide woonwijken vol flatblokken met sociale huurwoningen geweest. Geen appartementen met gestandaardiseerde keukens en badkamers, maar arbeidershuisjes met een secreet in de tuin, die dicht op elkaar gepakt langs vochtige landweggetjes stonden, zoals je ze tegenwoordig alleen nog maar zag als achtergrond in historische tv-series. De straat waar zijn eigen huis stond, was destijds nog weiland geweest, en aan het eind van deze weg had zich een kleine bosschage bevonden die vele nachtegalen onderdak bood en op grond van de een of andere wet intact gelaten moest worden, ongeacht de wensen van de projectontwikkelaars. De nachtegalen waren inmiddels toch verdwenen, High

Street was nu langer dan toen en tussen de huizen uit het begin van de negentiende eeuw stonden vele nieuwe gebouwen, waarvan het politiebureau het eerste was geweest. Toen het pas gebouwd was, werd het beschouwd als het allernieuwste op het gebied van de moderne architectuur. Bureau Kingsbrook moest destijds nog gebouwd worden, Samuel V. Broadbridge studeerde nog in Californië en de open velden en bossen waren alles wat de burgers van Kingsmarkham als hortus nodig hadden gehad. Kennelijk hadden ze ook geen behoefte gehad aan auto's. Ze hadden ze in elk geval niet gehad. Autorijden was nog een genoegen geweest en geen vervelend karweitje waarbij je zelfbeheersing en doorzettingsvermogen voortdurend op de proef werden gesteld. Maar dat was toen niet alleen zo in Kingsmarkham en omstreken maar in het hele land. Kingsmarkham was destijds nog zo klein geweest; geen grote parkeerplaatsen rondom de stad, want die had niemand nog nodig gehad. Wilde dat zeggen dat het leven tegenwoordig beter was? Het antwoord luidt altijd hetzelfde. In sommige opzichten was het beter geworden en in andere opzichten slechter. Hij stond op en liep terug naar het politiebureau, een gebouw dat er inmiddels al oud en afgeleefd uitzag, waar de lift niet goed functioneerde en dat over geen enkele automatische deur beschikte.

Hij was van plan om vandaag vroeg naar huis te gaan. Een van zijn kleinzoons zou langskomen om hem te leren hoe hij met zijn cd-walkman moest omgaan. Waarschijnlijk zou het erop uitdraaien dat het vóór hem gedaan werd, dacht Wexford, en hij dacht ook dat hij ongetwijfeld de enige muziekliefhebber was die zijn kleinzoon ooit had ontmoet die alleen maar cd's had van Purcell en Händel.

5

Jenny Burden was een opvallend mooie vrouw met blauwgroene ogen, die zich vol overgave wijdde aan haar werk als geschiedenislerares. Qua uiterlijk leek ze veel op Burdens eerste vrouw, al had ze wel een ander karakter. Wexford ontleende daar een bepaalde voldoening aan. Hij geloofde vol overtuiging dat mannen en vrouwen een 'type' hadden waar ze trouw aan bleven als ze van partner wisselden. Jean, die met Burden getrouwd was geweest toen hij naar Kingsmarkham kwam en die met hem had samengewoond aan Glebe Road nr. 36, had hij voor het eerst ontmoet toen hun kinderen nog klein waren. Ze was al jong gestorven aan kanker, en haar man was er helemaal kapot van geweest, om maar eens een uitdrukking te gebruiken die destijds eigenlijk nauwelijks gangbaar was. Een paar jaar later was Burden hertrouwd met deze aantrekkelijke jonge vrouw met roodbruin haar. Van een afstand gezien had ze Jeans tweelingzus kunnen zijn, maar van dichterbij, en zodra ze haar mond opendeed, werd die illusie verbroken.

Wexford zat net wat te mijmeren over zijn eigen type, een figuur als een zandloper, donker haar, eerder aantrekkelijk dan beeldschoon, het soort vrouw waarvan zijn Dora het zuiverste voorbeeld vormde, toen er binnen enkele seconden twee dingen gebeurden. Eerst kwam Hannah Goldsmith zijn kantoor binnen, en even later werd hij gebeld door de receptie die aankondigde dat Jenny Burden beneden stond en een afspraak met hem had, iets wat hem helemaal was ontschoten. Als brigadier bij de recherche had Hannah zichzelf min of meer tot specialist etnische minderheden uitgeroepen, en Wexford had daar geen bezwaar tegen. Ze had er een principe van gemaakt om fel antiracistisch te zijn, de verpersoonlijking van de politieke correctheid, een rol die haar soms in een buitengewoon lastige positie bracht.

Hannah gaf hem een kort overzicht van haar activiteiten binnen de kleine moslimgemeenschap van Kingsmarkham en net toen ze hem vertelde over haar zorgen over de mogelijkheid van gedwongen huwelijken hier in Kingsmarkham, ging de telefoon. 'Ik denk dat ik een klusje voor je heb, Hannah.'

Hannah draaide zich om toen Jenny de kamer binnenkwam. 'Volgens mij hebben wij elkaar al eens eerder ontmoet.'

'Ja, natuurlijk.' Jenny gaf hen allebei een hand. 'Op de een of andere schoolbijeenkomst toch?'

'Jenny, ik zou je willen vragen om dat probleem van jou met Hannah te bespreken. Zij is heel wat beter dan ik op dat terrein.' Als er al een probleem is, dacht hij, maar dat zei hij niet hardop. 'Hannah kent alle islamitische gezinnen in Kingsmarkham, en is een van de weinige mensen die ik ken die de Koran heeft gelezen.'

Wexford kon zich maar al te goed herinneren dat Hannah nog geen jaar geleden de ochtendbespreking die hij elke dag hield om de taken te verdelen, had verlevendigd (zij het op tamelijk gênante wijze) door elke korte stilte die er maar viel te vullen met Korancitaten die ze kennelijk van toepassing achtte. Terwijl hij zijn best deed om een niet al te gehaaste indruk te maken, stuurde hij Hannah weg, met Jenny in haar kielzog, en begon toen met een glimlach van opluchting de grote stapel formulieren en documenten door te werken die de oogst vormde van niet meer dan één enkele dag.

Hannah deelde een kamer met rechercheur Damon Coleman en rechercheur Lynn Fancourt, die op dit moment allebei achter hun computer zaten. 'Laten we maar in de kantine gaan zitten,' zei ze, 'dan kunnen we daar terwijl we praten mooi een kopje koffie drinken. Of thee. De thee is hier iets beter dan de koffie. Is de school nog niet begonnen?'

'We beginnen donderdag.' Jenny was nooit eerder in de kantine van het politiebureau geweest, al had ze van haar man wel veel negatiefs te horen gekregen over de kwaliteit van het eten, de bediening en de sombere en mistroostige inrichting. 'Ik hoop,' zei ze op een wat verlegen toon die ze tegenover een man nooit gebruikt zou hebben, 'dat u niet zult denken dat ik uw tijd verdoe.'

'O god, nee,' zei Hannah, die kwam aanlopen met een dienblad met twee bekertjes koffie en twee chocoladekoekjes. 'Ik heb geen enkel bezwaar tegen een voorwendsel om hier even te gaan zitten en een korte pauze te nemen. U eet toch zeker wel chocoladekoekjes, hè? U bent net zoals ik: over uw gewicht hoeft u zich geen zorgen te maken. En zullen we elkaar trouwens maar gewoon bij de voornaam noemen?'

Jenny glimlachte. 'Ja, dat is best, Hannah. Nou, zal ik dan maar van wal steken? Sinds ik Reg – meneer Wexford, bedoel ik – hier voor het eerst over heb aangesproken, is er nog het een en ander gebeurd. Het meisje heet Tamima Rahman...'

'De familie Rahman, die ken ik wel,' viel Hannah haar in de rede. 'Ze hebben een huis aan Glebe Road, en dat hebben ze echt op een fantastische manier verbouwd. Ze hebben het uitgebreid, er een nieuwe keuken ingebouwd en er een tweede badkamer aan toegevoegd. En Yasmin Rahman houdt dat allemaal onberispelijk schoon. Ik zou willen dat sommige mensen die alle moslims zo scherp veroordelen daar eens een kijkje konden nemen.'

'Ja, dat zou mooi zijn. Tamima was de beste van mijn klas. We verwachtten dat ze de examens glansrijk zou doorstaan. En ze heeft het ook goed gedaan. Heel goed zelfs. Zodra ze de uitslagen binnen had, heeft ze me erover verteld, terwijl ik die zelf nog niet te zien had gekregen. Maar ongeveer een week later kwam ik haar tegen op straat en ik kreeg de indruk dat ze me probeerde te ontlopen. Ze zag me aankomen, draaide zich om en begon heel aandachtig in een etalage te kijken. Maar ik sprak haar aan en toen moest ze zich natuurlijk wel omdraaien. We praatten wat over haar examenuitslagen en ik vertelde haar hoe goed ze het had gedaan, en dat ik heel tevreden over haar was. Toen vroeg ik haar of haar ouders al een aanvraag hadden ingediend voor het zesdeklascollege... Je weet toch wat dat is?'

'Jazeker. Dat is wat vroeger de zesde klas werd genoemd, maar tegenwoordig wordt het onderwijs aan die groepen in een apart gebouw gegeven. Het is bedoeld voor kinderen van zestien tot achttien, die doorgaan voor het examen op voorbereidend wetenschappelijk niveau. Dat is het toch?'

Zoals alle deskundigen op welk gebied dan ook was Jenny niet bereid om iemand anders haar vakgebied te laten omschrijven zonder hier en daar een kleine kanttekening te maken. 'Min of meer wel, ja. Aan het eind van het jaar doen ze een soort tussenexamen. Ik had gehoopt dat Tamima geschiedenis, het vak dat ik geef, zou kiezen, plus Engels en Spaans. En ik wist dat Carisbrooke het zesdeklascollege was waar ze het liefst naartoe wilde. Maar ze zei dat ze volgende week niet meer naar school zou gaan. Ik dacht dat ze me verkeerd had begrepen. Ik zei dat ze natuurlijk niet terug zou gaan naar ónze school, maar dat ik wilde weten of ze zich had ingeschreven voor Carisbrooke, omdat ik dacht dat ze daar met haar examenuitslagen wel zou worden toegelaten.

Ze keek me met een strak gezicht aan. Het is een beetje een cliché, maar haar gezicht was plotseling net een masker. Ik bedoelde dat ik nooit meer naar school ga, zei ze. Wat voor school dan ook. Wat jammer, Tamima, zei ik. Ze tuurde naar de grond en mompelde dat ze er niet over wilde praten.'

'Denk je dat dit het werk is van haar familie? Van vader?'

Jenny vond het niet prettig dat kinderen tegenwoordig vaak 'de kids' genoemd werden, en had ook een hekel aan de huidige trend onder leraren en maatschappelijk werkers om ouders aan te duiden als vader en moeder, zonder lidwoord of bezittelijk voornaamwoord, maar ze reageerde daar niet op. 'Ik heb gehoord dat haar vader zo progressief was. Hij heeft zelf toch ook een universitaire graad? Waarom zou hij haar er dan van weerhouden om examen te doen op vwo-niveau? Het kost hem niets. Er is toch geen reden om aan te nemen dat hij gekant is tegen onderwijs aan vrouwen?'

Hannah struikelde bijna over haar woorden in haar haast om de vader van Tamima in bescherming te nemen.

'O, nee hoor. Mohammed Rahman is een fijne vent. Hij is sociaal werker bij de sociale dienst van Myringham, en – toevallig, neem ik aan – is hij daar speciaal belast met de zorg voor tieners. Maar het gaat hem wel geld kosten als Tamima doorleert in plaats van nu van school te gaan en een baantje te zoeken, want dan brengt ze natuurlijk geld binnen, maar ik kan niet geloven dat dat voor hem een doorslaggevende factor zou zijn.'

'Ze heeft een vriendje,' zei Jenny, en terwijl ze in haar kopje tuurde trok ze een lelijk gezicht, 'maar hij is half-Pakistaans. Zou meneer Rahman daar bezwaar tegen hebben?'

'Daar is ons niets van bekend.'

Zoals wel vaker voorkwam, werd Hannah nu heen en weer geslingerd tussen haar militante feminisme en haar antiracisme. Maar de Koran was niet de enige literatuur over het gedrag van moslims die ze had doorgenomen, en ze was nooit terughoudend bij het pronken met haar kennis. 'Hij is toch geen familielid? Het zou kunnen dat de familie Rahman er de voorkeur aan geeft om haar met een neef te laten trouwen. In dat geval zou hij niet de juiste man voor haar zijn, want zijn ouders komen uit de grote stad, uit Karachi of Islamabad of zo. Misschien hebben ze liever dat Tamima met iemand uit de familie trouwt.'

'Heel ongezond,' zei Jenny Burden.

Opnieuw zat Hannah klem. 'Een huwelijk van neven en nichten uit de eerste graad kan soms leiden tot kinderen met aangeboren handicaps, maar dat is een heel omstreden kwestie.'

'Het is een algemeen bekend medisch feit,' zei Jenny scherp.

Hannah reageerde daar maar niet op. 'Ik zie niet goed hoe dit iets voor de politie zou kunnen zijn. Als je zestien bent, ben je niet meer leerplichtig dus niemand overtreedt hiermee de wet. Er is al evenmin iets wat erop duidt dat de familie Rahman bezig is om haar tegen haar wil uit te huwelijken, en hoewel gedwongen huwelijken verboden zijn, geldt dat niet voor gearrangeerde huwelijken.'

'Denk je dat ik maar beter eens bij ze langs kan gaan? Bij de familie Rahman, bedoel ik. Met haar ouders praten?'

Hannah vond dat niet zo'n goed idee. Zij als politiebeambte kon daar best even langsgaan, maar huisbezoek door een leraar vond ze net zoiets als een sociaal werker die nieuwsgierig kwam rondneuzen, of een ouderwetse dame van stand die op neerbuigende wijze blijk kwam geven van haar goedheid tegenover een boerengezin. 'Zolang je maar niet vergeet dat het intelligente mensen zijn, mensen met een opleiding... in elk geval Mohammed Rahman en zijn zoons. En neem het me alsjeblieft niet kwalijk dat ik het zeg, maar Mohammed zal zeker niet vriendelijk reageren als hij het gevoel krijgt dat hem de les wordt gelezen.'

Op voor haar doen uiterst milde toon zei Jenny: 'Ik ga hem heus niet de les lezen, hoor. Ik ga alleen maar zeggen dat het doodzonde is dat zo'n intelligente meid als Tamima niet doorleert. Ik bedoel, wat gaat ze dan met haar leven doen? Een of ander ongeschoold baantje nemen totdat ze fulltime huisvrouw kan worden, net als haar moeder?'

De positie van de vrouw binnen de islam was volkomen in strijd met Hannahs feministische denkbeelden, en dit vormde voor haar dan ook een moeilijke vraag. Maar toch kon ze dat niet zomaar voorbij laten gaan. Ze lachte Jenny vriendelijk toe.

'In het geval van de moeder van Tamima weet ik zeker dat het haar eigen keuze is om huisvrouw te zijn. Ze is een heel goede huisvrouw en vormt binnen die familie de rots in de branding. Wil je nog een kopje koffie?'

Nadat Kevin Styles, een jongen van twintig zonder vaste woon- of verblijf-plaats die zichzelf tot leider van een jeugdbende had uitgeroepen, was voorgeleid op beschuldiging van inbraak en het toebrengen van lichame-lijk letsel, had Burden de rechtbank verlaten om samen met Wexford te gaan lunchen in het Kasjmierse restaurant dat tegenwoordig hun favoriet was. Op weg naar restaurant Dal had hij iets merkwaardigs meegemaakt, waarover hij Wexford dringend wilde vertellen. De hoofdinspecteur was er al. Hij zat aan een tafeltje en keek op de menukaart.

'Ik zie geen enkel verschil tussen het eten hier en het eten in de Indus, dat Indiase restaurant een eindje verderop,' zei Wexford toen hij opkeek. 'Mis-schien is dit wel geen authentiek Kasjmiers restaurant. Wij zouden het verschil toch niet opmerken, hè?'

'Ik heb hem gezien,' zei Burden, nog voordat hij was gaan zitten.

'Wie?'

'Die stalker van je.'

'Hoe kun je dat nou weten?'

'Nou, laten we het er maar op houden dat jouw signalement zo gedetail-leerd was, nog afgezien van die witte bestelwagen, dat het bijna niet kon missen. Krullend wit haar, indringende blauwe ogen, niet lang van stuk, een beetje wonderlijke, nogal hanige manier van lopen.'

'Sjaal?'

'Geen sjaal. Maar van dichtbij kun je nog wel zien waar de wijnvlek vroe-ger gezeten heeft. Als je weet dat daar iets gezeten heeft tenminste. De huid daar is net iets bleker en gladder dan in de rest van zijn nek.'

'Dan moet je heel dicht bij hem hebben gestaan. Waar was dat?'

'Voor het politiebureau. Nou, voor de rechtbank, maar dat komt min of meer op hetzelfde neer. De bestelwagen stond geparkeerd bij een parkeer-meter, en alles was volkomen in orde. Ik zag hem een munt in de meter duwen, en toen liep hij de binnenplaats op en keek omhoog, naar de ra-men. Ik liep naar hem toe. Hij zei niets, en ik ook niet. God mag weten wat hij daar uitspookte.'

'Niet alleen God,' zei Wexford. 'Hij zocht naar mij.'

'Wat, na al die jaren nog?'

'Waarom niet? Hij weet niet of ik daar werk of dat ik met pensioen ben, of misschien zelfs dood. En daar wil hij achter komen.'

Kort na de vrijlating van George Carroll was Wexford overgeplaatst naar een politiemacht aan de zuidkust. Hij dacht dat het permanent was, maar het bleek niet meer dan tijdelijk te zijn, een periode van twee jaar die deel uitmaakte van het traject dat tot zijn bevordering tot brigadier zou leiden. Het was een tijd van voortdurende veranderingen; hij kreeg het gevoel dat iedereen wegtrok uit Kingsmarkham.

George Carrolls vertrek uit Kingsmarkham was niet verrassend. Hij mocht dan zijn vrijgesproken, maar niet omdat op het allerlaatste moment een verbazingwekkende onthulling was gedaan waaruit zijn onschuld bleek. De mensen zeiden dat hij was vrijgesproken vanwege een vormfout, dus alleen maar omdat een of andere oude en hoogstwaarschijnlijk seniele rechter zijn werk niet goed had gedaan. Omdat hij nergens anders naartoe kon, was Carroll echter nog een tijdje in zijn oude huis blijven wonen. In de maatschappij van tegenwoordig, dacht Wexford, zouden zijn buren hem op zijn minst hebben uitgejouwd en scheldwoorden op zijn tuinmuur hebben gekalkt; waarschijnlijk zouden er ook stenen door de ruiten gaan, en misschien zou hij er ook nog wel een paar naar zijn hoofd krijgen. Maar toen, al die jaren geleden, werd hij kil behandeld, en sommige mensen keerden hem zonder een woord of een knikje de rug toe. Zijn huis was te koop gezet. Wexford had er een advertentie voor zien hangen in de etalage van een makelaar. Het werd te koop aangeboden voor £ 2.500. De slechte reputatie van het huis had de prijs doen zakken, maar volgens hem met niet meer dan ongeveer £ 300. Tegenwoordig zou datzelfde huis twee ton opbrengen.

Targo was ook verhuisd. Hij had daarmee gewacht totdat George Carroll was thuisgekomen en door de hele gemeenschap was uitgekotst, maar daarna waren zijn gezin en hij plotseling verdwenen. Dat was in elk geval zoals Wexford het had gezien. Dat was de indruk die het wekte. Al zou het natuurlijk ook alleen maar toeval geweest kunnen zijn dat toen George Carroll na het proces was teruggekeerd naar Jewel Road, er voor nr. 32 een reclamebord van een makelaar was verschenen waarin het huis te huur werd aangeboden. Wexford was erheen gegaan om naar het lege huis en het reclamebord te kijken, al had hij niet kunnen zeggen waarom eigenlijk. Hij had navraag gedaan bij de buren en te horen gekregen dat de familie Targo met onbekende bestemming was vertrokken, maar dat Kathleen met haar kinderen ergens anders naartoe was gegaan dan haar man. Niet lang daarna was Wexford zelf vertrokken.

Hij had afscheid genomen van Alison na een wat halfhartige belofte dat hij in de weekeinden naar Kingsmarkham zou komen, ook al was hij er vrij zeker van dat hij daartoe bijna nooit in de gelegenheid zou zijn. Zelf had ze duidelijk ook gemengde gevoelens. Sinds die ruzie over zijn intellectuele pretenties waren die steeds sterker geworden en tot zijn opluchting kon hij wel zien dat de beslissing hem binnenkort uit handen genomen zou worden en dat het niet lang zou duren voordat ze hun verloving verbrak. Merkwaardig genoeg was hij haar daardoor juist aardiger gaan vinden. Niet zo aardig om te willen dat het weer zo zou worden als vroeger, maar meer met het wat weemoedige gevoel dat het anders had kunnen lopen en dat het jammer was dat het tussen hen nooit meer zo zou worden als vroeger.

Wat het meisje met de rode jurk betrof, meer dan een glimp had hij niet van haar opgevangen, en dat was niet voldoende voor hem om heel Sussex af te zoeken, maar wél net genoeg om hem op de gedachte te brengen dat hij op een goede dag zo'n soort meisje zou willen trouwen. Maar nu moest hij eerst aan zijn carrière denken, aan zijn toekomst. De breuk met Alison kwam in een brief van haar, de eerste brief die hij ontving op zijn nieuwe adres, een kamer boven een tabakszaak in Worthing. Zoals hij al had gedacht, had ze een andere man leren kennen, degene met wie ze naar de film was geweest op die avond dat hij naar *Saint Joan* was gegaan. Ze zouden vrijwel onmiddellijk gaan trouwen. Hij schreef terug dat hij haar veel geluk wenste en dat ze de ring mocht houden, en hoopte intussen maar dat ze dat niet zou doen, omdat hij het geld dat die zou opbrengen als hij hem verkocht best kon gebruiken, maar ze had die wel gehouden. Hij had van iemand gehoord dat ze inmiddels verschillende kleinkinderen had en niet meer in Engeland woonde.

Toen hij op een dag door High Street liep op weg naar een gesprek met iemand die misschien meer wist over het verdwijnen van een zak vol met gestolen waar, passeerde hij Tina Malcolm, de voormalige vriendin van George Carroll, die daar liep met een andere man, niet George Carroll, en een kind in een wandelwagentje. Zoals hij telkens weer tot vervelens toe van mensen te horen kreeg, was de wereld maar klein, en dus was het misschien geen grote verrassing dat hij bij een andere gelegenheid Harold en Margaret Johnson etalages zag bekijken in de Brighton Lines, een bekende winkelwijk. Zijn vrienden had hij achtergelaten in Kingsmarkham en tot nu toe had hij nog geen nieuwe gevonden. Soms ging hij naar de pub met rechercheur Roger Phillips, maar over het algemeen zat hij 's avonds thuis te lezen. De openbare bibliotheken verkeerden destijds in hun bloeiperiode, zonder onzinnig gedoe met koffieshops en de allernieuwste technologische snufjes, maar wel met een hoop goede boeken. Hij las een heleboel: poëzie, toneelstukken en romans. Er gingen werelden voor hem open, en in plaats van hem van zijn werk af te leiden, zoals Alison gezegd zou hebben, leken die hem juist tot een betere politieman te maken.

In die tijd werd het vriendelijk en beleefd gevonden om zwarte of Aziatische immigranten aan te duiden als 'kleurlingen'. Niet dat er daar veel van waren. Hij herinnerde zich een man met een tulband die huis aan huis tapijten verkocht. Dat zou wel een sikh geweest zijn, maar destijds was er niemand die verstand had van zulke dingen. Een zwarte man die als straatveger werkte, was waarschijnlijk afkomstig uit Afrika, maar niemand wist wat hem hier gebracht had, en wat er was misgegaan in zijn leven om met een wagentje en een bezem over straat sjouwen tot een bestaan te maken dat voor hem te verkiezen viel boven alle andere bezigheden die hij zou kunnen vinden. Nadat de man een paar weken niet gesignaleerd was, had Wexford te horen gekregen dat hij dood was aangetroffen in het armzalige huurkamertje waar hij had gewoond, niet ver van Targo's vroegere adres. De man was een natuurlijke dood gestorven.

Er waren vele jaren voorbijgegaan voordat er meer immigranten waren gekomen, maar tegenwoordig was het ongewoon aan het worden om ook maar ergens in Kingsmarkham over straat te lopen zonder op zijn minst een Indiaas of Chinees gezicht te zien. Uit de manier waarop je sommige mensen, en dan vooral politici, over de situatie hoorde praten – integratie versus multiculturalisme – zou je opmaken dat het allemaal heel eenvoudig was: je moest gewoon niet racistisch zijn. Maar Wexford had wel ervaren dat als je al te overhaast in de tradities van een andere cultuur dook je tot aan je nek in de problemen kon raken. Hij had te horen gekregen dat hij te gevoelig was voor dergelijke kwesties, en misschien was dat ook wel zo. Overgevoeligheid was waarschijnlijk ook de oorzaak van de problemen waarmee Hannah te kampen had, en dan vooral de oorzaak van haar neiging om zich in de vreemdste bochten te wringen om maar niets te hoeven zeggen dat door wie dan ook zou kunnen worden uitgelegd als kritiek op de een of andere akelige (Wexfords uitdrukking) uitheemse gewoonte. Hij had zelfs gehoord dat ze de grootste moeite had gedaan om in aanwezigheid van de eigenaar van een Chinees restaurant geen veroordeling uit te spreken over het afbinden van voeten, een gewoonte die in China al veertig jaar voor de geboorte van die man in onbruik was geraakt. Het had geen enkele zin om tegen haar te zeggen dat de niet meer dan een jaar of dertig oude Chinees misschien niet eens had geweten dat vrouwen uit de generatie van zijn overgrootmoeder al als kleine kinderen opzettelijk de voeten werden gebroken en afgebonden, zodat ze vanaf hun vroegste jeugd kreupel liepen.

Hannah kwam nu zijn kamer binnen. Iemand die niet wist wat ze voor de kost deed, zou eerder hebben gedacht dat ze een fotomodel was, of misschien een geliefde tv-presentatrice, dan een politievrouw. Hij vroeg zich af hoe aanvaardbaar het voor een moslim van middelbare leeftijd als Mohammed Rahman geweest moest zijn om uitgehoord te worden door een jonge vrouw in spijkerbroek en een eigenlijk wat te laag uitgesneden truitje, want Hannahs gevoeligheid voor de zeden en gebruiken van andere culturen vertoonde bepaalde leemten.

'Ik had het gevoel dat ik maar eens bij de familie Rahman langs moest gaan,' begon ze. 'Vanbinnen is hun huis heel mooi. Het is klein maar heel smaakvol ingericht, en ze hebben een prachtige aanbouw. Meneer Rahman zat te eten. Hij was nog maar net thuis van zijn werk. Ik moet zeggen dat het allemaal heerlijk rook. Ik neem aan dat Yasmin Rahman de hele dag aan het koken was geweest, en ze ging niet bij hem aan tafel zitten, maar bleef achter zijn stoel staan om hem te bedienen.' Wexford wachtte om te zien hoe ze zich daaruit zou redden. 'Maar goed,' zei ze met een luchthartige glimlach, 'het is nou eenmaal hun traditie, en het was duidelijk dat ze zich niet in een slachtofferrol bevond. Ze lijkt me een sterke, zelfs nogal overheersende vrouw. Ik zei tegen meneer Rahman dat hij maar geen aandacht aan mij moest besteden, maar gewoon door moest blijven eten, omdat hij wel honger zou hebben. Ik had niet verwacht dat ik het gênant zou vinden om navraag te doen naar Tamima en de school en zo, maar merkwaardig genoeg vond ik het dat wel.'

'Zo vreemd is het nu ook weer niet gezien alle bochten waarin je je tegenover die mensen wringt. Wat heb je gezegd?'

'Ik deed alsof ik niet wist dat Tamima van school ging... al van school was gegaan, en ik heb gezegd dat we ons er wat ongerust over maken dat Aziatische meisjes met heel goede schoolcijfers niet doorleren, zoals het hoort. Hij wierp me een nogal sceptische blik toe, chef... hij is niet dom, en toen pas dacht ik eraan dat hij sociaal werker is. "Het is haar eigen keuze om van school te gaan," zei hij. "Misschien dat ze later wel haar opleiding voortzet. Wie weet? Maar kinderen hebben tegenwoordig hun eigen manier om zulke dingen aan te pakken, zo is het toch, mevrouw...?" Zegt u maar Hannah, zei ik. Zijn vrouw had al die tijd geen woord gezegd, en ik dacht dat ze geen Engels kende, maar toen begon ze plotseling te praten en bleek ze vloeiend Engels te spreken. Niet alle meisjes waren intellectuelen, zei ze... dat woord heeft ze écht gebruikt. Sommige wilden liever huisvrouw worden, zoals zij dat destijds had gewild, en zoals Tamima dat wilde. Het meisje wilde geen carrière. Het waren alleen bemoeizuchtige mensen zoals haar lerares, die mevrouw Burden, die dat voor haar wilden. En dat viel natuurlijk wel te verklaren, want ze werkte per slot van rekening zelf ook. Misschien moest zij wél geld verdienen, maar voor Tamima was dat niet nodig. Daar zou haar man wel voor zorgen.'

Wexford moest bijna lachen. 'Als militant feministe en voorvechter van de multiculturele samenleving, moet je je wel verscheurd hebben gevoeld, Hannah.'

Het deed hem veel plezier dat Hannah nu begon te lachen, zij het op een nogal beschaamde manier. 'U moet toegeven dat het lastig is, chef. Terwijl Yasmin maar doorging over de vreugden van het huisvrouwenbestaan, kwam Tamima binnen. Yasmin zei iets tegen haar in het Urdu – volgens mij was het Urdu – maar wat haar moeder ook gezegd mag hebben, Tamima keek alsof ze elk ogenblik in opstand kon komen. Ze was duidelijk heel boos. Onwillekeurig vroeg ik me af of er iets met dat vriendje van haar was dat haar ouders niet konden waarderen...'

'Hou op, Hannah, nu sla je er maar een slag naar, of je Urdu is de afgelopen tijd heel wat beter geworden.'

'Oké, daar hebt u natuurlijk gelijk in. En met haar ouders erbij kon ik niets tegen Tamima zeggen, al zal ik haar nog wel een keer aanspreken. Zodra ik daar de kans toe zie, doe ik dat beslist. Maar hoe dan ook, een van haar broers kwam binnen. Yasmin ging het eten voor hem klaarzetten en het viel me op dat ze niet voor Tamima haalde. Ik neem aan dat die maar moest wachten totdat de mannen klaar waren. O, ik weet het... maar je kunt nou eenmaal niet álle gebruiken van álle culturen verontschuldigen. Dus ben ik maar vertrokken. Dat bezoek heeft niet bepaald veel opgeleverd, hè chef?'

Hij reageerde wat verstrooid, want voordat ze zijn kamer was komen binnenlopen, had hij aan lang vervlogen tijden zitten denken en had hij zich zitten afvragen hoe hij als jongeman gereageerd zou hebben als de een of andere waarzegger hem had verteld dat gedwongen huwelijken op een dag in Engeland een ernstig probleem zouden gaan vormen. Het antwoord was simpel: dat had hij eenvoudigweg niet geloofd.

Maar Hannahs bezoek had inderdaad niet bijzonder veel opgeleverd. Helemaal niks zelfs. Hij kreeg de indruk dat Jenny en zij een ernstig probleem uit hun duim hadden gezogen. Een meisje had ervoor gekozen om op haar zestiende te stoppen met leren, wat wettelijk gezien haar volste recht was. Ze zou ongetwijfeld weleens wat willen verdienen, zoals die kinderen tegenwoordig allemaal deden. En datzelfde meisje was gezien terwijl ze met een medeleerling over straat liep, een medeleerling die toevallig een jongen was. En op basis daarvan hadden die twee alvast maar een tragische romance verzonnen. Het meisje was verliefd op de jongen, maar van hem weggerukt en gedwongen tot een huwelijk met een neef. Misschien had ze verzet geboden, en was ze er samen met die jongen vandoor gegaan, en als gevolg daarvan zouden ze allebei onder afgrijselijke omstandigheden worden vermoord door een van de broers van het meisje. Het was maar goed dat geen van hen wist dat hij Eric Targo bij de Rahmans thuis had gezien, want anders zou die ook bij het complot zijn betrokken, als de huurmoordenaar die door de broer was ingeschakeld.

Hij geloofde er helemaal niets van. Nu de tuinman aan zijn tuin was begonnen, was het meer dan ooit een genoegen om naar huis te gaan. Andy Norton was nog maar twee middagen aan het werk geweest met de bloembedden, en had twee keer het gazon gemaaid. Niemand was er aan toegekomen om de rozenstruiken te snoeien, ook al diende dat zes weken voordat ze in bloei kwamen te gebeuren, en daarom waren die dit jaar mislukt. Maar de rode en gele begonia's waren fraai tot bloei gekomen in hun houten kuipen, en in de nu van alle onkruid verloste borders bloeide rode en paarse salie. Dora had hem verteld hoe al die plantjes heetten, anders zou hij dat zeker niet hebben geweten. Het was voldoende voor hem om te kijken, te bewonderen en tot rust te komen, om even verlost te zijn van zijn malende gedachten over Targo de stalker, de moordenaar, de hondenliefhebber met de grote wijnvlek. Een wijnvlek die nu verdwenen was. Hij zou graag willen weten, zo dacht hij, wanneer dat ding was weggehaald en waarom eigenlijk, want per slot van rekening was de man inmiddels ook de jongste niet meer, en dat was nog zacht uitgedrukt.

6

Hij zou getuige zijn bij het huwelijk van Roger Phillips. Dat Roger, die hem nog geen jaar kende, hem als getuige had gevraagd, gaf wel aan, dacht Wexford, hoe weinig vrienden de man had. Kennelijk beschikte Roger niet over iemand met wie hij beter bevriend was. Zelf stond hij er trouwens niet veel beter voor. Hij zou eenzaam zijn geweest daar in Brighton als er niet voortdurend zoveel werk was geweest, en zoveel boeken om te lezen. En als hij Helen Rushford niet ontmoet zou hebben. De afgelopen drie maanden was hij een of twee keer per week met haar uit geweest.

Stellen spaarden vaak jaren om zich een luxueuze bruiloft te kunnen veroorloven. Hij dacht terug aan het roemruchte feest van zijn jongste dochter, de pergola, de champagne en de bloemen, het diner voor tweehonderd genodigde gasten. In de tijd van Roger Phillips' trouwen was het anders geweest: een klein feestje, dat werd betaald door de vader van de bruid: een receptie in een zaaltje naast de kerk, waar bier en limonade werd geserveerd. Niemand dronk toen al wijn, hoogstens wat sherry en port. Geen lijst vol dure cadeaus die werd afgegeven bij een warenhuis in het West End. Geen cadeaus die werden uitgezocht en besteld op internet. De gasten kwamen aanzetten met broodroosters, dienbladen of cheques voor een bescheiden bedrag. Wexford had Helen gevraagd wat hij volgens haar het beste kon geven, en zij had beddengoed geopperd, een verstandige en praktische keuze. Helen was een verstandige en praktische meid, en hij had haar meegenomen naar de bruiloft.

Hij had de ring overhandigd aan de bruidegom en zich net omgedraaid om weer naar zijn plaats in de voorste rij te lopen, toen een snelle blik op de kerkgangers aan de andere kant van het middenpad ervoor zorgde dat hij bijna het doosje waar de ring in had gezeten op de grond liet vallen. In een kerkbank ongeveer halverwege het gangpad zat het meisje met de rode jurk. Of een meisje dat heel sterk op haar leek, want als het al niet het-zelfde meisje was, dan was het toch zeker haar tweelingzus. Maar nee, het was hetzelfde meisje niet. Deze was nog mooier dan het meisje met de rode jurk. Ze vormde het zuiverste voorbeeld van zijn type, het type waarvan hij inmiddels besefte dat het het zijne was. Ze droeg geen rode jurk, maar een lichtroze combinatie met een strak jasje, een wijde rok en een bijpassend hoedje. Vrouwen droegen in die tijd over het algemeen nog hoedjes, en geen enkele vrouw zou zich op een bruiloft vertoond hebben zonder. Haar hoedje zag eruit als een wolkje lichtroze mist met daarin een halfverscholen roos.

Ik spreek haar aan zodra we hier weg zijn, nam Wexford zich voor. Op de een of andere manier knoop ik op de receptie wel een gesprek met haar aan. Ik vind vast wel iets om te zeggen. Hij was Helen volkomen vergeten, en terwijl de fraaie, onovertroffen woorden van de klassieke Engelse litur-gie ongehoord langs hem heen gingen en de gelovigen opstonden om *Praise, my soul, the King of heaven* te zingen, kwam het zelfs geen moment bij hem op dat ze, hoe aantrekkelijk ze ook zijn mocht, hoe goed gekleed en elegant dan ook, qua temperament misschien zelfs nog minder goed bij hem zou kunnen passen dan Alison. En terwijl hij meezong, kwam het zelfs geen moment bij hem op dat ze weleens heel wat minder charmant zou kunnen zijn dan ze eruitzag.

Hij kreeg niet de kans om haar aan te spreken. Toen de bruid en bruide-gom de consistoriekamer uit liepen, begonnen ze aan de processie over het middenpad, gevolgd door de vier bruidsmeisjes, haar ouders en zijn ou-ders. Wexford kwam naast een meisje te lopen dat de zus van Roger Phil-lips scheen te zijn, en hoewel hij het meisje met het roze hoedje zag zitten toen hij langs haar liep, fluisterde ze toen net iets tegen de oudere vrouw naast haar, zodat hij haar alleen maar een snelle, smekende blik kon toe-werpen. Buiten begon het fotograferen – in de bitterkoude oostenwind en de gutsende regen – maar in geen enkel groepje dat op de foto ging, was het meisje in de roze jurk te bekennen. Ze was verdwenen, en dat gold ook voor de mensen met wie ze in de kerkbanken had gezeten. Hij zou haar straks wel zien op de receptie, maar daar waren zelfs nog meer mensen dan in de kerk, en hij ving alleen maar in de verte een glimp van haar op, want met Helen die aan zijn arm hing, was het vrijwel onmogelijk om naar haar toe te lopen en haar aan te spreken. En bovendien moest hij zelf een toe-spraak houden, en naar de andere toespraken luisteren. Maar toen Helen samen met een stel andere meisjes met Pauline mee was gegaan naar de kamer waarin ze de kleren zou aantrekken waarin ze op huwelijksreis zou gaan, slaagde hij erin om te vragen wie dat meisje in het roze was.

'O, die meid,' zei de moeder van de bruid. 'Ik heb haar nooit eerder gezien. Ze logeerde bij een paar oude vrienden van Paulines ouders, maar die zijn nu al weg. Het is een vriendin van hun dochter, maar de dochter voelde zich niet goed en toen hebben ze gevraagd of ze dat meisje mee mochten nemen. Iemand zei dat ze Medora heette. Een merkwaardige naam, vond ik.'

Byron, dacht hij. Er was een gedicht van Byron met een personage dat Medora heette. Was het *The Giaour*? En de dochter van Byrons halfzus, Augusta Leigh, van wie boze tongen hadden beweerd dat het Byrons eigen dochter was, had die ook niet zo geheten? Een merkwaardige keuze voor je eigen dochter. Maar wel mooi en romantisch. Wie van beide ouders zou Byron hebben gelezen? Hij zou het haar vragen als ze elkaar ontmoetten... in het onwaarschijnlijke geval dat hij haar ooit zou ontmoeten.

Maar hij moest nu niet al te snel wanhopen, want hij wist maar al te goed dat, zoals het Engelse gezegde luidt, een wankelmoedig hart nog nooit een schone maagd heeft weten te winnen. Maar nu moest hij wel iets bedenken om zodra het jonge paar terug was van zijn huwelijksreis van Rogers echtgenote te weten te komen hoe die vrienden van haar ouders heetten, en dat zonder daarmee haar argwaan te wekken. Want zelfs als hij in die tijd niet iets met Helen gehad zou hebben, zou hij het nog steeds geen prettig idee hebben gevonden om geplaagd te worden met het meisje in het roze. Hij kon haar niet uit zijn gedachten zetten, en een paar keer had hij zelfs van haar gedroomd. In het kille en nuchtere ochtendlicht hield hij zichzelf dan telkens weer voor wat een dwaas hij was, door zich te gedragen als Dante tegenover Beatrice. In hemelsnaam! Dit was de twintigste eeuw en hij was een polítieman. Zet haar uit je hoofd! Maak jezelf niet telkens weer wijs dat je haar voor je ziet in dat roze pakje van haar, met dat roze hoedje op. Zolang Roger en Pauline op huwelijksreis waren, was hij daarover voortdurend met zichzelf in debat, en toen ze terugkeerden probeerde hij via allerlei omwegen de naam van de vrienden van Paulines ouders te achterhalen. Hij vroeg Roger om zijn vrouw eens te vragen of dat echtpaar soms de familie Derwent uit Coulsdon was, die zijn moeder vroeger had gekend. En hij voegde eraan toe dat hij meende ze herkend te hebben, ook al was het jaren geleden dat hij ze voor het laatst gezien had.

Natuurlijk bleek dat wel het laatste wat Roger op dat moment belang in-
boezemde, en hij moest er dan ook twee keer aan herinnerd worden. 'Ik
hoop maar dat je niet hebt verwacht dat die mensen je lang verloren ge-
waande oom en tante zijn, die op het punt stonden om je een fortuin na te
laten,' had hij gezegd toen hij Wexford een velletje papier toeschoof. 'Zoals
je ziet, zijn het niet meneer en mevrouw Derwent. Moffat heten ze en
Pauline heeft geen idee waar ze wonen.'
'Volgens mij heeft iemand gezegd dat het meisje dat met hen mee was gekomen hun dochter niet was.'
'Dus dáár gaat het om, hè?' Roger kraaide bijna van voldoening. 'Ik had
het kunnen weten.'
Wexford had gezegd dat er niets te weten viel en had zich voorgenomen
om er tegen Roger nooit meer iets over te zeggen. Moffat was de naam op
het velletje papier. Er moesten wel honderden Moffats in Engeland rondlopen, maar lang niet iedereen daarvan zou aan de zuidkust wonen, en
Roger had hem weleens verteld dat de ouders van Pauline ooit vanuit
Pomfret naar Brighton waren verhuisd. Misschien moest hij beginnen met
het telefoonboek van East Sussex? Tegenwoordig zou het een stuk gemakkelijker zijn geweest om haar te vinden, dacht hij peinzend. Iedereen was
nu via internet gemakkelijk te achterhalen, als je tenminste wist hoe je dat
moest aanpakken of een ondergeschikte had die dat wist. En ook al had hij
zich nog zo voorgenomen om niet langer aan het meisje met het roze hoedje te denken als iets meer dan alleen maar iemand van zijn type, toch was
hij nu wel helemaal verslingerd aan dat type, en aan haar als de ultieme
vertegenwoordigster daarvan...
'Reg.' Zijn gemijmer werd nogal ruw verstoord door de stem van Burden.
'Blijf je hier de hele avond zitten?'
Hij schudde zijn hoofd en knipperde met zijn ogen. 'Sorry, ik zat aan vroeger te denken.'
'Over het algemeen is dat heel wat aangenamer dan het heden. Ik dacht
dat we misschien ergens wat konden gaan drinken. Het is al zeven uur
geweest en je zei dat Dora niet thuis was. Ik heb die fotokopieën van je
doorgelezen. Toen ik daarmee klaar was, wilde ik nog meer lezen, en ik heb
dat boek van Chambers uit de bibliotheek gehaald. Maar er staat niets
méér in. Hij heeft zijn boek dan misschien *Unsolved Crimes and Some
Solutions* genoemd, maar veel oplossingen heeft hij niet te bieden, en in de
zaak-Carroll zelfs geen enkele.' Ze gingen naar de Dragon in plaats van de

Olive and Dove en vonden daar een rustig hoekje waar ze geen last hadden van de mensenmassa die zich verdrong in het vertrek dat vroeger de Saloon Bar werd genoemd om naar het voetballen te kijken.

'Bordeaux of bourgogne?'

'Maakt niet uit,' zei Wexford. 'Alle rode wijn hier smaakt toch hetzelfde.'

In gedachten nam hij de gedachtegang weer op die Burden daarnet had onderbroken. Dromen van het meisje met het roze hoedje was één ding, maar ook werkelijk naar haar op zoek gaan was een grote stap. Hij had zichzelf voorgehouden dat hij de voorbereidende werkzaamheden toch al had verricht – hij was al gaan denken als een politieman – en hij hoefde nu alleen nog maar wat praktische dingen te doen, te beginnen met het doorzoeken van het kiesregister van het district Coulsdon. In die tijd kon je gewoon een postkantoor binnenlopen en aan de balie die adreslijst doorlezen totdat je de naam had gevonden die je zocht. Tegenwoordig stonden zulke dingen op internet. Heel wat moeilijker, dacht hij, en verwarrender. Maar het had hem niet in de haak geleken om met zijn speurtocht te beginnen terwijl hij nog steeds iets met Helen had. Ze gingen regelmatig samen naar de film, samen úit eten, samen wandelen en picknicken, en aan het eind van de avond gaven ze elkaar een afscheidskus... al was het daar altijd bij gebleven, en hij wilde niet naar iemand anders op zoek gaan terwijl zij hem nog als haar vriendje beschouwde. Dat vond hij laf en achterbaks. Hij had tegen haar gezegd dat hij dacht dat ze elkaar maar niet meer moesten zien, en was ontzet toen hij de uitdrukking op haar gezicht zag, en de tranen in haar ogen. Ze was vijf jaar jonger dan hij en plotseling leek ze heel jong, een kind dat begon te huilen. Hij zei tegen haar dat hij te oud voor haar was, en dat ze maar beter iemand kon zoeken die wat meer van haar eigen leeftijd was, en hij vergulde de bittere pil voor haar door eraan toe te voegen dat ze zo mooi en lief was dat ze aan hem niet besteed was.

'Maar ik hou van je,' zei ze. 'Jij bent precies wat ik wil.'

Was er ooit een andere vrouw geweest die zoiets tegen hem gezegd had? Had Dora, zijn vrouw, ooit zoiets gezegd? Hij dacht van niet, maar toch had hij zijn relatie met Helen verbroken, en daarna had hij haar nooit meer teruggezien. Zo nu en dan had hij nog wel van haar gehoord. Ze woonde tegenwoordig samen met haar man en haar inmiddels volwassen kinderen in het dorpje Stoke Stringfield, een dorpje niet ver van Stringfield, waar Targo zich in Wymondham Lodge gevestigd had. Hij wist dat ze daar woonde en dat ze nu Conway heette. Je had je moeten schamen, hield hij zichzelf voor. Je had je echt rot moeten schamen dat je die arme meid zo behandeld hebt, en je had je nog dieper moeten schamen voor die romantische fantasieën van je, die alleen maar op een ramp konden uitdraaien.

Hij rukte zich los uit zijn gemijmer. 'Je moet niet vergeten dat er wel degelijk een oplossing was,' zei hij tegen Burden toen die terugkwam met de wijn. 'De arrestatie en voorgeleiding van George Carroll wegens de moord op zijn vrouw, dát was de oplossing. En het is niet zo dat het plotseling de oplossing niet meer was toen Carroll werd vrijgelaten omdat de rechter in zijn aanwijzingen aan de jury iets had gezegd wat hij niet had mogen zeggen. Zo dachten Fulford en Ventura en een heleboel andere mensen er in elk geval over. Het verschil tussen hen en mij was dat ik nooit in Carrolls schuld heb geloofd, en daar na zijn vrijspraak niet meer of minder in ben gaan geloven, terwijl Fulford en Ventura er vóór Carrolls vrijspraak al behoorlijk zeker van waren geweest dat hij schuldig was en daar na de vrijspraak rotsvast van overtuigd waren. Of liever gezegd: op zich maakte die vrijspraak geen verschil voor wat ze precies geloofden, maar ze waren daarna allebei wel heel boos. Vooral Ventura ging echt door het lint.

"Die boef wordt vrijgelaten omdat de een of andere ouwe sok met een pruik op zijn vak niet verstaat!" riep hij telkens weer. Hij stond letterlijk te stampvoeten.'

'Dus er waren geen andere verdachten?'

'Voor mij is Targo altijd verdachte nummer één gebleven. Maar dat was iets van mij persoonlijk. Toen ik in Hove woonde, heb ik veel aan hem moeten denken, en aan die vrouw van hem, die hij in elkaar had geslagen, en dat kleine jongetje, Alan, en de nieuwe baby. Ik wist dat ze niet meer aan Jewel Road woonden en dat ze waren gescheiden, maar ik vroeg me af of hij haar alimentatie betaalde, zoals het hoorde. Op een dag ben ik Tina Malcolm onverwacht tegen het lijf gelopen, terwijl ze samen met een baby en de een of andere man met wie ze misschien wel getrouwd was over straat liep. Waarschijnlijk was ze inderdaad wel met hem getrouwd, want in die tijd deinsden de meeste vrouwen nog terug voor het ongehuwde moederschap... zoals jij je ongetwijfeld ook nog heel goed herinnert. Ze herkende me niet, of leek me niet te herkennen. Ik heb me vaak afgevraagd hoe ze zich gevoeld moet hebben toen haar minnaar voor de rechter moest verschijnen op beschuldiging van moord.'

'Bedoel je daarmee dat hij die avond werkelijk bij haar is geweest?'

'O ja, volgens mij wel. Denk jij van niet dan? Hij is bij haar geweest en toen hij hoorde dat ze dat had ontkend – dat ze hem had verraden, zou je kunnen zeggen, want ook al is ze later op haar woorden teruggekomen dan heeft hij daar toch geen weet van gehad – dan neem ik toch aan dat zijn wereld wel volkomen ingestort moet zijn. Misschien heeft hij werkelijk van haar gehouden. Wie weet?'

'Denk je dat hij vrijuit gegaan zou zijn als ze zijn verklaring meteen had bevestigd?'

'Ik neem aan van wel. Als zij meteen had verklaard dat hij drie uur lang bij haar was geweest, was dat een onweerlegbaar alibi geweest. Want weet je, hoewel ik in opdracht van Ventura alle buren heb ondervraagd die thuis waren, is niemand naderhand de buren afgegaan die niet thuis waren toen ik langs was geweest. Misschien heeft één van hen Carroll wel naar binnen zien gaan. Maar dat kon Ventura niet schelen. Zodra Tina had gezegd dat Carroll niet bij haar was geweest, vormde dat een bevestiging voor iets wat hij toch al sterk vermoedde, namelijk dat Carroll de dader was. Maar nadat Tina had ontkend dat Carroll bij haar was geweest, is er niemand meer bij de buren langsgegaan die ik die dag niet thuis heb getroffen. Carroll kan niet op twee plekken tegelijk zijn geweest en na halfzeven 's avonds is hij niet meer in zijn huis aan Jewel Road geweest.'

'Volgens Chambers is Carroll naar het noorden getrokken. Niemand schijnt te weten wat hij deed voor de kost, maar hij is ziek geworden en ongeveer een jaar na zijn vrijspraak gestorven aan alvleesklierkanker. Wat is er van Targo geworden?'

Wexford haalde zijn schouders op. 'Hij is een rijschool in Birmingham begonnen. Hij had daar een vrouw ontmoet met een heleboel geld. Tracy heette ze, maar haar achternaam weet ik niet meer. Ze was destijds nog heel jong. Het geld was haar nagelaten door haar vader, en ze had een groot huis in Edgbaston. Maar hij is nooit met haar getrouwd en na de dood van zijn moeder erfde hij het huis aan Glebe Road en is hij teruggekomen.'

'Hoe weet je dat allemaal?'

'Ik heb regelmatig navraag gedaan. Net zoals hij volgens mij ook navraag naar mij heeft gedaan. Want weet je, als ik al geobsedeerd was door hem, zoals jij ongetwijfeld zult zeggen, dan was hij toch zeker ook geobsedeerd door mij. O, niets homoseksueels hoor. Ik bedoel alleen maar dat hij op de een of andere manier het idee had dat het... tja, léúk zou zijn om een politieman op een bepaalde manier in zijn macht te hebben, iemand die wist

wat hij gedaan had, en wat hij zo nu en dan ook in de toekomst nog weleens zou doen, maar daar niets tegen kon ondernemen. Destijds heb ik
echter nooit vermoed dat hij een psychopaat en een seriemoordenaar zou
kunnen zijn, en dat Elsie Carroll alleen maar zijn eerste slachtoffer is geweest of één van zijn vroege slachtoffers.'

Net als de vorige keer begon Burden nu allerlei tegenwerpingen te maken.
'Maar je had geen enkel bewijs. Je hebt alleen maar een man gezien die
regelmatig zijn hond uitlaat en die jou vreemd heeft aangekeken. Je had
echt helemaal niets.'

Wexford schudde zijn hoofd. 'Het stalken. Dat begon opnieuw. Ik was net
getrouwd en ik woonde in een van die huizen niet ver van de Kingsbrook.
Dat weet je nog wel.'

'Reken maar. Achter jullie tuin lag een weiland dat doorliep tot aan de rivier.' En een beetje mismoedig voegde Burden daaraan toe: 'Het is nu allemaal bebouwd.'

'Tja, de mensen moeten toch ergens wonen,' zei Wexford.

'Targo begon daar zijn hond uit te laten. Het was dezelfde hond, die goud-
kleurige spaniël, en die moet toen al behoorlijk oud zijn geweest. Er waren
verschillende routes naar de uiterwaarden; een daarvan was het jaagpad
langs de Kingsbrook en een andere was een poortje dat toegang bood tot
een pad naar High Street. Hij koos er echter voor om over het voetpad
rechts langs mijn huis te lopen. Ik zag hem daar regelmatig langskomen,
en dat beviel me niet.'

'Wat? Alleen maar omdat hij daar zijn hond uitliet?'

'Destijds woonde hij – in zijn eentje volgens mij – in het oude huis van
zijn moeder aan Glebe Road. Er waren wel tien manieren om dat grasland
te bereiken die makkelijker waren dan eerst heuvelop naar mijn huis en
dan over dat voetpad weer heuvelaf.'

'Wat deed hij als hij jou zag?'

'Nou, natuurlijk kreeg ik hem niet vaak te zien. Het was zomer toen dit
allemaal begon, en meestal heel vroeg in de ochtend. Als ik opstond, zag ik
hem door het raam van mijn slaapkamer. Soms bleef hij even staan en keek
dan omhoog naar mijn raam, net zoals hij dat vroeger had gedaan toen ik
nog op kamers woonde. Hij had altijd een sjaal om zijn nek. En dan stond
hij altijd zo te staren. Eén keer, en ook niet meer dan dat, heeft hij goedemorgen gezegd toen ik in de auto stapte. Dat was wat later op de ochtend,
omdat het toen al herfst was. Ik heb toen ook goedemorgen gezegd en

daarna is hij ermee opgehouden. Hij is niet lang in Kingsmarkham gebleven. Hij verkocht het huis dat hij had geërfd en ging terug naar Birmingham.'

'Als het al stalken was,' zei Burden, 'dan heb je nog steeds geen enkele reden om aan te nemen dat hij een psychopaat is.'

'De reden die ik had, was de man die om zeven uur 's avonds de tuin van George en Elsie Carroll binnen was geslopen, een man die kort van stuk was en die zo dicht bij George en Elsie Carroll woonde dat hij zijn slapende kind alleen kon achterlaten, mevrouw Carroll kon vermoorden en tien minuten later weer thuis kon zijn.'

'Maar dat is toch geen goede reden om iemand een psychopaat en een seriemoordenaar te noemen? Alleen die ene moord, op een vrouw die hij zelfs nog nooit gesproken had?'

'Uhhuh, maar dan waren er ook nog die fantasiemoorden van hem. Ik bedoel de moorden waarvan hij me wilde laten denken dat hij die gepleegd had. Ja, ik méén het. Maureen Roberts bijvoorbeeld. Zijn volgende echte moord heeft, voor zover ik weet, het jaar daarop plaatsgevonden, nadat hij een hoop geld bij elkaar had weten te krijgen – het huis van zijn moeder geërfd, die Tracy geld afgetroggeld – en daar een huis van had gekocht en een kennel was begonnen voor honden met baasjes die tijdelijk van huis zijn. Je herinnert je dat geval nog wel. Nou, ik wéét dat je je dat nog herinnert. Je hebt het er gisteren nog over gehad: die arme jongen die is gewurgd in de hortus. Billy Kenyon. Weet je nog wel?'

'Wil je daarmee zeggen dat jij denkt dat Targo daar verantwoordelijk voor is?'

'Ik "denk" het niet alleen, Mike. Ik weet het zeker.'

'Ga je me ook vertellen waarom?'

'Misschien wacht ik wel totdat je het me vraagt.'

7

Ze zat achter de kassa.

'Niet eens bij de Tesco,' zei Burden, alsof de grootte of status van de supermarkt waar Tamima Rahman nu werkte ook maar iets uitmaakte. 'Het is een van die Indiase winkeltjes waar je blikjes kunt kopen met alles erin wat je maar bedenken kunt, en waar ze ook halalvlees hebben. Er is maar één kassa en daar zit zij achter.'

'Daar kunnen we helemaal niets aan doen, Mike,' zei Wexford. 'We kunnen haar er niet van weerhouden om van school te gaan, we kunnen de familie Rahman niet dwingen om haar in te schrijven bij een zesdeklascollege, en we kunnen die meid niet verbieden om te gaan werken. Ze is zestien.'

'Maar het is zulk stóm werk! Het zou niet zo erg zijn als het een of andere kantoorbaan was, of iets waarbij je een opleiding krijgt.'

'Wat ben je toch een snob. Ik neem aan dat de eigenaar een vriend van de familie is. Hij heeft haar een baantje aangeboden en zij was daar heel blij mee. Misschien is het alleen maar tijdelijk.'

'Jenny zegt dat ze binnenkort naar die winkel toe gaat – het Raj Emporium heet het – en dat ze het haar gaat vragen. Toen ik het haar vertelde, kon ze het nauwelijks geloven.'

Jenny doet maar wat ze niet laten kan, dacht Wexford. Als ze op eigen houtje een onderzoek wil instellen, moet ze dat vooral niet laten, maar ik ga hier geen politiemensen op zetten. Ze is er echt op gebeten om vast te houden aan dat idee van een soort Romeo en Julia. Ik had nooit gedacht dat ze zo dom zou zijn.

Er gingen drie weken voorbij voordat hij meer te horen kreeg. En tegen die tijd was hij de zaak al grotendeels vergeten. Er was een jongen neergestoken op straat en de dader, Neil Dusan, een lid van de Molloy-bende, was in hechtenis genomen terwijl Kieran Upritchard balancerend op de grens

tussen leven en dood op de intensive care lag. Een kind van vijf was verdwenen en weer opgedoken bij een tante in Macclesfield, maar pas nadat
alle medewerkers van Wexfords team al hun andere werk hadden laten vallen om naar het kind te gaan zoeken. De eigenaar van een benzinestation
had metalen pennen geïnstalleerd die uit het asfalt omhoogwipten als een
klant zonder af te rekenen vertrok. Eén automobilist had de politie gebeld,
een ander had de schade aan zijn auto geaccepteerd en alsnog afgerekend,
maar nummer drie had een pistool getrokken en de eigenaar neergescho-
ten, zodat die nu in het ziekenhuis lag met ernstige, zij het niet levensbe-
dreigende verwondingen. Hij had geen tijd gehad om zich bezig te houden
met Tamima Rahman, die helemaal niets misdaan had, niet het slachtoffer
was geworden van illegale activiteiten en al evenmin een aanklacht had
ingediend.

Maar intussen was Jenny Burden al een paar keer in het Raj Emporium
geweest en had daar wat informatie van Tamima losgekregen. Hoewel het
's avonds druk was in het winkeltje, gingen er overdag soms uren voorbij
met niet meer dan een enkele klant, en de weinige klanten die er kwamen
waren bijna allemaal allochtoon. Jenny was niet helemaal de enige blanke
klant. Eén keer was er ook een jeugdig aandoende man met bruin haar en
blauwe ogen in de winkel, die zijn mandje vulde met een hele reeks spece-
rijen terwijl zijn blik net iets te lang op het leuke Aziatische meisje bij de
kassa bleef rusten. Tamima was degene die haar geduld verloor met Jenny's
bezoekjes, maar de eigenaar, naar het scheen een broer van haar vader, was
een te goede zakenman om geduld te hebben met haar pogingen om haar
vroegere lerares te verjagen. Zijn caissière kreeg de wind van voren, en dat
waar Jenny bij was.

Toen Wexford 's avonds thuiskwam trof hij haar aan terwijl ze Dora vol
verontwaardiging op de hoogte bracht.

'Als excuus zegt ze dat ze het geld nodig heeft. Kennelijk is ze niet tevreden
met het zakgeld dat ze van haar vader krijgt. Ze staat erop dat het maar
tijdelijk is, maar ze heeft geen idee wat er dan voor ander werk voor haar
geregeld wordt. Als er al iets anders voor haar geregeld wordt. Het was niet
de moeite waard om iets beters te doen dan bij "oom" te gaan werken, zegt
ze, want moeder gaat met haar op vakantie naar Pakistan. Ze ziet er verlangend naar uit. Ze gaan logeren bij familie en blijven minstens een maand
weg. Waarom zou je dit niet als een jaartje vrijaf beschouwen, zei ik, dan
kun je aan je ouders vragen om je voor volgend jaar oktober in te schrijven

bij Carisbrooke. Toen ik dat had gezegd, bleef het een tijdje stil en toen zei ze dat dat helaas niet zou gaan. Ik vroeg haar of ze nog steeds contact had met haar vriendje.'

'Dat ging wel een beetje ver, Jenny,' zei Wexford. 'Daar heb je eigenlijk toch niets mee te maken?'

'Dat zou je niet zeggen als het een blank meisje was. Je doet aan omgekeerde discriminatie, weet je. Waarschijnlijk heeft Hannah Goldsmith je aangestoken. Ik ken die jongen. Die deugt wel. Hij heet Rashid Hanif. Hij gaat door naar het zesdeklascollege, maar natuurlijk wordt dat bij hem ook aangemoedigd. Hij is een man.'

'Nou, heeft ze nog contact met hem?'

'Ze zegt dat ze geen vriendje heeft, maar ik heb ze samen gezien in het Kingsbrook Center.'

Het Kingsbrook Center had ooit beantwoord aan het model voor alle kleine winkelcentra maar was geleidelijk nogal in verval geraakt. Er zaten tegenwoordig voornamelijk landelijke ketens die zich op het lagere marktsegment richtten en goedkope textiel verkochten die afkomstig was uit naaiateliers in Zuidoost-Azië. Er hing een tamelijk sinistere sfeer. In de ooit zo elegante passages waren nu drugsdealers actief, en de van bloemen en planten voorziene terrasjes waarop de passages uitkwamen, stonken naar marihuana en urine. Voor Wexford vormde het hele winkelcentrum een voortdurende bron van problemen en ergernis, en hij hoopte maar dat de beloften (of dreigementen) waartegen al jarenlang verbeten werd geprotesteerd, nu eindelijk eens doorgezet zouden worden, en dat het hele winkelcentrum tegen de grond zou gaan; zelfs als dat inhield dat daarvoor in de plaats de zoveelste supermarkt met een grote parkeergarage gebouwd zou worden.

'Dat is een aftandse bedoening,' zei Wexford. 'Wat voerden ze daar in hemelsnaam uit?'

Jenny haalde haar schouders op. 'Misschien hielden ze zich schuil voor haar ouders? Respectabele moslims gaan daar niet naar binnen. Ze zeggen dat het er smerig is, en dat is ook zo. Ze kopen liever van hun eigen mensen. Tamima en Rashid zouden daar rustig kunnen rondlopen, of een kopje koffie kunnen drinken op een terrasje, of ze zouden bij die zogenaamde fontein kunnen gaan zitten die al maandenlang niet meer werkt.'

Wexford schonk Dora en Jenny witte wijn in en nam zelf een groot glas rode. Voordat Dora haastig het kommetje weggriste, pakte hij ook een handvol cashewnoten. 'Jenny,' zei hij, 'wat er ook aan de hand mag zijn, er valt niets aan te doen. Misschien wordt hoger onderwijs voor kinderen die van de middelbare school komen nog weleens net zo verplicht als de basisschool dat tegenwoordig is voor kinderen van vijf jaar oud. Misschien komt het ooit wel zover, maar het gaat nog een hele tijd duren. Misschien komt het ooit wel zover dat het een misdrijf is voor een meisje dat uitstekende eindexamencijfers heeft gehaald om in een supermarkt achter de kassa te gaan zitten, maar ik betwijfel het. Het lijkt me een stuk waarschijnlijker dat het ooit verboden wordt voor ouders om een huwelijk tussen hun dochter en haar neef in de eerste graad te regelen, maar zolang een verbod geen kracht wordt bijgezet met dwang, zal dat weinig uithalen. Hebben meneer en mevrouw Rahman Tamima opgesloten? Hebben ze haar gedwongen om voor hen te werken? Dwingen ze haar om met vakantie te gaan in Pakistan? Op al die vragen luidt het antwoord nee. Ik weet waarom die moeder volgens jou met haar dochter naar Pakistan gaat. Jij denkt dat ze dat doet omdat Tamima daar zal worden voorgesteld aan een neef van haar die misschien wel twintig, dertig of wel veertig jaar ouder is dan zij, of die mismaakt is of geen woord Engels spreekt, of misschien wel een ongeletterde boer is, en dat Tamima zal worden gedwongen met hem te trouwen. Dat is toch wat je denkt? Een gedwongen huwelijk?'

'Als je het zo wilt stellen, Reg, dan luidt het antwoord ja. Ik denk gewoon dat jij niet beseft hoe ver die mensen soms gaan om een meisje tot een huwelijk te dwingen. Ik heb ooit van een geval gehoord waarin de ouders hun dochter net zolang hebben gemarteld totdat ze in een huwelijk toestemde, en een ander geval waarin een moeder haar dochter heeft gedreigd dat als ze bleef weigeren, haar stiefvader haar zou verkrachten.'

Wexford was opgelucht toen Jenny afscheid nam. Hij wilde het met Dora over de tuinman hebben.

'Het is waar dat hij vroeger op Eton heeft gezeten, maar wat mij betreft houdt dat alleen maar in dat hij fatsoenlijk Engels spreekt. Je kunt zo moe worden van mensen die hun eigen taal niet behoorlijk spreken. Eerst Eton en daarna Balliol College, denk ik. Hij komt aanrijden in die oeroude Morris Minor van hem en gaat meteen aan het werk. Om vier uur zet ik een kopje thee voor ons beiden, maar hij blijft niet lang zitten. Hij drinkt zijn thee op, slaat een tweede kopje af en gaat weer aan de slag.'

'Dus het is een goede tuinman?'

'Echt een heel goede, schat.'

Ze richtte haar aandacht weer op het boek waarin ze had zitten lezen voordat Jenny was langsgekomen, en hij dacht terug aan het verleden. Leefde hij op zijn leeftijd nu al meer in het verleden dan in het heden? Het was die opmerking van Dora geweest, toen ze zei dat ze soms zo moe werd van mensen die hun eigen taal niet fatsoenlijk spraken, die een herinnering in hem had opgeroepen.

Zo vrij als een vogeltje, al was dat niet de manier waarop hij het voor zichzelf omschreef, en met een schuldgevoel over Helen, had hij Moffat, Edward P., Josephine en Elizabeth gevonden, die alle drie op nr. 21 woonden, in een straat met een nogal chic aandoende naam. Maar nu hij over het adres beschikte, wist hij niet wat ermee te beginnen. Natuurlijk had hij in het telefoonboek gekeken en daar het telefoonnummer van de familie Moffat aangetroffen, maar hij had ook al geen idee wat hij daarmee aanmoest. Hij kon toch moeilijk een briefje sturen aan de weledelgeboren heer Edward Moffat – in die tijd werden brieven nog op die manier geadresseerd – om hem te vragen naar de achternaam en het huisadres van een zekere mejuffrouw Medora Huppeldepup, voor wie hij als een blok gevallen was toen hij als getuige optrad bij een huwelijk. En hij kon al evenmin mevrouw Josephine Moffat opbellen en haar vertellen dat hij net zoiets had meegemaakt als Dante en Beatrice, en smoorverliefd was geworden op een meisje dat met haar mee was gegaan naar het huwelijk van Roger Phillips.

Maar misschien kon hij wel bij hen aankloppen met een of ander voorwendsel, hij kon wel een verhaaltje verzinnen... Hij beschikte per slot van rekening toch over een levendige fantasie, die was gevoed met romans en gedichten? Wat het voorwendsel ook mocht zijn, het mocht niets te maken hebben met zijn leven en werk als politieman. Dat kon gewoon niet, dat was absoluut ontoelaatbaar. Hij zou er rustig de tijd voor nemen om er nog eens goed over na te denken, besloot hij, en zorgvuldig een plan opstellen. Hij moest vooral niet overhaast te werk gaan, ook al had hij alles wat hij maar bedacht het liefst zo snel mogelijk willen uitvoeren. Hij smachtte ernaar om haar weer te zien. Maar nog voordat hij dat punt had bereikt, was hij weer overgeplaatst naar Kingsmarkham, en bevorderd.

Daar voelde hij zich thuis, zijn ouders woonden er en hij had er een hoop oude vrienden. En bovendien lag het dichter bij Coulsdon. Er waren drie maanden voorbijgegaan sinds de bruiloft van Roger Phillips – de gebeurtenis die hij in gedachten was gaan aanduiden als 'de noodlottige bruiloft', omdat hij haar toen voor het eerst had gezien – maar het leek hem dat hij zijn plan nog wel kon uitvoeren. Als hij bij de familie Moffat aanbelde, zou het na drie maanden veel nonchalanter lijken, veel meer een situatie waarin hij 'toevallig in de buurt' was, dan als hij de volgende ochtend al met zijn boekje op de stoep had gestaan.

Het was geen moment bij hem opgekomen dat een telefoontje met de familie Moffat een heel wat normalere manier zou lijken om zoiets te regelen. Maar omdat het onontkoombaar was dat hij zijn plan pas een tijd later kon uitvoeren, was hij zichzelf wel gaan afvragen of hij misschien niet wat al te veel als vanzelfsprekend aannam, en zich nu al bijna had vastgelegd op iets wat zich niet meer ongedaan zou laten maken. Stel dat ze kil en hooghartig bleek te zijn, of erger nog, hem in zijn gezicht zou uitlachen? Dat ze zich goed wist te kleden en liep als een koningin zou er nog op kunnen duiden dat ze alleen maar trots was op haar uiterlijk. Maar het zou heel wat erger kunnen zijn, dat ze ijdel en narcistisch was. Alleen zou hij daar nooit achter komen als hij het niet probeerde. Het boekje dat hij had gekocht in wat destijds de enige boekwinkel van Kingsmarkham was, heette *Gedichten van Anne Finch, hertogin van Winchilsea*. Anne Finch was dichteres geweest in een tijd dat het vrouwen niet eens was toegestaan om gedichten te schrijven. Hij had alle verzen in het uiterst dunne boekje gelezen, niet alleen omdat hij alles las wat los en vast zat, maar ook om het boek een licht versleten uiterlijk te geven. De omslag was van donkerrood suède en hij wreef er met zijn vingertoppen wat overheen om het er gebruikt te laten uitzien. Dat was voor de familie Moffat, zodat zijn verhaal wat overtuigender zou lijken. Per slot van rekening zou het niet erg overtuigend klinken dat zij, de onbekende Medora, een dichtbundeltje dat ze zo te zien nog nooit in handen had gehad, in een kerkbank in een stadje aan zee had laten liggen.

Uiteindelijk werd het geen volkomen mislukking, maar ging het hele plan wel min of meer als een nachtkaars uit. Mevrouw Moffat deed open en hoorde zijn verhaal nogal verwonderd aan. Aanvankelijk leek ze nauwelijks te begrijpen wie die Medora dan wel mocht zijn, en toen ze haar mond opendeed, schrok hij eigenlijk nogal. Hij had een deftig accent verwacht, maar het mens praatte eigenlijk nogal plat, al kon je dat tegenwoordig niet meer zo noemen.

'O, ja, het maatje van mijn dochter.' Ze was duidelijk niet van plan om hem uit te leggen waarom die bij hen gelogeerd had, of waarom ze was meegegaan naar de bruiloft. 'Ze woont in Cornwall,' zei de vrouw. 'Het adres heb ik niet, maar dat zal Linda wel hebben.' Ze keek wat argwanend naar het boekje. 'Weet u wel zeker dat zij dat daar heb late legge?'

'Heel zeker,' loog hij. 'Ik heb gezien dat ze het vasthield.'

'Nou, laat het hier dan maar achter. Ik vraag het Josie wel.'

En toen kon hij niets anders doen dan het daar achterlaten. Maar hij had inmiddels voldoende mensenkennis om er zeker van te zijn wat er met het boekje zou gebeuren. Het zou een paar weken daar in huis rondslingeren. Misschien dat de dochter als ze thuiskwam er even naar zou kijken en 'Wat moet ik daarmee?' zou zeggen, en daarna zou ze het dan weer neerleggen en zou het blijven rondslingeren totdat een werkster die de boel aan het opruimen was het in de boekenkast zette, ergens tussen een boek van Dennis Wheatley en een roman van Vicki Baum.

In de verhalen en romans die hij zo gretig had gelezen, zou zo iemand als hijzelf misschien wel iets hebben kunnen bereiken, maar niet in het echte leven. Hij wist zijn teleurstelling te bedwingen door te bedenken hoe pijnlijk de situatie zou zijn geweest als hij haar had ontmoet en ze net zo geweest was als hij had gevreesd dat ze zou kunnen zijn, en waar hij vervolgens maar niet aan had gedacht: ordinair, ijdel en dom, zodat een boek met poëzie alleen maar zou leiden tot een 'Nou, bedankt hoor, maar op school heb ik al poëzie gehad'. Hij moest haar maar uit zijn hoofd zetten en doorgaan met zijn werk. Het zou niet al te moeilijk moeten zijn om iemand te vergeten die je nooit had ontmoet, wat het liedje ook mocht zeggen, en hij herhaalde het in gedachten: *There is a lady sweet and kind, was ne'er a face so pleased my mind. I did but see her passing by, and yet I love her till I die.* Natuurlijk zou hij niet tot aan zijn dood blijven houden van iemand die hij slechts in het voorbijgaan had aanschouwd, hoe lief en vriendelijk ze er ook had uitgezien. Wat een onzin. Je moet nooit op je schreden terugkeren, dacht hij, anders zou hij misschien ooit weer contact hebben gezocht met Helen... maar hij had nu een eigen appartement in Kingsmarkham, een kwart van een groot huis, en het meisje dat op dezelfde verdieping naast hem woonde was alleenstaand en aantrekkelijk... De volgende keer dat hij haar tegenkwam op de trap zou hij haar uitnodigen voor een kopje koffie.

Intussen was er iemand vermoord in Pomfret, en hij was een nacht en een dag lang druk bezig met het verhoren van verschillende verdachten. Het was zijn eerste moord sinds Elsie Carroll en hoewel Targo al een hele tijd weg was, kwam de gedachte aan dat stevig gebouwde mannetje, die stalker met zijn spaniël weer in hem op. Dat was natuurlijk onmogelijk. Lilian Gray was vermoord door haar echtgenoot. Hij was er inmiddels wel achter dat de meeste mensen die gewelddadig aan hun einde komen, zijn vermoord door iemand uit hun naaste omgeving. De uitzondering op de regel was een zekere mevrouw Parsons, die onder merkwaardige omstandigheden was gestorven, vermoord door een oude schoolvriendin die verliefd op haar was.

'Je was hier destijds ook al, Mike,' zei hij tegen Burden. 'Herinner je je die zaak nog?'

'Die zal ik nooit vergeten. De mensen waren in die tijd nog gechoqueerd door lesbische relaties. Ik moet bekennen dat ik dat zelf ook wel een beetje was. Jij niet, jij deed daar helemaal niet moeilijk over.'

'Ze was toch niet echt lesbisch? Gewoon een arme vrouw die niet goed wist wat ze aanmoest met haar verlangen naar een andere vrouw.'

'Het is een hele tijd geleden,' zei Burden. Hij gaf niet aan dat hij meer over Targo wilde horen. En misschien, dacht Wexford, zou hij er ook wel nooit meer op terugkomen. Er waren in die jaren maar weinig onopgeloste misdrijven geweest, en geen herhalingen van de zaak-Carroll, waarbij een man een proces, een veroordeling en een hoger beroep had moeten doormaken, om vervolgens na zijn ontslag van rechtsvervolging uitgekotst te worden door de gemeenschap. En dat voor iets waarvan Wexford vrijwel zeker wist dat iemand anders het had gedaan. Tot de zaak Billy Kenyon hadden er zelfs helemaal geen onopgeloste misdrijven meer plaatsgevonden, en Wexford hoopte dat dat zo zou blijven, ook al was de doodstraf – die nog een tijdje zou gelden voor het doden van een politieman – definitief afgeschaft. Tegen die tijd had hij het meisje gevonden dat de ideale vertegenwoordigster van zijn type was, hij was met haar getrouwd en hun kinderen waren al geboren. Maar daarover zei hij niets tegen Burden. Dat was privé, iets wat hij zelfs niet aan zijn beste vrienden zou vertellen.

8

De dochter van meneer en mevrouw Moffat belde hém. Dat was wel het laatste wat hij had verwacht. 'Met Josephine Moffat,' zei ze. 'U bent bij ons aan de deur geweest en hebt een boekje afgegeven voor Medora.' Ze klonk vriendelijk. Heel anders dan haar moeder. 'We hebben elkaar ontmoet toen ik met mijn ouders op vakantie was in Cornwall,' zei ze. 'Omdat ze zo ver weg woont, zie ik haar niet vaak. Over het algemeen schrijven we alleen maar. Maar ze is hier wel naartoe gekomen toen we naar die bruiloft gingen, alleen kon ik zelf niet omdat ik griep had.' In die tijd werd Cornwall beschouwd als heel ver weg. De wereld is kleiner geworden. 'Ik heb haar het boekje gestuurd.'

Nu zou ze hem gaan vertellen dat de gedichten van Anne Finch niet van Medora waren en dat hij zich vergist had. Maar nee.

'Ze is zelf ook vernoemd naar iemand in een gedicht. Ze zegt dat ze u graag zou ontmoeten, maar ik heb gezegd dat u politieman bent in Sussex.'

Hij kon zijn eigen stem nauwelijks herkennen, zo aarzelend en bedeesd klonk die plotseling. 'Zou u me haar adres kunnen geven? Ik weet haar achternaam niet eens.'

'Werkelijk niet? Wat merkwaardig.' Plotseling klonk haar stem grover en minder damesachtig. 'Haar achternaam is Holland, en haar adres is Denys Road 14, Port Ezra, Cornwall.' Ze gaf hem een telefoonnummer en hij vroeg zich af of hij dat zou durven bellen.

Er waren toen nog geen postcodes. Plaatsnaam en graafschap waren voldoende. Het was moeilijk om die brief te schrijven, maar toch schreef hij er een, waarin hij opperde dat hij misschien weleens zou kunnen langskomen als hij in augustus een week vakantie had. Hij kreeg geen antwoord en een tijdje liet hij zich daardoor afschrikken. Toen stuurde Ventura hem naar Cornwall om een man te verhoren die door de politie daar werd vastgehouden op verdenking van betrokkenheid bij een bankroof in Kingsmarkham. William Raw was opgepakt bij zijn moeder thuis in St. Austell, het verhoor zou de volgende ochtend plaatsvinden, en daarna zou Wexford een vrije middag en avond hebben. Port Ezra lag niet meer dan tien kilometer verderop.

Het was nu of nooit. Het was een interlokaal gesprek over lange afstand, en dat kostte veel geld. Dat deed je niet zomaar. Hij had kunnen bellen vanuit het bureau, maar er waren al te veel collega's die zulke dingen deden, en dat wilde hij niet. Waarschijnlijk woonde ze bij haar ouders. De meeste jonge meisjes woonden in die tijd nog bij hun ouders, en de meeste jongemannen ook. Maar zij was degene die opnam. Haar stem was niet helemaal waarop hij had gehoopt. Maar wat was hij nou voor een snob dat hij zich liet afschrikken door het zware Cornwallse brouwen?

'Ik zou u graag willen ontmoeten,' zei hij.

'Kunt u om een uur of zes komen? Dan zijn pa en ma wel thuis.'

Een ontmoeting met haar ouders maakte echt geen deel uit van zijn plan, maar hij liet wat enthousiaste geluiden horen en zei dat hij graag met haar uit eten zou gaan. Was er een restaurant in de buurt?

'Niet in Port Ezra,' zei ze en ze giechelde. 'We hebben hier de Pomeroy Arms, maar daar kun je alleen maar wat drinken.' In die tijd serveerden de pubs nog geen maaltijden. 'U kunt hier dan wel met ons mee-eten.'

Hij zei dat hij om een uur of zes bij haar zou zijn. Dat gegiechel was ook al een punt in haar nadeel, maar hij hield zichzelf voor dat hij niet zo rigide moest zijn.

Port Ezra was een merkwaardige naam, zei hij tegen zijn hospita voordat hij het pension verliet waar hij en rechercheur Bryson logeerden. Hier in Cornwall niet, zei ze, want ze hadden hier ook Caïro en Indian Queen. Zulke namen waren verbasteringen van oude plaatsnamen in het Keltische Cornish, dat hier vroeger gesproken werd. De Engelse woorden die het meeste gelijkenis vertoonden met de naam van het plaatsje waar Medora woonde, waren Port Ezra, en daarom werd het plaatsje tegenwoordig zo genoemd.

Bryce en hij waren met de trein naar St. Austell gekomen en hadden geen auto tot hun beschikking. Hij nam de bus over de kustweg die Port Ezra aandeed. Het was eigenlijk geen stadje maar een dorp, met twee winkels en een pub, een sombere, grijze kerk, witte huisjes met rood en paars bloeiende fuchsiaheggen, plus een stel tamelijk nieuw aandoende villaatjes in een stuk of zes straatjes die uitkwamen op de weg langs de kliffen en een prachtig uitzicht op een donkerblauwe zee met hier en daar grillig gevormde zwarte rotsblokken die als talloze eilandjes boven het water uitstaken. Denys Road 14 was een van de villaatjes. Het autootje dat de Mini werd genoemd, was in die tijd al een jaar of twee op de markt, aanvankelijk in maar twee kleuren, lichtblauw en rood, en de familie Holland had een rode op de oprit staan. Nu hij daar voor de deur stond had Wexford geen idee wat hij zou gaan zeggen. Hij kon toch moeilijk tegen haar vader en moeder zeggen dat hij smoorverliefd was geworden nadat hij haar één keer had gezien.

Maar zij was degene die opendeed.

'Ha, daar ben je dan,' zei ze met een zwaar Cornwalls accent, zo zwaar dat het bijna een parodie leek. 'Ik had nooit gedacht dat je ook echt zou komen.'

Hij moest zich voorhouden dat hij zelf ook een accent had, en het dialect van Sussex sprak. Jarenlang had hij gedacht dat hij zuiver BBC-Engels sprak, maar nadat hij een keer een opname van zijn eigen stem te horen had gekregen was hij plotseling een illusie armer geweest.

'Nou, kom binnen,' zei ze.

Ze droeg een donkergroene lange broek en een laag uitgesneden groene bloes met bloemetjesmotief. Die kleren pasten helemaal niet bij het meisje dat hij de vorige keer had gezien in een wijd uitwaaierende roze jurk met een smalle taille. Zijn moeder zou dat bloesje nogal gewaagd hebben gevonden, en misschien zelfs onfatsoenlijk. Maar haar huid was volkomen gaaf en haar donkere haar had een satijnen glans. Tegen die tijd had hij al tientallen keren bij volslagen vreemden in de woonkamer gestaan, en alles aan deze woonkamer was doodgewoon: van de vliegende porseleinen eenden aan de muur tot en met de met beige kunstwol beklede driezitsbank. Misschien dat er iets meer ingelijste foto's stonden dan gebruikelijk. En van wie van beide ouders zouden de complete werken van Byron zijn die hij tussen de kookboeken en de romans van Dennis Wheatley zag staan? Hij vond de aanblik daarvan geruststellend. Het was bijna of hij tijdens dit bezoek vergezeld werd door een meelevende oude vriend.

'Je bent politieman,' zei Medora. Ze glimlachte uitnodigend.

'Ja. Brigadier bij de recherche.'

Ze droeg een zwaar parfum dat beter bij iemand die twee keer zo oud was als zij gepast zou hebben. Hij liet zich in een van de leunstoelen zakken, maar toen ze op de zitting van de bank klopte ging hij naast haar zitten.

'Gossie. Je hebt me maar één keer gezien en toen wilde je meteen al met me uit. Wat romantisch!' Haar gezicht was nu heel dicht bij het zijne, zo dicht dat hij kon zien hoe zwaar haar make-up was. Was dat ook zo geweest in de kerk, maar was hij niet dichtbij genoeg geweest om dat te merken? Waar bleven die ouders van haar? Zouden ze nog niet thuis zijn? Of zaten ze ergens in een ander deel van het huis? 'Ik ben dat boek nooit kwijtgeraakt. Dat was gewoon een manier om mij te kunnen ontmoeten, hè?'

Hij knikte. De tamelijk agressieve toon waarop ze dat zei, vond hij nogal onthutsend.

'Gedichten van een of ander mens dat al honderden jaren dood is, dat is eigenlijk niets voor mij.'

'Van wie zijn die verzamelde werken van Byron dan?' had hij gevraagd.

'O, die. Die zijn van me pa. Die is wel een beetje een denkertje, of dat was hij vroeger in elk geval. Wil je een neutje? We hebben sherry. Bristol Cream of Dry Fly?'

'Kunnen we niet beter wachten tot je vader en moeder thuis zijn?' Hij wilde nog steeds graag alles precies goed doen. Ze zou wel zenuwachtig zijn, en dat zou dan dat zware accent verklaren, en haar woordkeus. 'Het duurt toch niet lang voordat ze thuis zijn?'

'Wat kan jou dat nou schelen? Ik dacht dat je het wel fijn zou vinden om alleen met mij in huis te zijn.' Haar gezicht bevond zich nu heel dicht bij het zijne, haar mond was halfopen. Hij schoof wat opzij, en was zich er ongemakkelijk van bewust hoe dit eruit zou zien voor iemand die onverwacht binnenkwam. Het had geen zin meer om zichzelf voor te houden dat ze zich zo gedroeg omdat ze zenuwachtig was. Toen hoorde hij voetstappen boven. Er was dus wél iemand thuis. Haar ouders of iemand anders? Je bent politieman, had ze gezegd, en dat kwam hem nu goed van pas. Maar in plaats van op te staan en zonder omhaal de deur uit te lopen, draaide hij zijn gezicht naar haar toe en terwijl hij dat deed greep ze hem bij de schouders en trok hem over zich heen. Op een bepaald moment moest dat groene bloesje van haar gescheurd zijn, want hij zag haar blote borsten, en onwillekeurig vond hij dat toch opwindend.

Niet dat het veel uitmaakte, want nu begon ze te gillen, een doordringend geluid uit jonge en krachtige longen. Er klonken roffelende voetstappen op de trap, de deur vloog open en er kwam een man de kamer binnen. Het was haar vader niet, maar een jongeman van zijn eigen leeftijd. Hij was groot, zwaargebouwd en had een rood aangelopen gezicht.

'Wat is hier aan de hand? Ga van haar af, jij!'

'Met alle genoegen,' zei Wexford, terwijl hij zich uit haar omhelzing losrukte.

'Hij zat ineens boven op me,' zei het meisje. 'En nu is mijn bloesje gescheurd.'

Ze hield de twee kanten van het bloesje tegen elkaar. 'Moet je kijken, Jim. Dat heeft híj gedaan.'

'Daar ga je voor dokken,' zei Jim.

Wexford stond op. 'En wie mag jij wel zijn?'

'Dat is mijn verloofde.'

'Juist. Ik zou je dringend willen aanraden om niet met haar te trouwen,' zei hij tegen de man. 'Tenzij je het een leuk idee vindt om je vrouw in de gevangenis te gaan opzoeken.'

Hij had verwacht dat de man daar wel erg boos om zou worden, maar in plaats daarvan verscheen er even een wat schichtige blik in Jims ogen. 'Misschien moeten we eerst even rustig praten,' zei de man. 'We hoeven dit niet moeilijker te maken dan nodig is. Ik bedoel, ik wilde de politie bellen...' Hij hield abrupt op toen Wexford begon te lachen. 'Goed, goed. Maar de schade moet je wel vergoeden. Meddy's bloesje is gescheurd en je hebt haar de stuipen op het lijf gejaagd. Vijftig pond, en dan laten we het erbij.'

Het was een oude truc. Wexford had er weleens over gehoord, maar het nog nooit zelf meegemaakt. Over het algemeen, zo had hij begrepen, werd dit spelletje gespeeld door een hoer, haar pooier en een klant. Maar misschien was de situatie nu eigenlijk niet zo heel anders. 'Ik ga heus niet betalen. Zoveel heb ik niet eens bij me.' Vijftig pond was toen een aanzienlijk bedrag. Een belachelijk bedrag zelfs, als het om de prijs van een bloesje ging dat hooguit twee pond gekost kon hebben. 'En zelfs als ik het bij me zou hebben,' zei Wexford, 'dan ga ik dat echt niet aan zo'n onguur type als jij geven terwijl ik helemaal niets misdaan heb.'

Terwijl Medora nog steeds met één hand haar bloesje dichthield, ging ze samen met haar vriendje voor de voordeur staan. Jim drukte zich daar zelfs met uitgestrekte armen tegenaan. Naast hem stond het meisje Wexford boos aan te kijken.

'Doe open,' zei hij.

'Doe het zelf maar.'

'Goed, dan doe ik het zelf.' Hij greep Jim bij zijn linkerarm vast om hem voor de deur weg te trekken toen de andere arm omhoogkwam en langs zijn gezicht schampte. En daarmee was het genoeg geweest. Wexford was jong en sterk en kon flinke klappen uitdelen. Hij deed een stap naar achteren en gaf de andere man een kaakslag. Helemaal niet zo hard, hij had nog veel harder kunnen slaan, maar Jim zakte door zijn knieën en viel op de vloer. Medora stond nu te krijsen, echt doodsbang gekrijs dat recht uit het hart kwam, heel anders dan het geluid dat ze had gemaakt toen ze deed alsof ze aangerand werd.

'Hou op met dat geschreeuw,' zei Wexford. 'Hij mankeert niks.' Jim deed verwoede pogingen om rechtop te gaan zitten. 'Nou, niet veel in elk geval.' 'Ik heb mijn kaak gebroken,' zei Jim, maar Wexford wist dat dat niet waar kon zijn, want dan had de man geen woord meer kunnen uitbrengen. 'Hier krijg je moeilijkheden mee.'

Met de neus van zijn schoen gaf Wexford hem een por in zijn dijbeen. 'Goedenavond samen,' zei hij, en hij liep de deur uit. Over het tuinpad, langs de geparkeerde Mini – zou die van Jim zijn? – en de straat op. Het tuinhekje trok hij achter zich dicht. Niemand probeerde hem tegen te houden. Hij was er zeker van dat hij hier nooit meer iets over zou horen, en hij twijfelde er niet aan dat hij groot gelijk had gehad toen hij Jim een stomp op zijn kaak had gegeven, maar toch voelde hij zich in allerlei opzichten een idioot. Omdat hij daarheen was gegaan, omdat hij niet meteen de deur uit was gelopen toen ze zei dat hij misschien liever alleen met haar wilde zijn, en vooral ook omdat hij zichzelf zo geobsedeerd had laten raken door een meisje dat hij zelfs nooit gesproken had, alleen omdat ze knap was, een roze hoedje droeg en een romantische naam had. Terwijl hij naar de bushalte bij het strand liep, had hij zich voorgenomen dat hij zich nooit meer zo sterk door iets zou laten obsederen, zonder dat hij toen al besefte dat de eigenaardigheden van de psyche zich niet zo eenvoudig laten temmen en onderdrukken. Als hij in die tijd een besluit nam, was hij er zeker van dat hij zich daaraan zou houden, want hij had veel vertrouwen in zichzelf. Dit voornemen was echter vanaf het eerste begin al tot mislukken gedoemd geweest. Zelfs tegenwoordig moest Burden hem vaak waarschuwen dat hij ergens te sterk op gefixeerd dreigde te raken. Was hij inmiddels niet ook al zijn halve leven geobsedeerd door Eric Targo?

De bus van Port Ezra naar St. Austell reed niet vaak en hij had bijna drie kilometer langs de kust gelopen voordat hij bij een bushalte kwam waar toevallig net op dat moment een bus stopte. In die tijd wandelde hij graag en liep hij snel en energiek, heel anders dan tegenwoordig, nu hij alleen nog maar wandelde omdat hij lichaamsbeweging nodig had en om de uitwerking van de rode wijn en de cashewnoten tegen te gaan. In St. Austell vond hij een pub, bestelde een halve pint donker bier en ging ermee aan een tafeltje in de hoek zitten omdat hij even rustig wilde nadenken. Maar toen hij daar eenmaal zat, drong het tot hem door dat er niets meer te denken viel. Hij had het allemaal al gedacht en zich alle verwijten al gemaakt.

'Morgen op naar nieuwe bossen en nieuwe weiden,' of, met andere woorden, morgen zou hij William Raw nog eens verhoren en hem daarna mee terugnemen naar Kingsmarkham. Hij zag verlangend uit naar het volgende ritje aan boord van de speciale *Cornish Riviera*-express, terug naar Paddington Station.

Die ervaring had hem een grote afkeer van Cornwall bezorgd. Medora Holland en haar vriendje hadden het graafschap voor hem bedorven, en toen zijn moeder hem een tijd later vroeg of hij meeging op vakantie naar Newquay had hij erover gedacht om gewoon te weigeren. Maar zijn vader was zes maanden geleden gestorven, en haar zus – de tante die altijd zei dat ze iemand de voldoening niet zou gunnen – zes weken geleden, en ze maakte een verdwaasde en onthutste indruk, alsof ze een beetje de weg kwijt was. Hij wilde best mee, maar als het even kon wel ergens anders naartoe, had hij gezegd. Lyme Regis werd geacht heel mooi te zijn (en dan kon hij gaan kijken waar Jane Austens personage Louise Musgrove van de Cobb was gesprongen), of wat had ze gedacht van Teignmouth, waar Keats had geschreven over de heuvel en de weilanden waarover hij naar Dawlish wilde lopen? Maar uiteindelijk was hij er niet in geslaagd om voet bij stuk te houden, en per slot van rekening lag het aan de noordkust gelegen Newquay een heel eind van het aan de zuidkust gelegen Port Ezra.

Het was de eerste keer van zijn leven dat hij in een hotel had gelogeerd. Tot dan toe waren het altijd pensions geweest, en naderhand waren dat bed en breakfasts geworden. Het was geen groot hotel, en zeker niet bijzonder luxueus, maar het had een eetzaal met aparte tafeltjes en aan één daarvan, niet op de eerste avond maar op de tweede, zaten een man en vrouw van middelbare leeftijd met hun zoon en dochter. Hij kon zien dat de kinderen van het echtpaar waren omdat de jongen sterk op de man leek en het meisje heel sterk op haar moeder. Toen hij op school Latijn had geleerd, was hij daar het zinnetje *Mater pulchra, filia pulchrior* tegengekomen.

Hij zei het hardop, eigenlijk zonder dat hij dat van plan was geweest. 'Wat betekent dat, jongen?' had zijn moeder gevraagd.

Hij lachte. 'Een mooie moeder, een nog mooiere dochter.'

'O ja. Ze zien er allebei goed uit, hè? Dat meisje is echt heel leuk. Maar ik had niet gedacht dat donker haar en blauwe ogen jouw type waren.' Ze dacht aan Alison, het laatste vriendinnetje waarover hij haar iets had verteld. 'Helemaal mijn type,' zei hij, en toen ze een tijdje later de eetzaal uit liepen, hoorde hij haar moeder Dora tegen haar zeggen. Dat was voldoende om Wexford de rest van de avond en de helft van de volgende dag tegen haar in te nemen. Het boek dat hij met zich mee had genomen was *David Copperfield* en hij was ongeveer halverwege toen hij op een wel heel toepasselijk zinnetje stuitte: '"Dora," dacht ik. "Wat een mooie naam."' Hij had gelachen, want hij had zo zijn eigen versie: 'Wat een rotnaam.' Die nacht droomde hij van Medora en haar akelige omhelzing. De volgende dag, terwijl ze zaten te lunchen in een restaurant aan zee, zei zijn moeder tegen hem dat ze het echtpaar, de jongen en Dora had gevraagd om vanavond samen met hen iets te drinken.

Wat was het allemaal intens keurig geweest! Hoe anders zou zoiets tegenwoordig gaan, zelfs als je je al kon voorstellen dat mensen van hun leeftijd, in de twintig, samen met hun ouders op vakantie zouden gaan. Zelfs toen had hij dat al buitengewoon saai en alledaags gevonden. In het onwaarschijnlijke geval dat deze Dora – wat een afschuwelijke naam – de ware voor hem zou zijn, zou hij haar, zijn noodlot, zijn toekomst, dan willen ontmoeten in gezelschap van zijn moeder, haar vader en moeder en haar broer, bij een glaasje sherry in een hotelbar in Newquay? Wie had toen kunnen weten dat Newquay ooit een geliefde en modieuze badplaats zou worden waar veel gesurft werd en die wat houseparty's en comazuipen betrof, Ibiza naar de kroon kon steken?

Ze had niet alleen een mooi gezicht, maar ook een leuke stem en een aantrekkelijk figuur. Ze was geestig en scherp en drie dagen later werd hij verliefd op haar. Hij vergat hoe lelijk hij haar naam vond, en begon die juist heel mooi te vinden, haalde haar weg van haar familie en liet zijn moeder over aan Dora's moeder en vader – iets wat ze in elk geval niet erg vond, en misschien zelfs wel meer op prijs stelde dan het gezelschap van haar zoon. Er wordt wel gezegd dat we allemaal één piekervaring hebben, één dag die de allerbeste van ons hele leven is. Misschien was zijn piekdag dan wel de vijfde dag nadat hij Dora had leren kennen, toen ze een strandwandeling maakten. Toen hij haar vertelde dat hij van haar hield, keek ze naar hem op en zei dat zij ook van hem hield.

Je toekomstige vrouw ontmoeten in een hotel waar jij logeert met je moeder en zij op vakantie is met haar ouders lijkt wel het minst romantische wat een mens zich maar kan voorstellen, maar daar had hij geleerd dat romantiek weinig van doen heeft met een exotische locatie of betoverende omstandigheden en alles met gevoelens. En daar had hij ook geleerd dat je een bepaalde naam mooi gaat vinden als je houdt van degene die zo wordt genoemd.

9

Tijdens zijn verloving had Wexford er voortdurend over gedacht hoe heerlijk het zou zijn als Dora samen met hem in zijn appartement zou wonen. Ze was er vaak, natuurlijk was ze er vaak, maar aan het eind van haar bezoek ging ze altijd terug naar Hastings, waar haar ouders woonden. Het werd een obsessie voor hem om naar haar te verlangen als hij alleen was, om zich voor te stellen hoe ze zichzelf binnenliet met haar eigen sleutel, met zijn telefoon een vriendin belde, het bad vol liet lopen en in zijn kamerjas door het huis liep. En omdat hij die droom werkelijkheid wilde zien worden, waren ze na hun huwelijksfeest – een kleine en ingetogen bruiloft – even teruggegaan naar Kingsbrook Court voordat ze aan hun huwelijksreis begonnen. En de werkelijkheid was nog veel mooier geweest dan al die losse beelden die hij zich voor de geest had gehaald.

De verwachte promotie was inderdaad gekomen. Dat hield in dat ze zich een hypotheek konden veroorloven, en ze waren net in hun nieuwe huis getrokken toen hun eerste dochter werd geboren. Diezelfde promotie hield echter ook in dat hij meer verantwoordelijkheid kreeg, langere dagen moest maken en meer moest reizen. Dora verdroeg de avonden waarop hij laat thuis was, ze verdroeg de avonden waarop ze samen uitgegaan zouden zijn totdat het werk roet in het eten had gegooid, de nachten dat het zijn beurt was om op te staan voor de baby maar waarin hij veel te moe was geweest om wakker te worden van het gehuil. Dora verdroeg dat alles, zij het met enige ergernis, en hij verdroeg die ergernis van haar geduldig omdat dat wilde zeggen dat ze van hem hield en waarde hechtte aan zijn gezelschap.

Hij was gelukkig en hij deed het goed op zijn werk. Er was nog een baby op komst. Targo was hij niet vergeten, en nadat de man het huis van diens moeder had verkocht en zich weer in Birmingham had gevestigd, waar hij soms met Tracy Thomson woonde en soms alleen, en naderhand toen hij naar Coventry was verhuisd, had Wexford zich altijd op de hoogte gesteld van de moorden die plaatsvonden in die twee verschillende gebieden in de Midlands. Bij sommige zaken ging het om vrouwen die duidelijk waren vermoord door hun echtgenoot of degene met wie ze samenwoonden. En dan waren er ook de onvermijdelijke kindermoorden, die over het algemeen verband hielden met seksueel misbruik. Er was maar één geval van verwurging. Het slachtoffer was een zekere Shirley Palmer, een prostituee van achttien, en de verdachte was al eens eerder veroordeeld wegens geweld tegen een vrouw in Stowerton, waarvoor hij tot gevangenisstraf was veroordeeld. Dat verschafte Wexford een reden om naar Coventry te gaan en bij het verhoor aanwezig te zijn.

Voor de betrokken rechercheurs en tot op zekere hoogte ook voor hemzelf, was het duidelijk dat Thomas Joseph Mullan schuldig was, maar toch kon hij de gedachte aan Targo maar niet uit zijn hoofd zetten. Targo had al een keer gemoord en zou opnieuw moorden. Targo woonde niet ver hiervandaan. Targo had Elsie Carroll gewurgd, of in elk geval was Wexford er vast van overtuigd dat Targo dat gedaan had, en dat Targo op geen enkele manier iets met het slachtoffer te maken leek te hebben, stemde overeen met zijn rol in de zaak-Carroll. Tegelijkertijd maakte juist dat feit het voor Wexford onmogelijk om tegen inspecteur Tilman te zeggen dat het misschien wel de moeite waard zou zijn om Targo te verhoren of in elk geval te controleren of de man over een alibi beschikte. Hij kon zich al voorstellen hoe dat gesprek zou verlopen.

'Hij heeft u strak aangekeken? En u meent dat hij u heeft gestalkt?'

'Daar ben ik zeker van. Bij drie verschillende gelegenheden. Er is geen twijfel mogelijk.'

'En daaruit blijkt volgens u dat hij deze vrouw heeft vermoord, die hij helemaal niet kende? En u hebt geen enkel bewijs?'

Het was onmogelijk. Hij begon te begrijpen dat er niemand was die hij hierover in vertrouwen kon nemen, niemand aan wie hij kon vertellen dat hij geloofde dat Targo een moordenaar was zonder dat hij vol ongeloof zou worden aangehoord. En dus had hij het er nooit met wie dan ook over gehad, totdat hij er vele jaren later tegenover Burden het een en ander over had losgelaten.

Uiteindelijk werd Mullan laat op de avond in staat van beschuldiging gesteld wegens moord, en Wexford ging terug naar het hotel waar hij die nacht logeerde. Hij had Dora gebeld om te vragen hoe het ging met haar en de meisjes. Sheila had koorts gehad toen hij wegging, naar Dora zei dat het nu goed met haar ging en dat ze allebei diep in slaap waren. In die tijd gebruikte niemand ooit 'Ik hou van je' als vast onderdeel van een telefoongesprek met zijn vrouw, en het was ook beslist niet de gewoonte dat iemand een gesprek besloot met 'Veel liefs'.

'Ik mis je,' zei Wexford in plaats daarvan, en zij zei: 'Ik mis jou ook en ik beschik niet eens over alle opwinding van een regenachtige nacht in Coventry.'

Daarna liep hij de trap af naar de bar en bestelde een glas rode wijn. De mensen begonnen in die tijd net wijn te drinken in plaats van bier en sterkedrank.

'Bordeaux of bourgogne, meneer?'

'O, doe maar bordeaux,' zei Wexford, die het niet veel uitmaakte.

Hij was in die tijd mager geweest, en had zich geen zorgen hoeven te maken over zijn gewicht, en dus had hij een schaaltje noten en een zakje chips meegenomen toen hij met zijn glas wijn naar een tafeltje liep, want dit was niet het soort bar waar de bestellingen gebracht werden. Het vertrek was halfleeg. Hij ging in een wat verfomfaaide leren leunstoel zitten. Het enige verschil tussen deze bar en de bar in een pub was dat je hier in leunstoelen zat. Hij nam een handje pinda's – in die tijd leek niemand de cashewnoten nog ontdekt te hebben – bracht het glas naar zijn lippen, nam een slok, zette het neer en zoals altijd in dergelijke omstandigheden keek hij om zich heen om de clientèle eens goed op te nemen. Er zat een groepje vertegenwoordigers, die in die tijd nog handelsreizigers werden genoemd, drie stellen van middelbare leeftijd van wie hij alleen maar kon zien dat ze getrouwd waren omdat ze geen woord met elkaar wisselden – en in gedachten nam hij zich voor om het tussen Dora en hem nooit zover te laten komen en ervoor te zorgen dat niemand hen ooit aan hun zwijgende onverschilligheid als getrouwd stel zou kunnen herkennen – en een te zwaar opgemaakte blonde vrouw die in haar eentje zat. In die tijd zat de maatschappij zo in elkaar dat een vrouw alleen in zo'n bar als deze er niet eens van kon uitgaan dat haar iets geserveerd zou worden. Aan de blik die ze hem toewierp en een bepaalde wanhoop in haar ogen, maakte hij op dat ze het wel leuk zou vinden als hij haar aansprak. Vanzelfsprekend keek hij snel de andere kant op en zag toen dat de man die in zijn eentje aan een tafeltje in de andere hoek zat, Targo was.

Hij schrok behoorlijk. De vorige keer dat hij Targo had gezien, was inmiddels een paar jaar geleden, toen deze langs Wexfords huis naar de rivier en de uiterwaarden was gelopen en even was blijven staan om omhoog te kijken naar de ramen op de bovenverdieping. En dat gedrag had Targo vervolgens elke dag weer herhaald. Deze keer had hij geen hond bij zich. Hij dronk iets wat lagerbier kon zijn of *pale ale*. Hij ging beter gekleed dan vroeger – of in elk geval opzichtiger – in een zwarte spijkerbroek en een bruin leren jack. Zijn overhemd was zwart en hij had een zwart-witgeblokte das om. In de tijd dat hij Wexford stalkte, was zijn donkerblonde haar heel kort geweest, maar nu hing het tot op zijn kraag en er zat een slag in. Hij had echter nog steeds een sjaal om, een zwarte deze keer, met bruine en witte strepen. De wijnvlek zat er nog.

Veel mensen denken dat je door aandachtig naar iemand te kijken diegene kunt laten opschrikken. Of dat nou waar was of niet, Wexfords strakke blik leek een dergelijke uitwerking op Targo te hebben. Of misschien ook niet. Misschien had de man daar wel zitten wachten totdat hij de bar binnen zou komen, misschien was hij zich wel bewust van elke stap die Wexford maar zette en had hij van tevoren berekend wanneer hij de bar binnen zou komen. Het zou zelfs kunnen dat Targo beter op de hoogte was van Wexfords doen en laten dan Wexford van wat Targo allemaal uitspookte.

Ze keken elkaar aan. Targo's ogen waren strak op de zijne gericht. Over het algemeen is iemand strak aankijken een teken van herkenning, maar natuurlijk leed het geen twijfel dat Targo hem zou herkennen. Een keer, jaren eerder, toen hij zijn foto had laten nemen voor een of ander officieel document, had de fotograaf geklaagd dat Wexford te vaak met zijn ogen knipperde, maar toen hij zijn best had gedaan om zijn oogleden in bedwang te houden, had dat het er alleen maar erger op gemaakt. Targo bleek daar geen enkele moeite mee te hebben. Zou hij daarop geoefend hebben, aandachtig geoefend zelfs? Terwijl Wexford zich dat afvroeg, sloeg de man zijn ogen neer. Hij stond op en liep de bar uit, en liet zijn glas halfvol op tafel achter.

Wexford stond op om achter hem aan te lopen, maar bij de deur bleef hij staan en liep terug. Hij kon wel achter de man aan gaan, maar waarom? Hij wist waar Targo woonde en uit de aantekeningen die Tilman hem had laten inzien, wist hij dat Targo niet bij Shirley Palmers vaste klanten had gehoord. In de buurt waar ze werkte, was niemand gesignaleerd die beantwoordde aan Targo's signalement: noch op de avond waarop ze was vermoord, noch in de daaraan voorafgaande dagen en weken. Wat zou Wexford opgewonden zijn als dat wél het geval was geweest! Dan had hij het met Tilman over Elsie Carroll kunnen hebben, en over het stalken, misschien zelfs over zijn overtuiging dat Targo hem had willen doen geloven dat hij verantwoordelijk was voor moorden die hij onmogelijk gepleegd kon hebben. Maar zoals de zaken er nu voor stonden, kon hij toch niets beginnen, tenzij het er niet zozeer om ging om iets uit te richten, maar meer om te kunnen bevestigen, en nu met absolute zekerheid, dat Targo het tegen hem had opgenomen, dat de man hem had uitgedaagd, en in wezen had gezegd: 'Je kunt me toch niets maken, maar ik kan moorden waar en wanneer ik maar wil. En ik kan het ook laten, en je alleen maar laten geloven dat ik enorme slachtpartijen aanricht, zodat je er uiteindelijk aan gaat twijfelen of ik ooit ook maar iemand heb vermoord.'

Deze keer was iets aan Targo anders dan anders geweest, en het duurde een tijdje voordat het tot Wexford doordrong wat dat was. De man had geen hond bij zich. Hij vroeg de barman of hier honden werden toegelaten.

'O nee, meneer. Honden zijn hier niet toegestaan. Er hangt een bordje aan de buitendeur waar dat heel duidelijk op te lezen staat.'

En dat was inderdaad het geval. Het hing aan de buitenkant van de deur waardoor Targo was weggegaan en waardoor hij ongetwijfeld ook was binnengekomen.

Niet lang daarna was Burden naar Kingsmarkham gekomen en nadat ze elkaar goed hadden leren kennen en bevriend waren geraakt, had hij gedacht dat dit nu iemand was aan wie hij over Targo zou kunnen vertellen. Maar toch had iets hem daarvan weerhouden. Het was toen al een tijd geleden dat hij Targo in die bar in Coventry had gesignaleerd – een ontmoeting kon je het eigenlijk niet noemen – en sindsdien had hij de man nooit meer gezien. Soms dacht hij zelfs... niet dat hij het mis had gehad, maar wel dat hij het maar van zich af moest zetten. Dat het recht nou eenmaal niet altijd zijn loop kon hebben en dat er sommige mensen waren, misschien wel een heleboel, die nou eenmaal vreselijke misdrijven hadden begaan waarvoor ze nooit bestraft zouden worden. Als Targo één van hen was, dan was dat maar zo. De man had voor hem de eigenschappen aangenomen van een personage in een telkens terugkerende droom, iemand die in het werkelijke leven niet bestaat, maar wel in de droom, waarin hij maar al te echt is, en je maar niet met rust laat. Wexford droomde werkelijk weleens over hem, of had dromen waarin Targo kort verscheen, maar nooit iets zei, en hij begreep dat de reden daarvoor weleens zou kunnen zijn dat hij de echte Targo, hoewel ze elkaar verschillende keren hadden gezien, maar één keer werkelijk gesproken had. Maar Wexford wist waar hij woonde, in Birmingham nu, samen met een vrouw die niet zijn tweede echtgenote was. Kennelijk was hij niet hertrouwd. De rijschool was een succes, en nadat hij die fors had uitgebreid, verkocht hij nu ook tweedehands auto's. En bovendien had hij ook in verschillende achterbuurten onroerend goed gekocht, dat hij verhuurde.

De ziekte die Wexford in de jaren zeventig had gehad, een trombose achter zijn oog, had hem naar Londen gebracht om te herstellen. Hij had bij zijn neef gelogeerd, een hoofdinspecteur bij de recherche die Howard Fortune heette en die samen met zijn vrouw Denise in Chelsea woonde. Wexford had niet verwacht dat hij Dora bijzonder zou missen, en hij was beslist niet van plan om die sentimentele en volgens hem afkeurenswaardige gewoonte van veel andere mannen over te nemen en elke avond zijn vrouw te bellen. Dat was in elk geval wat hij zich had voorgenomen.

In werkelijkheid sliep hij echter slecht. Hij vond het afschuwelijk om alleen te slapen. Nu dacht hij soms dat jonge mensen van tegenwoordig het gewoon niet zouden geloven als hij ze vertelde dat hij ondanks zijn relaties met verschillende vriendinnetjes vóór zijn huwelijk nooit een hele nacht met een vrouw in bed had doorgebracht. Maar toch, nadat hij laat op de avond afscheid had genomen van die meisjes, had hij totdat 's ochtends de wekker ging altijd goed geslapen. In Londen belde hij na zijn onrustige nachten 's ochtends altijd met Dora, en als hij daarna dan – in opdracht van de behandelend arts – een lange wandeling door de omgeving maakte, had hij zich vaak afgevraagd of hij Targo misschien tegen het lijf zou lopen. Targo woonde destijds nog in Birmingham, maar als hij wist dat Wexford hier logeerde, was het niet onmogelijk dat hij naar Londen zou komen en naar hem op zoek zou gaan. En op een dag, toen hij door King's Road liep, zag hij voor zich een man wiens manier van lopen sterk op die van Targo leek, en die ook even lang was, of liever gezegd even kort, maar toen de man omkeek, zag Wexford geen wijnvlek in zijn hals, en de man had een adelaarsneus, een scherpe kin en donkere ogen.

Waarschijnlijk was het inderdaad zo dat Targo ouder was geworden, en er niet langer behoefte aan had om het tegen hem op te nemen. Het begon aannemelijk te lijken dat Elsie Carroll, die om de een of andere onbekende reden zijn slachtoffer was geworden, ook zijn enige slachtoffer was geweest, en dat er zich geen afschuwelijke reeks moorden had voorgedaan.

Toch had hij erover gedacht om zijn verhaal aan Howard te vertellen. Hij had een paar keer op het punt gestaan om erover te beginnen, op een van die avonden waarop Denise vroeg naar bed was gegaan en zijn neef en hij in de studeerkamer nog een afzakkertje namen. Maar het moment was onbenut voorbijgegaan en net zoals hij er tegenover derden niets over had gezegd, had hij er ook tegenover zijn neef het zwijgen toe gedaan. Hij was er weer bovenop gekomen en teruggegaan naar Kingsmarkham, naar Dora en de meisjes, en daar liep hij Targo's vrouw tegen het lijf... of liever gezegd, de vrouw die ooit met Targo getrouwd was geweest.

Het gebeurde in het destijds nog maar kort geleden gebouwde winkelcentum Kingsbrook. Kathleen Targo was aan het winkelen en duwde een wandelwagen met een kindje van een jaar of drie voor zich uit. Het was twee dagen voor kerst geweest en zoals gebruikelijk was Wexford op het allerlaatste moment nog kerstinkopen aan het doen. Hij herkende Kathleen, en het viel hem op dat die er veel gezonder en gelukkiger uitzag dan vroeger, ook al waren er vele jaren voorbijgegaan sinds hij haar voor het laatst had gezien. Hij was verbaasd toen ze hem herkende en hem aansprak met een soort vriendelijkheid die hij nooit van haar zou hebben verwacht.

'U bent toch rechercheur Wexford? Weet u nog wie ik ben?'

Hij had haar niet verbeterd, ook al was hij tegen die tijd al inspecteur geweest. 'Mevrouw Targo,' zei hij.

'Zo heette ik vroeger.' Ze lachte. 'Blij dat ik van die vent verlost ben.'

'En dit zal dan wel het kindje zijn dat u toen verwachtte.'

Zodra hij het gezegd had, drong het tot hem door dat dat helemaal niet kon.

'Nee, dat was Joanne. Die is nu zeventien. Ik ben hertrouwd. Ik ben nu mevrouw Varney en dit is Philippa. We wonen hier al sinds haar geboorte. Het is een wonder dat we elkaar niet eerder hebben ontmoet.'

Ze was nu een heel ander mens, gelukkig, rustig en tevreden. Hij herinnerde haar zich als pijnlijk mager, afgezien dan van die enorme zwangere buik van haar, maar inmiddels was ze flink aangekomen, en zelfs een beetje 'volslank', zoals dat wel genoemd werd. Niet lang daarvoor was hij Targo uit het oog verloren en hij kon haar vragen waar haar voormalige echtgenoot zich nu bevond. Haar antwoord verbaasde hem en hij merkte dat zijn hart sneller begon te kloppen.

'Hij woont in Myringham,' zei ze, en ze trok haar neus op, 'met een of andere vrouw. Ik weet niet hoe het mens heet, en dat wil ik ook helemaal niet weten. Alan en Joanna gaan hem zo nu en dan opzoeken, en zo weet ik wat hij nu uitspookt, ook al kan het me geen moer schelen. Na onze scheiding heeft hij een tijdje in het huis aan Glebe Road gewoond, en toen jarenlang in Birmingham. Maar hij heeft goed geboerd en tegenwoordig woont hij behoorlijk ruim. Degene die die arme Elsie Carroll heeft vermoord, hebt u nooit weten te vinden, hè?'

Waarom vroeg ze dat? Zomaar, op dat moment, terwijl daar geen enkele reden toe was. Misschien omdat ze het wist? Hij was maar al te graag samen met haar en haar dochtertje in een van die leuke kleine cafeetjes gaan zitten die destijds zo'n kenmerkend aspect hadden gevormd van Kingsbrook Center, om daar koffie met taart te bestellen en het met haar over Targo te hebben. Of liever gezegd, haar uit te horen over Targo. Maar dat zou niet gaan. Ze zou stomverbaasd zijn als hij het vroeg, en hoogstwaarschijnlijk nee zeggen. Het was kerst en ze had een gezin. Ze was nu ongetwijfeld druk in de weer. En ook nu kwam hij plotseling voor die barrière te staan: hij had geen reden om haar eerste echtgenoot ergens van te verdenken.

'Ik moet maar weer eens verder,' zei ze. 'Leuk om u te zien. Die ouwe spaniël is zeventien geworden, maar nu is hij dood. En volgens Joanna heeft Eric nu vier honden, drie katten, en een paar slangen. Dat is toch niet te geloven?' Ze aarzelde en zei toen: 'Hij heeft altijd al beter overweg gekund met dieren dan met mensen. Met mensen kon hij eigenlijk helemaal niet overweg. Dat was het probleem.' En ze lachte. Het was de vrolijke, zorgeloze lach van een tevreden vrouw.

Hij had afscheid genomen en was de parfumwinkel binnengelopen om een geurtje te kopen voor zijn vrouw en zijn oudste dochter. Het parfum dat hij probeerde, dat hij wel moest uitproberen omdat de assistente het op zijn pols spoot, deed hem denken aan het parfum van het meisje met het roze hoedje. Medora. Na al die jaren kwam die herinnering nog in hem op. Hij lachte, schudde zijn hoofd en kocht een ander merk. Zou het ergens goed voor zijn om Targo's exacte adres te achterhalen? Het kon in elk geval geen kwaad, dacht hij.

'Andy Norton weet hoe hij een plant moet onderscheiden van een stuk onkruid,' zei Dora. 'Dat is weer eens wat anders, vergeleken met sommigen van zijn voorgangers.'

Wexford was altijd geïnteresseerd in mensen en vroeg haar wat Norton had gedaan voordat hij met pensioen ging. 'Hij schijnt bij een of ander ministerie gewerkt te hebben. Sociale Zaken geloof ik, alleen heette het toen nog anders.'

'Nou, dan zal hij wel een goed pensioen hebben. Waarom werkt hij dan als tuinman?'

'Hij verveelt zich thuis, geloof ik. Hij vindt het prettig om in de buitenlucht te zijn.'

Het was een verrassing toen Burden plotseling aanbelde. Hij keek wat verlegen en dat was ongebruikelijk voor hem. 'Dit is buiten werktijd, hoor,' zei hij.

'Als je daarmee bedoelt wat ik denk,' zei Wexford, 'dan zal het op een dag wel onder werktijd vallen.'

'Ik ben in de Samuel V. Broadbridge Gardens geweest. Er was een steekpartij gemeld, maar dat was vals alarm of een misselijke grap. Maar dat deed me denken aan Billy Kenyon en wat jij destijds over Targo zei. Niet,' voegde hij daaraan toe, 'dat ik er ook maar iets van geloof, hoor.'

'Maar je wilt het wel horen?'

'Ik wil het wel horen, ja.'

Wexford glimlachte. Hij liet Burden plaatsnemen in een leunstoel, en haalde wijn en chips. De nootjes waren op. Toen hij hem had verteld over zijn ontmoeting met Kathleen Varney, zei hij: 'Het was waar dat Targo in Myringham woonde. Aan Hastings Avenue, en in een heel wat mooier huis dan dat aan Jewel Road. Zo te zien was het Kathleen en hem allebei voor de wind gegaan. Maar ze had het in één opzicht niet helemaal bij het rechte eind. Hij had inderdaad een hoop huisdieren, maar hij dreef ook een logeerkennel.'

'In zijn huis?'

'Het was al een kennel geweest voordat hij het overnam. Hij heeft het gekocht of gehuurd, dat weet ik niet. Ik ben ernaartoe gegaan om er eens een kijkje te nemen...' En toen hij Burdens gezicht zag, voegde hij daar haastig aan toe: 'Niet onder werktijd, hoor. Natuurlijk niet.'

'Nou, ik neem aan dat je dacht dat het op een bepaalde manier wel een zaak voor de politie was.'

Wexford lachte. 'Ik hoefde niet eens een voorwendsel te bedenken. Herinner je je die hond nog die Dora en ik hebben gehad? Sheila wilde er met alle geweld op passen voor een of ander vriendje van haar, een zekere

Sebastian. Ze nam het beest mee naar huis, was er twee dagen stapeldol op, voerde hem, liet hem uit en liet hem toen verder helemaal aan ons over, zoals dat met kinderen nou eenmaal gaat. We zouden met vakantie gaan – we gingen toen naar dat Griekse eiland – en ik was daar echt naartoe gegaan om te kijken of we de hond daar zouden kunnen onderbrengen.

Targo herkende me onmiddellijk. Ik had het gevoel dat hij alles van me wist en had zitten wachten tot ik naar hem toe zou komen. Onzin natuurlijk. Hij had de nogal angstaanjagende gewoonte om je recht in de ogen te kijken, en naar ik aanneem heeft hij die trouwens nog steeds. Als hij met je praat, lijkt het wel alsof hij je probeert te hypnotiseren. Zo strak kijkt hij je aan, recht in je ogen. En dat was ook de manier waarop hij me aankeek toen ik vroeg of ik de hond van Sebastian bij hem kon onderbrengen. "Ik herinner me u nog," zei hij alsof hij me nooit had gestalkt, alsof hij me nooit had zitten aankijken in die hotelbar in Coventry. "U hebt meegewerkt aan het onderzoek naar die moordzaak, toen mevrouw Carroll was neergestoken aan Glebe Road. Dat moet nu al een jaar of twintig geleden zijn." Neem maar van mij aan, Mike, hij wist dat ik het wist.'

'Bedoel je daarmee dat hij wist dat jij wel doorhad dat hij haar had vermoord?'

'Ja.'

De toon waarop Burden dat zei, had nauwelijks nog sceptischer kunnen zijn. 'Dan leid je wel een heleboel af uit de blik in iemands ogen.'

'Het kon hem geen moer schelen. Hij vond het leuk. Hij wist dat ik er toch niets aan kon doen. Het hele huis zat vol met huisdieren, en daar rook het ook naar. Heb je weleens een afgekloven bot geroken dat al veertien dagen rondslingert en waar zo nu en dan nog wat op wordt geknauwd? Nou, zo rook het daar. Hij had een slang, en ik kan niet zeggen dat ik me daar nou erg behaaglijk bij voelde. Het beest zat niet in een kooi of zo. Het lag daar gewoon, opgerold op een boekenplank, naast een paar boeken en een kamerplant. Een van de boeken was *The Bumper Book of Dogs*. Kathleen had gezegd dat hij samenwoonde met een vrouw, en dat was ook zo, die Adèle met wie hij uiteindelijk getrouwd is, maar die was toen niet thuis. Er stond een gebouwtje op het terrein. Het was echt een terrein, honderden vierkante meters, en het gebouwtje was een soort luxueuze schuur of stal. Hij nam me mee naar buiten. Alles hier was even keurig en goed verzorgd. "Goed op orde" was de uitdrukking die hij gebruikte. "Is het goed genoeg op orde voor u?" zei hij. Er zaten een stuk of tien honden in afzonderlijke hokken, en natuurlijk kwamen ze allemaal naar het gaas toe, keken ons treurig aan en jankten terwijl ze intussen druk met hun staarten kwispelden. Ook hier stonk het nogal, maar de frisse lucht maakte dat wat beter te verdragen.

"Ik doe dit omdat ik van dieren hou," zei hij. "Het is niet mijn belangrijkste bron van inkomsten. Ik ben zakenman." Ik vroeg hem niet wat voor zaken dat dan wel mochten zijn, want ik kon zien dat hij dat verwachtte. Hij zou wel iets te maken hebben met auto's of krotwoningen, vermoed ik. "Sommige kennels zijn echt schandalig smerig. Ik zeg graag dat ik hier een soort luxehotel voor honden drijf." Nou, daar had ik geen commentaar op. Hij liet me een hok zien waarin een moederhond met vijf puppy's lag, niet raszuiver maar wel heel schattig. Zit me niet aan te kijken alsof ik plotseling sentimenteel word. Neem maar van mij aan dat het van belang is voor de loop van het verhaal.'

'Goed hoor, ik geloof je. Maar er zijn duizenden mensen die je niet zouden geloven.'

'We liepen weer het huis binnen en daar gaf hij me een brochure met tarieven en dergelijke. Het was heel duur. Ik wilde me nergens op vastleggen, al stond ik daar wel te lezen, of te doen alsof ik las, en intussen nam ik het huis aandachtig op. En toen deed hij iets nogal akeligs. Iets wat duidelijk bedoeld was om me te treiteren of zelfs de stuipen op het lijf te jagen.'

'Hoe bedoel je?'

'Zo te zien lag die slang te slapen, maar hij pakte hem van de plank en hing hem om zijn nek met de kop recht onder zijn kin. Tegen de sjaal aan die hij om had. Hij aaide het dier zoals je een jong katje zou kunnen aaien. Hij kwam heel dicht bij me staan en ik was vastbesloten om geen spier te vertrekken, maar het kostte me enorm veel moeite om daar te blijven staan en te doen alsof het me... nou, alsof het me helemaal niets deed. "Wat denkt u ervan, meneer Wexford," zei hij. Ik weet niet hoe rustig ik werkelijk ben geweest. Ik hoop dat mijn stem niet getrild heeft, maar ik ben er niet zeker van. "Dank u wel," zei ik. "U hoort nog wel van me," of zoiets in elk geval, en toen maakte ik dat ik wegkwam. Toen hij de deur achter me dichtsloeg, hoorde ik hem lachen.'

'Heb je die hond daar ondergebracht?'

'Probeer je nou leuk te doen? Uiteindelijk is het arme dier doodgegaan aan de een of andere ziekte. Het had zijn injecties te vroeg gekregen, of juist te

laat of zoiets. Targo heb ik niet meer gesproken, en niet meer gezien totdat Billy Kenyon werd vermoord. Dat moet weer drie jaar later zijn geweest.'
'Waar was ik toen? Ik bedoel: ik herinner me die zaak, maar niet dat ik erbij betrokken was.'
'Jij was toen op cursus. Die cursus forensische geneeskunde in Dover.'
'O ja, natuurlijk. En nu ga je me vertellen wat dat sentimentele gedoe over die hond met die lieve puppy's van haar met dit alles te maken heeft?'
'Als hij een zwangere teef in huis haalde die niemand anders wilde hebben – en dat deed hij eigenlijk best vaak – lette Targo er altijd op dat hij een goed tehuis voor de puppy's vond. Nou, het goede tehuis dat hij had gevonden voor een van de puppy's die ik heb gezien, was in Muriel Campden Estate, een woonwijk met sociale huurwoningen, bij Eileen Kenyon, de moeder van Billy.'

10

De hortus botanicus van Kingsmarkham, bijna drie hectare tussen Queen Street en Sussex Avenue, werd nog steeds goed onderhouden, maar was al lang geleden met de helft ingekrompen doordat een van de gazons als kinderspeelplaats was ingericht, compleet met schommels en klimrekken; in de tropische kas was nu een café-restaurant gevestigd; het picknickterrein had het grootste gedeelte van de rozentuin weggevaagd, en Red Rocks was in onbruik geraakt. Dat was niet altijd zo geweest. Ooit was de hortus onderhouden door een beheerder, een adjunct-beheerder en vijf hoveniers die trots op hun werk waren. Dagjesmensen op weg naar Leeds Castle of Sissinghurst maakten een omweg, in de lente vooral om naar de rotstuin te komen kijken, en in de andere seizoenen voor de prachtige orchideeënkas.

In die tijd was de hortus voor Billy Kenyon niet alleen een toevluchtsoord geweest, maar ook een speeltuin, een plek waar hij zich kon verbergen én waarvan hij kon genieten, en dan vooral als alles in bloei stond. Als hij tenminste tot genieten in staat was. Hij was hoe dan ook in staat om angst te voelen als zijn leeftijdgenoten hem nariepen, en hij leek nooit gewend te raken aan het gescheld en de pesterijen. Wat was er mis met Billy? Hoe kwam het dat hij nooit iets zei, en ook vroeger nooit iets had gezegd, maar zich toch wel wist te redden? In die tijd werden er hardvochtige termen gebruikt voor iemand zoals hij: achterlijk of zelfs zwakzinnig. Maar hoe kon iemand achterlijk of zwakzinnig zijn àls hij zoveel waarde hechtte aan planten en bloemen als Billy? En als hij bovendien de namen van al die planten en bloemen allemaal kende en ze uit zijn hoofd kon opschrijven, ook al was hij kennelijk niet in staat om ze uit te spreken?

Volgens mij zou hij tegenwoordig autistisch worden genoemd, dacht Wexford. Hij zou naar een speciale school gaan voor kinderen met 'leer- en opvoedingsproblemen'... dat mag ik in elk geval hopen. Zijn IQ was misschien helemaal niet zo laag, misschien zelfs wel heel hoog, zoals vaak het geval was met mensen met de vorm van autisme die werd aangeduid als het syndroom van Asperger. De kinderen van de buren in Muriel Campden Estate waar hij met zijn moeder woonde, noemden hem 'gestoord', en er werd gezegd dat Eileen Kenyon nooit iets deed om haar zoon te verdedigen. Hij was op zijn vijftiende van school gegaan, wat destijds de leeftijd was waarop de meeste kinderen die niet doorleerden de school verlieten, ook al was hij daar in zijn schooljaren slechts zelden werkelijk geweest... iets waar zijn moeder zich ook al niet druk om maakte. Billy had veel meer tijd doorgebracht in de hortus dan in de klas. De beheerder, de adjunct-beheerder en alle andere medewerkers kenden hem en wisten dat hij volstrekt ongevaarlijk was. Op regenachtige dagen mocht hij op een stoel in de plantenkas zitten, en van de adjunct, een zekere Denis Glaspell, mocht hij vaak bij hen komen zitten in de grote bakstenen loods waar de medewerkers tijdens de pauzes hun thee dronken. Glaspell had hem een notitieboekje gegeven, en als hij Billy vroeg om alle Latijnse namen op te schrijven van alle planten in, bijvoorbeeld, de rotstuin, dan deed Billy dat, zonder zich ook maar één keer te vergissen, en zonder spelfouten. Jammer, had Wexford gedacht toen hij met het onderzoek naar de moord bezig was, dat zijn leraren dat nooit gezien hadden. Maar zouden ze er iets aan gedaan hebben als ze daar wel getuige van waren geweest? Zouden ze daar de tijd voor hebben gehad?

Billy was zeventien geweest toen hij stierf. Op de dag van zijn dood, in de hete zomer van 1976, had hij het huis van zijn moeder in Leighton Close om negen uur 's ochtends verlaten, nadat hij voor zichzelf een paar witte boterhammen met voorgesneden kaas had gemaakt. Samen met een overrijpe banaan, het enige fruit dat er in huis was, zou dat zijn lunch vormen, en dat hield in dat hij niet hoefde terug te komen tot de hortus sloot. Zijn vriend Denis Glaspell zou hem wel een mok thee geven. De hond kwam naar hem toe en jankte om te laten weten dat hij honger had, maar het voeren van de hond liet Billy aan zijn moeder over. De buren zeiden dat ze meer van dat beest hield dan van hem, maar als hij dat al besefte, liet hij het toch niet merken.

Toen hij wegging, lag ze nog in bed, samen met haar minnaar, Bruce Mellor. Niemand leek te weten hoeveel Billy werkelijk van die relatie begreep, maar Billy begreep veel meer dan de mensen in zijn naaste omgeving dachten, en als Bruce weer eens zei, en dat zei hij vaak, dat hij best graag met

Eileen Kenyon wilde samenwonen en zelfs wel met haar zou willen trouwen, maar dat hij geen gek in huis nam, dát nóóit, had Billy ongetwijfeld heel goed begrepen wat Bruce bedoelde. Tegen de hond had Bruce helemaal geen bezwaar. Hij mocht het beest wel. Zelf had Eileen de gewoonte om de hele buurt uitgebreid te vertellen dat het 'oneerlijk tegenover haar' was dat ze 'met Billy was opgezadeld' en dat dat haar ervan weerhield om een 'normaal leven' te leiden. Ze zou graag willen trouwen, voegde ze daar dan steevast aan toe, voordat het 'te laat' was.

Het was medio juni geweest. De mooiste bloemen waren alweer uitgebloeid. Die kwamen op in mei, en de laatbloeiers moesten nog uitkomen, maar de rozen bloeiden nog en Billy was rechtstreeks naar de rozentuin gegaan. Vóór de verschillende soorten rozen waren groene metalen bordjes in de aarde geprikt met hun naam erop, en Billy deed zijn best om die allemaal uit zijn hoofd te leren: Rose Gaujard, Peace, Etoile d'Hollande, maar als hij er een vergeten was, keek hij even op het groene bordje en schreef die nog eens op in zijn boekje. Rond elf uur kwam een van de hoveniers even langs – niet dat Billy een horloge had of over veel benul van tijd beschikte – en zei tegen hem dat Denis Glaspell een kop thee voor hem had in de grote loods die ze 'kantoor' noemden. Billy was naar kantoor gelopen en had daar een tijdje zitten luisteren terwijl de hoveniers het over voetbal en snooker hadden, en over wat er de vorige avond op de buis was geweest. Om drie uur 's middags had hij nog een kop thee gedronken op kantoor, en daarbij zijn dubbele boterham en banaan opgegeten. Zijn gewoonte om zijn afval mee naar huis te nemen, of dat anders in elk geval netjes in een van de afvalbakken te gooien, was ook een eigenschap van hem die ervoor zorgde dat Denis Glaspell hem graag mocht. Er waren te veel bezoekers die hun schillen en dozen gewoon lieten liggen op de plek waar ze hadden zitten eten.

'Ik gooi dat wel voor je weg, Billy,' had hij gezegd en zonder te glimlachen en natuurlijk ook zonder iets te zeggen had Billy hem het lege boterhamzakje en de bananenschil overhandigd. Glaspell had de jongen nog nooit zien glimlachen. Niemand was er helemaal zeker van waar Billy daarna was geweest. Een van de hoveniers had hem in de broeikas gezien, maar daar was hij niet lang gebleven. Het was een warme dag geweest, maar om een uur of vijf was het bewolkt geraakt en gaan regenen, een plotselinge hevige stortbui in een droge zomer. Zware regenval zorgde er altijd voor dat de hortus in een mum van tijd ontvolkt raakte, en dat was die dag niet anders geweest, maar al na een halfuur was de stortbui overgegaan in een lichte mist en de medewerkers hadden geen reden gehad om Billy Kenyon speciaal in de gaten te houden. Van alle bezoekers was hij degene die hier het vaakst kwam, hij was volkomen ongevaarlijk en zijn liefde voor de hortus was zo groot dat het bijna een soort ontzag was. En dus zou nooit bekend worden wie de laatste was die hem in levenden lijve had gezien, afgezien van zijn moordenaar dan.

Om af te sluiten had de beheerder om negen uur 's avonds een rondje gemaakt door de hortus. Het was nog licht geweest, al was het inmiddels wel gaan schemeren. George maakte altijd een rondje om er zeker van te zijn dat niemand in de hortus was achtergebleven – zo nu en dan probeerde een dakloze hier weleens te overnachten – en controleerde op verschillende plekken of er in de loop van de dag geen schade was aangericht. In Red Rocks vond hij het lijk van Billy Kenyon, dat met armen en benen wijd uitgespreid op de rossige platte stenen lag, met zijn ene hand in het water van een vijvertje en in de andere zijn notitieboekje. George keek of hij nog een pols voelde, duwde zijn eigen gezicht tegen de plek waarvan hij dacht dat het hart zat en keek toen wat aandachtiger naar Billy's nek en de blauwe plekken en striemen daaromheen, naar het gezicht, naar de uitpuilende ogen, en wist toen zeker dat de jongen dood was en dat hij vermoedelijk was gewurgd. Dwars over Billy's voorhoofd lag een leren riem, die duidelijk het moordwapen was, en die daar zo te zien zorgvuldig overheen gelegd was. Er waren destijds nog geen mobieltjes en dus was George teruggelopen naar zijn kantoor en had daar de politie gebeld... nadat hij een slokje had genomen uit het miniflesje cognac dat hij daar had liggen voor noodgevallen. Het flesje was nog vol geweest, want er had zich nooit eerder een noodgeval voorgedaan.

'Als die moord nu gepleegd was,' zei Wexford, 'zou de pers veel drukte maken over Billy's notitieboekje, met de namen van al die bloemen erin. Ze zouden hem "het jonge genie" hebben genoemd, en het "wonderkind waarvoor in ons onderwijsstelsel geen plaats was". Maar destijds was dat nog helemaal niet zo. Ik kan me niet herinneren dat er in de kranten ook maar iets heeft gestaan waaruit op te maken viel dat Billy niet in alle opzichten een volstrekt normale tiener was. Zijn moeder en de man die haar niet wilde trouwen zolang dat inhield dat hij dan ook Billy in huis moest nemen... die zijn niet op de tv geweest om te verklaren dat Billy een lichtpuntje in hun leven had gevormd, en dat hij bijna een heilige was geweest.

In die tijd deden de mensen zulke dingen nog niet. En al evenmin werd die minnaar toen aangeduid als Billy's stiefvader, zoals nu het geval zou zijn.'

'Wil je daarmee beweren dat het vroeger beter was?' Burden trok zijn wenkbrauwen op.

'Ja en nee. In sommige opzichten wel en in andere opzichten niet. Volgens mij is dat als je de ene periode vergelijkt met de andere eigenlijk altijd wel zo. Zoals je heel goed weet, beschikken we nu over veel meer geavanceerde forensische methoden dan vroeger. En we mogen het opsporen van daders door middel van DNA-onderzoek dan misschien nog niet helemaal onder de knie hebben, maar lang gaat het toch niet meer duren. En mobieltjes maken de communicatie heel wat gemakkelijker. Ouders zouden in staat moeten zijn om heel wat beter in de gaten te houden waar hun kinderen uithangen dan vroeger... Maar doen ze dat ook? Ik weet het niet.

Om terug te komen op Billy: hij was gewurgd met een leren riem. Die riemen waren te koop op de zaterdagmarkt hier in Kingsmarkham, maar ook op de markt in Pomfret en in Myringham. Het was onmogelijk om te achterhalen door wie het ding gekocht was en er zaten geen vingerafdrukken op, al was de riem wel van materiaal waarop vingerafdrukken zouden achterblijven. Onze belangrijkste verdachte was Bruce Mellor, de minnaar. Maar Eileen Kenyon was een goede tweede.'

'Omdat Bruce Mellor niet met haar wilde trouwen zolang Billy nog leefde?'

'Precies. Ze waren allebei werkloos en leefden van de bijstand. Tussen vijf uur 's middags en acht uur 's avonds waren ze allebei thuis geweest, en volgens de patholoog-anatoom was dat de tijdsperiode waarbinnen Billy was vermoord. Mellor was 's ochtends de hond gaan uitlaten en een uurtje later teruggekomen, en daarna waren ze geen van beiden de deur nog uit geweest. Voor de betreffende periode verschaften ze elkaar dan ook een alibi. Maar een van de buren – ik weet niet meer hoe ze heette, Lucas of Lewis geloof ik – zei tegen me dat ze Bruce Mellor zonder hond om een uur of zes het huis uit had zien gaan. Mellor ontkende dat en zei dat die vrouw zich vergist moest hebben. Eileen ontkende het ook.

Ik vroeg haar of ze niet ongerust was geworden toen Billy om een uur of tien nog niet thuis was geweest. Zoals ik al zei, sloot de hortus 's zomers om negen uur. Hij is trouwens nog steeds tot negen uur 's avonds open, ook al is er tegenwoordig niet veel meer van over. Eileen zei dat de jongen zeventien was en niet in zeven sloten tegelijk liep. En bovendien, het lijk was al snel gevonden en om halfelf was ze op de hoogte gebracht.

Niemand had Bruce Mellor de hortus binnen zien gaan. Als de verklaring van de buurvrouw klopte en Mellor rond zes uur de deur uit was gegaan, dan moest hij zo ongeveer om tien voor halfzeven bij de hortus zijn geweest, en tegen die tijd was de stortbui overgegaan in een lichte motregen. De meeste bezoekers zouden toen al verdwenen zijn, en als Mellor door een van beide ingangen naar binnen is gegaan, was het niet vreemd dat niemand hem gezien had. Hij zou moeilijk over het hoofd te zien zijn geweest, want hij was uitzonderlijk lang en mager, en hij droeg zijn lange haar, dat een ongewone, geelbruine kleur had, altijd los of met een elastiekje erom. Glaspell, diens chef George Clark, die het lijk had gevonden, en alle hoveniers werden grondig verhoord. Geen van hen verklaarde Bruce Mellor gezien te hebben. Ze werden tot op zekere hoogte allemaal als verdachten beschouwd, maar niet lang, want ze beschikten allemaal over alibi's die heel wat steviger waren dan die van Bruce Mellor of Eileen Kenyon.'

Burden had een vraag. 'Je gaat me straks vast vertellen dat je Targo van deze moord verdenkt, maar hoe kun je dan verklaren dat geen van de getuigen hém heeft gezien? Of verdacht je Targo destijds nog niet?'

'Nee, want ik zag geen verband tussen hem en Billy Kenyon,' zei Wexford. 'Er was al nauwelijks verband tussen Targo en Elsie Carroll, maar die woonden in elk geval nog in dezelfde straat. Toen Billy Kenyon werd vermoord, woonde Targo kilometers daarvandaan, in een groot huis in Myringham met bijna twee hectare grond eromheen, en hij had op zijn minst één goedlopend bedrijf. Eileen Kenyon leefde van de bijstand en woonde samen met haar geestelijk gehandicapte zoon in een achterstandswijk. Er was geen reden om Targo als verdachte te beschouwen, en weet je, Mike, jij noemt me soms iemand met een obsessieve inslag, maar daar ben ik zelf ook niet blind voor...' In een flits zag hij Medora Holland in haar gescheurde groene bloesje voor zijn geestesoog verschijnen '... en ik hield mezelf voor dat ik daarmee moest ophouden, dat ik zelfs niet aan Targo moest dénken zolang ik over twee heel aannemelijke verdachten beschikte.'

'Er was de hond,' zei Burden.

'Inderdaad, de hond. Maar dat wist ik toen nog niet. Toen ik naar de kennel ging om te vragen of ik die hond van ons daar kon onderbrengen, heeft Targo niet gezegd dat hij een zekere Eileen Kenyon een puppy had meegegeven. Waarom zou hij ook? Het was een hele tijd vóór de moord, niemand had ooit van Eileen Kenyon gehoord, en Targo had geen enkele reden om mij iets dergelijks te vertellen.'

'En net toen je het maar opgaf,' zei Burden, 'kwam ik terug. Sorry voor de woordkeuze trouwens.'

'Nou, na een tijdje hebben we het inderdaad maar opgegeven, al zeiden we wel voortdurend dat we de zaak nooit zouden opgeven. Dat zeggen we altijd, hoe hopeloos het er ook voor lijkt te staan, hè? We zouden nooit rusten totdat we Billy's moordenaar voor het gerecht hadden gebracht et cetera, et cetera. Maar we wisten best dat we het hadden opgegeven. Om nog even kort samen te vatten: het enige bewijs tegen Mellor was dat hij mogelijk gelogen had over het feit dat hij die avond de deur uit was gegaan. Maar mevrouw Lucas – zo heette ze, niet Lewis – zou gelogen kunnen hebben. Mellor en zij waren gezworen vijanden sinds de één of andere ruzie over een feestje dat de zoon van mevrouw Lucas op zijn eenentwintigste verjaardag had gegeven en dat de hele nacht was doorgegaan. Misschien heeft dat mens die verklaring van haar wel afgelegd om hem een hak te zetten. Eileen Kenyon en Bruce Mellor verschaften elkaar een alibi. Ze hadden allebei wel iets wat je als motief zou kunnen beschouwen, maar je weet hoe weinig een motief ter zake doet als je een strafzaak voorbereidt. Het was een van onze weinige onopgelost gebleven moordzaken.'

'Wanneer ben je dat van die hond te weten gekomen?'

'Dat die ook uit Targo's kennel afkomstig was? Pas nadat het onderzoek was gestaakt. We hebben Mellor en Eileen uitputtend verhoord. Ik kan me niet herinneren dat we ooit iemand zo intensief verhoord hebben... in elk geval niet zonder dat het resultaat opleverde. Het waren geen welbespraakte mensen, en ook niet al te snugger, maar ze bleven bij hun verklaring: ze waren de hele dag thuis geweest.

De enige die beweerde Mellor buiten gezien te hebben was mevrouw Lucas. Hebben we Eileen ooit serieus als verdachte beschouwd? Volgens mij zagen we haar uitsluitend als Mellors medeplichtige, als iemand die hem heeft geholpen en die heeft gelogen om hem een alibi te verschaffen. Ze heeft nooit ontkend dat ze van Billy af wilde om met Mellor te kunnen trouwen, maar ze zei dat ze daar alleen maar mee had bedoeld dat hij in een of ander tehuis ondergebracht zou moeten worden. Het probleem was dat we geen bewijs hadden dat Mellor in de hortus was geweest. Niemand had hem daar gezien, en, zoals ik al heb gezegd, was hij niet iemand die je snel vergat. Natuurlijk hebben we geprobeerd de leren riem te traceren waarmee Billy was gewurgd, maar dat is ons niet gelukt. Die zou van Targo geweest kunnen zijn – misschien heeft hij die wel jarenlang gehad – maar het ding zou ook kort van tevoren op een van die markten gekocht kunnen zijn. Probeer een marktkoopman maar eens zover te krijgen dat hij een bewijsstuk als door hem verkocht identificeert. Het enige wat we hebben weten vast te stellen, was dat geen enkele winkelier in Kingsmarkham, Pomfret of Myringham in jaren een dergelijke riem had verkocht.'

'Maar de hond, Reg. Hoe zat het met de hond?'

'Goed, daar kom ik zo aan toe. In elke zaak waarin iemand gewurgd is – en zoveel waren dat er niet – moest ik weer aan Targo denken,' ging Wexford verder. 'En deze zaak vormde wat dat betreft geen uitzondering. Ik kon geen enkel motief ontwaren, maar wat voor motief had hij in de zaak Elsie Carroll gehad? En als Targo gewoon een psychopaat was die lukraak mensen vermoordde, waarom dan uitgerekend die twee? Waarom mensen vermoorden bij wie je helemaal niet zo gemakkelijk in de buurt kunt komen als er 's nachts overal daklozen rondzwerven, die je met het grootste gemak als slachtoffer kunt kiezen? Maar toen liep ik hem opnieuw tegen het lijf. Hij had me gezegd dat hij "een eigen zaak had", zo noemde hij dat. Het was een reisbureau in Myringham High Street, een piepklein reisbureautje met een weidse naam, Transglobe heette het, en de wanden hingen vol met reclame voor exotische bestemmingen. Mensen waren in die tijd net begonnen om de vakantie door te brengen in India en China en hij speelde in op die nieuwe trend.'

'Bedoel je dat je erheen bent gegaan om een vakantie te boeken?'

'Nee, nee, natuurlijk niet. Ik ben ernaartoe gegaan in verband met iemand die werd verdacht van het smokkelen van ongeraffineerde opium uit Hongkong. Opium! Dat waren nog eens tijden!'

'Hem kan ik me nog herinneren. Berryman heette hij. Raymond Berryman. Hij heeft een lange gevangenisstraf gekregen. Dus jij liep daar in je onschuld naar binnen en toen stond je oog in oog met Targo.'

'Inderdaad. Daar zat hij dan achter de balie. Het enige andere levende wezen dat in die ruimte aanwezig was, was die hond. Zíjn hond. En veel ruimte voor andere aanwezigen was er ook niet. Toen ik hem zag, was dat een hele schok voor me. Een ogenblik dacht ik dat ik het me verbeeldde en dat ik hem met iemand anders verwarde. Ik had hem nooit in verband gebracht met iets anders dan honden en autorijden. Hij leek het fantastisch te vinden om mij te zien. Het deed onnatuurlijk aan, bedoel ik. Dat was een van de zeldzame gelegenheden waarbij ik hem heb zien glimlachen. Hij stond op en stak me zijn hand toe, maar natuurlijk gaf ik die man geen hand. De hond was een corgi, en hoewel het maar een piepklein kantoortje was, had hij een bak met water op de vloer staan en een bak vol met gekookte pens of iets dergelijks. "Ik zal u voorstellen aan Princess," zei hij, maar ook daar ging ik niet op in, net zoals ik zijn uitgestoken hand had genegeerd. Het leek hem niet te deren. Ik stelde hem een paar vragen over onze opiumsmokkelaar en daar gaf hij antwoord op. Naar waarheid, daar ben ik zeker van.

Hij zag eruit alsof het hem voor de wind ging. Zo duur gekleed had ik hem nooit eerder gezien. Een heel goed pak, fraaie schoenen, die ik onder de balie nog net kon zien, en een Omega-horloge. En natuurlijk een sjaaltje, maar geen wollen sjaaltje meer. Het was eigenlijk meer een soort grote vlinderstrik, van grijze, zwarte en roze zijde, en het was net niet groot genoeg om die wijnvlek van hem te bedekken. Daar was hij zich duidelijk van bewust en hij bleef er voortdurend aan plukken. Hij duwde die strik telkens weer met zijn vingers omhoog naar zijn wang, en elke keer zakte het ding weer af.

Hij was niet zwaarder geworden en was nog steeds dezelfde stevig gebouwde, gespierde man. Hij was echt niets veranderd, behalve dan dat zijn haargrens wat hoger was komen te zitten en dat zijn haar tegenwoordig eerder grijs was dan blond. Ik stond net op het punt om de deur uit te lopen toen hij, voor zover ik kon zien zonder enige aanleiding, zei: "Merkwaardig toch dat die zaken vaak helemaal niets opleveren? De ene week staan de kranten er vol mee, en dan, als jullie er niet in slagen om de boosdoeners te vinden, hoor je er nooit meer iets van." Hij keek me strak aan met die starende blik in zijn ogen. "Ik heb het natuurlijk over de moord op Billy Kenyon."

"Daarover kan ik niet met u praten, meneer Targo," zei ik. Ik vond dat "boosdoener" eigenlijk maar een merkwaardige uitdrukking om te gebruiken voor een moordenaar. Dat was veel te zwak uitgedrukt. Maar natuurlijk kon ik toen hij dat had gezegd niet zomaar de deur uit lopen. Ik keek hem strak aan en hij zei: "Ik heb ze gekend, wist je dat? Eileen Kenyon en die aanbidder van haar." Ook dat was weer een merkwaardige en in dit geval ook toen al heel ouderwetse uitdrukking. "Nee, dat wist ik niet," zei ik. "O, ja hoor," zei hij. "Die hond van haar, dat was een van mijn puppy's, van mijn Dusty. Ik wist dat ze iemand was die een hond een goed onderkomen zou kunnen bieden. Als het om een mens gaat, zou ik dat niet van haar durven zeggen." En toen láchte hij, Mike. Hij lachte écht. Eigenlijk lachte hij veel vaker dan hij glimlachte. Ik kan niet echt zeggen dat de rillingen me over de rug liepen, want dat overkomt me nooit, maar ik had nu wel het idee dat ik me heel goed kon voorstellen hoe zoiets voelt.

Ik vroeg hem waarom hij de hond Princess noemde. "Nou, het is een corgi, hè? Dat zijn honden van koninklijken bloede." Hij lachte opnieuw en toen ik de deur uit liep stond hij nog steeds op die onaangename manier van hem te grinniken en aaide hij de koninklijke hond over zijn kop.'

'Maar je hebt niets gedaan,' zei Burden.

'Ik heb alles gedaan wat ik maar kon. Ik ben de medewerkers van de hortus opnieuw gaan verhoren. Ik was erin geslaagd een foto van Targo te bemachtigen en die heb ik Glaspell en zijn ondergeschikten laten zien, maar geen van hen herinnerde zich Targo ooit gezien te hebben. En dus kon ik opnieuw niets beginnen. Afgezien van het feit dat hij had staan lachen en had gezegd dat Eileen Kenyon niet in staat zou zijn om een méns goed te verzorgen, had ik niets om mijn verdenking te motiveren.'

'Had hij een alibi?'

'Ik ga er zonder meer van uit dat hij er snel een geregeld zou hebben als ik daarnaar had gevraagd, of zelfs dat hij er al een geregeld had. Hij was tegen die tijd opnieuw getrouwd. Deze keer met die Adèle. Dat huwelijk heeft maar zes maanden standgehouden, maar zij zou hem wel een alibi verschaft hebben. Ik heb het maar opgegeven, om die uitdrukking van jou te gebruiken. Ik zag geen enkel motief. Wat schoot hij er nou mee op? Wie had er iets te winnen bij Billy's dood? Targo niet. De enige die daar iets bij te winnen had, was Eileen Kenyon. Had hij het dan voor háár gedaan? Hij kende het mens nauwelijks.'

'Weet je dat wel zeker?'

'Ja, dat weet ik zeker. Hij heeft Elsie Carroll trouwens ook nauwelijks gekend. Hij kende haar zelfs helemaal niet, behalve misschien van gezicht. Ik heb het met Eileen Kenyon en Bruce Mellor over hem gehad. Dat gesprek was het enige gesprek dat ik met die twee heb gevoerd waarbij ze duidelijk volkomen eerlijk waren, zonder uitvluchten te zoeken of in de verdediging te schieten. Eileen Kenyon had Targo drie keer gezien: de eerste keer toen ze naar de kennel was gegaan omdat iemand haar had verteld dat hij puppy's weggaf aan geschikte eigenaren. De puppy's waren toen nog te jong om al bij hun moeder weg te kunnen, maar zo kon ze er van tevoren al eentje uitkiezen. Targo heeft een tijdje met haar gepraat over de juiste wijze om honden te verzorgen en zei dat hij als ze de puppy twee weken in huis had gehad bij haar langs zou komen om het huis te inspecteren. Toen het hondje acht weken oud was, is ze weer naar de kennel gegaan en bij die gelegenheid heeft hij vrijwel niets tegen haar gezegd. Zijn vrouw handelde het af. Ze stopte de puppy in de hondendraagmand die ze had meegenomen, en heeft haar vervolgens geholpen om die in Mellors auto te zetten. Twee weken later belde Targo aan bij het huis in Leighton Close. Kennelijk was hij tevreden over de manier waarop de hond gehuisvest was, de plek waar het dier sliep, wat het dier te eten kreeg et cetera. Hij heeft een kopje thee met haar gedronken en volgens haar hebben ze een tijdje "gebabbeld". Hoe het moet zijn om met Targo te babbelen probeer ik me liever niet voor te stellen. Billy was niet aanwezig. Ze heeft niet verteld waarover ze gebabbeld hebben. Ze zei dat ze zich het niet kon herinneren, maar dat Targo heeft gezegd dat je een mens niet aan haar zorgen kon toevertrouwen, geeft duidelijk aan dat ze het onder andere ook gehad hebben over de stomme pech dat ze was opgezadeld met een geestelijk gehandicapte zoon, en wat een last die voor haar vormde.'

Bruce Mellor is nooit met Eileen getrouwd. Ze kregen ruzie en sindsdien is hij niet meer in Leighton Close gesignaleerd. Ongeveer een jaar later heeft Targo het reisbureau en de kennel van de hand gedaan en is met al zijn dieren, maar niet met Adèle, ergens anders naartoe verhuisd. Ze zijn uit elkaar gegaan en een paar jaar later gescheiden. Hij is teruggekeerd naar Birmingham en heeft weer zijn intrek genomen bij die vrouw met wie hij in de loop der jaren nu eens wel en dan weer eens niet had samengewoond, Tracy Dinges.'

'En nu is hij terug.'

'En nu is hij terug. En hij woont in stijl. Zou hij nog steeds actief zijn in de reisbranche? Sleept hij nog steeds zijn eigen particuliere dierentuin met zich mee? Volgens mij wel. Toen ik naar Stringfield ben gereden om eens naar zijn huis te kijken, heb ik daar het een en ander van gezien. Maar misschien maakt het ook allemaal niets uit. Ik heb geen schijn van kans om ook maar iets van dit alles te bewijzen. Hij is ouder geworden, en misschien is zijn moordzucht inmiddels wel afgenomen. Maar dat heb ik al eerder gedacht. Zo dacht ik er ook over toen hij me gevolgd is naar dat hotel in Coventry, en toen ik mezelf wijsmaakte dat ik hem in Londen had gezien, en dat niet het geval bleek te zijn. Zelfs als het deze keer wél waar is, en Targo werkelijk veranderd is, wil dat nog niet zeggen dat hij dit alles niet gedaan heeft en dat het recht niet zijn loop zou moeten hebben.'

'Ik geloof je niet, Reg, sorry hoor, maar ik geloof gewoon niet dat dit allemaal waar kan zijn.'

'Dat weet ik,' zei Wexford, 'en dat kan me niet schelen. Het maakt niet uit of je het wel of niet gelooft.'

11

Het was duidelijk dat de familie Rahman Hannah Goldsmith niet mocht, en dat had ze zelf best in de gaten. Hoewel ze over het algemeen bepaald geen gevoelige vrouw was, deed ze haar uiterste best om zich vooral niet neerbuigend op te stellen tegenover Mohammed en Yasmin Rahman, hun zoons Ahmed en Osman en hun dochter Tamima. Maar hoe meer ze haar best deed, hoe minder haar dat lukte. Hannahs manier om immigranten uit Azië, of kinderen van immigranten, te laten merken dat ze allemaal net zulke vrije burgers van het Verenigd Koninkrijk waren als zijzelf, bestond eruit dat ze overdreven beleefd, vleiend en beminnelijk deed, en natuurlijk doorzagen ze dat onmiddellijk. Mohammed licht geamuseerd, Yasmin met een soort verontwaardigde argwaan en hun beide zoons met volstrekte onverschilligheid.

Ze begon, en niet voor het eerst, met hun te vertellen wat 'een werkelijk prachtig huis' ze hadden. Jammer dat het vastzat aan dat foeilelijke Webb & Cobb hiernaast. Ze wist even niet goed hoe ze moest reageren toen Yasmin zei dat de gesloten winkel en de appartementen daarboven allemaal hun eigendom waren, en maakte het daarna nog een stuk erger door te zeggen dat de aanbouw aan de achtergevel, die uitliep in een serre zo'n fantastische verbetering was dat ze niet begreep waarom de buren dat ook niet hadden gedaan.

Mohammed glimlachte en zei met zijn aangenaam zangerige stem: 'Ze zijn bepaald niet in goeden doen, mevrouw Goldsmith. Ik denk niet dat ze zich zoiets zouden kunnen veroorloven. Wij hebben hier drie inkomens.'

Hannah had op dat moment al besloten dat de beide zoons waarschijnlijk een uitkering genoten. 'Wat doe jij dan?' vroeg ze Ahmed.

'Computers,' zei hij. 'Ik ben IT-consultant. Ik werk vanuit huis.'

Ze keek zijn broer vragend aan. Het waren allebei knappe, donkere jongens. Ahmed had gladde wangen en Osman had net zo'n baard als zijn vader. Ze droegen alle drie westerse kleding terwijl Yasmin het lange, zwarte gewaad aanhad van de traditionele islamitische vrouw, maar daarbij wel een hoop duur uitziende, zware gouden juwelen droeg. Osman gaf geen antwoord op haar onuitgesproken vraag en dus vroeg ze hem eveneens wat hij voor de kost deed.

'Ik ben B-verpleegkundige in het Princess Diana.'

'O, wat fantástisch!' had Hannah er bijna uitgegooid, maar gelukkig wist ze zich nog net op tijd te beheersen en zei: 'Ah, juist.'

Met de kille toon in haar stem, de enige manier waarop Hannah haar ooit had horen spreken, zei Yasmin: 'Als u Tamima wilt spreken, mevrouw Goldsmith, die is hier niet. Ze is nog in de winkel.'

'O, zegt u maar Hannah, hoor. Ja, ik weet dat ze daar nog is. Ik ben er vandaag langs geweest. Ze heeft me verteld dat u met haar op vakantie gaat, thuis in Pakistan.'

'Dat is voor ons niet langer "thuis". Wij wonen hier. Maar we gaan inderdaad naar Pakistan.'

Hannah was niet iemand die zich snel uit het veld liet slaan, maar zelfs zij werd nu even tot zwijgen gebracht door de ijzige, afgemeten toon waarop Yasmin Rahman dat zei. Elk woord klonk als een afwijzing. Met een flauwe glimlach, die waarschijnlijk bedoeld was als huldeblijk aan de wijze waarop zijn moeder deze bemoeizieke dame van de politie had toegesproken, pakte Ahmed een stapel folders en andere documenten en liep naar een bureau aan de andere kant van de uitbouw. Osman liep met hem mee en ging met de avondkrant in een leunstoel zitten. Hannah herstelde zich en vroeg Ahmed wat de plannen waren met Tamima nadat ze uit Pakistan was teruggekeerd.

'Misschien gaat ze wel een tijdje logeren bij haar tante in Londen. Dat is mijn zus. Ze heeft een aantal nichtjes met wie ze daar kan rondhangen en pret maken. Dat lijkt me toch wel verdiend als je zo hard hebt geleerd voor je examen. En daarna, zegt ze, zou ze een jaartje niets willen doen.'

'Maar mensen nemen over het algemeen een jaartje vrij als ze tussen school en universiteit in zitten,' zei Hannah, die terugdacht aan haar eigen jaar vrij.

'Maar waarom dan niet tussen school en zesdeklascollege? Zestien is een moeilijke leeftijd, weet u. De puberteit is voor iedereen moeilijk, en dat kunnen we maar beter niet vergeten. O ja, waarschijnlijk gaat ze wel naar het zesdeklascollege. Maar dat weten we nog niet zeker. Laat haar eerst maar eens wat pret maken in Islamabad en Londen, en daarna zullen we wel weer zien.' Met een magnifiek aplomb dat Hannah onwillekeurig wel moest bewonderen, zei Ahmed: 'We kunnen niet nog meer van je tijd in beslag nemen, Hannah. Je bent een drukbezet iemand.'

Hannah had gehoopt dat ze Wexford straks iets belangwekkends te melden zou hebben. Ze was niets te weten gekomen. Al was ze door het beleefde maar vastberaden gedrag van de familie Rahman er inmiddels wel van overtuigd dat het er bij dat bezoek aan Pakistan alleen maar om ging om een man voor Tamima te vinden. Dat was, zo dacht ze, terwijl ze door Glebe Lane naar haar auto liep, precies de manier waarop de leden van zo'n gezin zich zouden gedragen als ze van plan waren een of ander oeroud traditioneel ritueel te voltrekken dat volkomen indruiste tegen wetten waarvoor ze alleen maar haat en verachting voelden. Ze keek op naar de ramen van de appartementen boven de winkel van Webb & Cobb en zag daar een vrouw die naar haar stond te kijken, een vrouw met een blanke huid. Hannah vroeg zich af hoe goed die vrouw de familie Rahman kende. Misschien was het wel een idee om haar eens te verhoren. Misschien zou dat nuttige informatie opleveren.

Tot voor kort waren steekpartijen op straat iets geweest wat alleen in de grote steden voorkwam. Toen de tweede steekpartij plaatsvond en het slachtoffer, Nicky Dusan, twaalf uur later in het ziekenhuis overleed, was Wexford gaan vrezen dat dit een trend zou worden. Mensen aapten elkaar graag na en hielden zich aan bepaalde modes, zelfs als dat de afschuwelijkste gevolgen kon hebben. Inspecteur Brian en rechercheur Coleman waren belast met het onderzoek en drie dagen na de steekpartij arresteerde Barry Vine een zestien jaar oude jongen die Tyler Park heette. Kathy Cooper en Brian Dusan, de ouders van de dode jongen, waren op de televisie verschenen met de gebruikelijke emotionele oproep aan mogelijke getuigen, waarbij Kathy had geclaimd dat haar zoon tegen zijn wil deel uit had gemaakt van een jeugdbende. Hij was gedwongen om daaraan mee te doen, had ze gezegd, door 'boosaardige' leeftijdgenoten van school, die hem hadden wijsgemaakt dat hij zich wel bij hen moest aansluiten omdat dat de enige manier was waarop ze zich konden beschermen tegen de 'Pyke-Samuelsbende'.

'Nicky Dusan,' zei Hannah tegen Wexford, 'is een neef van Rashid Hanif, het vriendje van Tamima Rahman, en ook een neef van Neil Dusan. Hij is de zoon van de zus van Brian Dusan.'

Wexford liet die naam even tot zich doordringen. 'Wil je daarmee zeggen dat Brian Dusan en zijn zus moslims zijn?'

Hannah was altijd blij als ze de gelegenheid kreeg om te pronken met haar uitgebreide kennis van de islam en zijn geschiedenis. 'Het zijn Bosniërs. Bosniërs zijn al eeuwenlang moslims. Dat is een overblijfsel van de Turkse overheersing daar. Brian Dusan is waarschijnlijk geen actieve moslim, maar het is voor moslims heel moeilijk om zich los te maken van hun geloof.'

Wexford kon duidelijk zien dat dit voor Hannah een netelige kwestie vormde. Zelf was ze overtuigd atheïst, iemand die elke manifestatie van het christendom zonder aarzelen van de hand wees, maar tegelijkertijd liet ze alle kritiek op de islam zeer nadrukkelijk achterwege. 'Haar zus is een vrome moslima,' zei ze haastig. 'Ze is getrouwd met Akbar Hanif en Rashid is een van hun zeven kinderen.'

Als de ouders katholiek waren geweest, zou ze daar ongetwijfeld iets heel denigrerends aan toegevoegd hebben over grote gezinnen. Wexford lachte haar vriendelijk toe. 'Je hebt er echt werk van gemaakt, hè?'

'Het was niet moeilijk, chef. Dat wist ik allemaal al lang voor de steekpartij. Het maakt deel uit van een antecedentenonderzoek naar mensen die zijdelings te maken hebben met de familie Rahman.'

'Dus nu weet je evenveel over, ik zeg maar wat, de familieleden van meneer en mevrouw Rahman als over die van het vriendje van hun dochter.'

'Méér nog, heel veel meer zelfs. Het is een heel grote familie. Ahmed Rahman heeft minstens twee zussen die in Londen wonen. Yasmin Rahman heeft een zus in Stowerton die er geen enkel bezwaar tegen had om mij de geschiedenis van haar familie uit de doeken te doen. Een van de dingen die ik van haar heb gehoord, is dat ze ook nog een zus hebben die in Pakistan woont en die een gearrangeerd huwelijk heeft gesloten, al vond ik het meer klinken als een gedwongen huwelijk. Die vrouw heeft een zoon die nu misschien wel klaarstaat om met Tamima te trouwen.'

'Misschien?'

Hannah was een goede rechercheur. Ze was niet bereid om te overdrijven, ook niet als een overdrijving haar goed van pas zou komen. 'Niet meer dan "misschien", chef. De zus beschouwde die man als een waarschijnlijke kandidaat, maar dat was alles. Eigenlijk is het meer een beetje gokken.'

'Laten we ons voorlopig nog maar even bezighouden met de beginnende bendeoorlog in Kingsmarkham,' zei Wexford. 'Afgesproken?'

Hij geloofde al net zomin in de theorie van een gedwongen huwelijk binnen de familie Rahman als Burden geloof hechtte aan zijn theorieën over Targo als moordenaar. Hannah deed een paar stappen in de richting van de deur en draaide zich toen om. Ze hield ervan om het laatste woord te hebben.

'Tamima en haar moeder vertrekken donderdag naar Pakistan. Dat heeft ze me gisteren verteld toen ik een brood bij haar kocht in het Raj Emporium.'

Op weg naar huis reed Wexford via Glebe Road naar Glebe Lane, draaide daarna Orchard Road in en reed vervolgens verder over de Avenue. Toen hij voor Webb & Cobb een witte bestelwagen zag staan waarvan hij dacht dat die misschien weleens van Targo zou kunnen zijn, trapte hij op de rem, parkeerde voor de nagelbar en zocht het kenteken op in het notitieboekje dat hij nog steeds bij zich droeg. Het was inderdaad Targo's bestelwagen, maar de eigenaar zelf viel nergens te bekennen. Hannah had hem verteld dat een van de zoons van de familie Rahman computerconsultant was en toen hij Targo in augustus weer naar binnen had zien lopen, had de man iets in zijn handen gehad wat waarschijnlijk een computer was. Als het op computers aankwam, waren Wexfords vaardigheden uiterst beperkt, maar toch had hij het idee dat een consultant of ingenieur of wat de man ook mocht zijn, met behulp van een afstandsbediening ook al een hoop aan zo'n apparaat kon doen, dus waarom zou Targo met dat ding hiernaartoe zijn gekomen? Of had zijn bezoek een ander doel?

Wexford wilde liever niet gezien worden. Vanuit zijn auto zag hij dat het zijraampje van de bestelwagen een centimeter of tien omlaag was gedraaid. Ongetwijfeld zat de Tibetaanse spaniël in de auto te wachten totdat een indringer zijn gezicht door die opening zou steken, zodat hij zijn korte, scherpe blaf kon laten horen. Die voldoening gun ik hem niet, dacht Wexford en terwijl hij wegreed, moest hij lachen om die uitdrukking van zijn tante.

Op de dag waarop Tamima Rahman en haar moeder naar Islamabad vertrokken, bracht Hannah haar bezoek aan Fata Hanif. De vrouw woonde samen met haar man en haar zeven kinderen in een huis in Rectangle Road in Stowerton. Eerst waren er twee verschillende woningen geweest, maar de gemeente had ze samengevoegd. Hoewel het een heel groot huis was en er op een paar platen beton in de voormalige voortuin een auto geparkeerd stond, ging het de familie Hanif duidelijk heel wat minder voor de wind dan de familie Rahman. Akbar Hanif was al jaren werkloos en het gezin was afhankelijk van een uitkering.

Hij was niet thuis, en ook vijf van zijn kinderen waren de deur uit, want na de zomervakantie was de school nu weer begonnen. Fata Hanif deed er nogal lang over om open te doen, wat misschien kwam omdat ze eerst een hoofddoekje om moest doen voor het geval degene die zojuist had aangebeld een man was. Er zijn vele manieren waarop een vrouw haar haren kan bedekken, maar wellicht wel de minst flatteuze daarvan is die waarbij een hoofddoekje diep over het voorhoofd wordt getrokken en vervolgens ver omhoog om de kin. Vanuit de ovale opening in al die zwarte katoen keek een bleek gezicht dat ooit aantrekkelijk was geweest Hannah turend aan. De stem was anders dan je zou verwachten, een Zuidoost-Londens accent dat ten noorden van de rivier nogal plat zou worden gevonden.

'Wat moet je?'

Het klonk eerder timide dan onbeleefd. Het maakte een zwakke en angstige indruk.

'Kan ik binnenkomen?' Hannah liet haar politiekaart zien, en vroeg zich af of dat voor deze vrouw ook maar iets betekende. 'Ik ben van de politie, maar u hoeft zich nergens ongerust over te maken. Er is niets mis.'

De deur werd een centimeter verder opengetrokken. Gelukkig was Hannah heel slank en ze wist zich door de kier te wringen. 'Het is gewoon een bezoekje. Ik zou graag met u willen praten over Tamima Rahman.'

'Die ken ik niet,' zei mevrouw Hanif onmiddellijk.

Ze liepen de woonkamer binnen. Op het middelste kussen van een driepersoonsbank lag een baby te slapen. Een wat ouder kind, een jaar of twee misschien, zat met een tuigje in een kinderstoel. Op de plank voor het kind stond een bord met een of ander soort pap die hij langzaam en op een bijna rituele manier op de vloer aan het gooien was. Hij lepelde het spul op met zijn handen, zwaaide daar dan mee en glimlachte als er klodders pap op het tapijt flatsten. Mevrouw Hanif keurde de beide kinderen geen blik waardig. Het was het soort kamer waarin Hannah niet langer dan tien minuten zou willen doorbrengen. Hoewel alles schoon was, viel aan het meubilair duidelijk te zien dat er kinderen op losgelaten waren. Alles was kapot of gammel, tot op de draad versleten, gescheurd, gebarsten, geplet of gerafeld. Met al die kinderen moesten meneer en mevrouw Hanif zelfs in de bijstand nog aanzienlijke bedragen binnenkrijgen, maar wat ze daar ook mee uitspookten, aan de inrichting van hun huis werd het geld duidelijk niet besteed.

Hannah ging naast het kind op de bank zitten. Alle andere meubels waarop ze zou kunnen plaatsnemen, waren op de een of andere manier beschadigd. Er stond een stoel waaraan een poot ontbrak en die overeind werd gehouden met een stapeltje bakstenen; bij een andere stoel was de zitting gespleten en bij weer een andere stoel was die er zelfs helemaal afgerukt, en daaronder zag Hannah versplinterd hout en scherpe spijkers. Mevrouw Hanif liet zich op de stoel zakken die half op de bakstenen rustte en hoewel die een beetje wiebelde, zakte die niet in elkaar.

'Ik heb gehoord,' zei Hannah heel zorgvuldig, 'dat uw zoon Rashid bevriend met haar is.'

'Hij is nog maar een jongen,' zei mevrouw Hanif. 'Hij gaat niet met meisjes uit. Dat zouden zijn vader en ik niet toestaan.'

Hannah kon nu moeilijk meer zeggen dat ze de jongen en het meisje samen had gezien. 'Als hij ouder is, zult u dan een huwelijk voor hem regelen?'

Een ogenblik dacht ze dat Fata Hanif zou weigeren om daarop te antwoorden. De vrouw liet een lange stilte vallen, stond toen op en nam het kindje in haar armen. Hannah kon niet zien of het een jongen of een meisje was. Het kind in de kinderstoel had inmiddels het hele bord pap leeggemaakt en keek nu aandachtig naar de hoopjes weggesmeten havermout waarmee de vloer bezaaid was. Hannah kreeg de indruk dat het kind trots op zijn werk was.

Toen zei mevrouw Hanif: 'Ik neem aan van wel.'

'Met een meisje van hier?'

Plotseling werd ze heel spraakzaam. 'We hebben hier geen familie, behalve dan die Nicky en zijn vader, want dat is een broer van me. Alle familieleden van mijn man wonen in Pakistan. Dáár heeft hij nichtjes.'

Terwijl ze haar best deed om te doen alsof de hele kwestie zo lachwekkend was dat niemand die op dit moment ernstig zou nemen, zei Hannah: 'Dus u zou Tamima Rahman geen seconde als mogelijke bruid voor uw zoon beschouwen?'

'We kennen de familie Rahman niet. Rashid en zij gaan naar dezelfde school, meer niet. Mijn zoons Hussein en Khaled gaan daar ook naartoe, en die gaan ook niet met Tamima Rahman trouwen. Jullie denken dat wij elkaar allemaal kennen omdat we toevallig moslims zijn, maar zo werkt het niet. Is dat alles? Ik moet de baby voeden.'

117

Het kindje was nog diep in slaap en leek niet dringend om een voeding verlegen te zitten, maar mevrouw Hanif maakte het lijfje van haar lange, met lichtpaarse motieven bedrukte jurk al los. Hannah liet zichzelf maar uit.

Nu Tyler Pike in staat van beschuldiging gesteld en voorgeleid was, was het eigenlijk nergens meer voor nodig om nog bezig te zijn met de moord op Nicky Dusan. Het zou maanden duren voordat de zaak voor de rechter kwam. Wexford dacht er soms weleens over na hoe merkwaardig het systeem van wetshandhaving moest overkomen op een onvermoeibare krantenlezer of televisiekijker. Als er een moord werd gepleegd, waren de media niet meer te houden. Foto's van het slachtoffer en zijn gezinsleden op alle voorpagina's en beeldschermen. Statistiekjes in de 'kwaliteitskranten' waarin veel aandacht werd besteed aan het nummer op de lijst met soortgelijke moorden dat deze meest recente moord toevallig bleek te zijn: de zestiende of de achttiende in al evenzovele weken in het zuiden van Engeland bijvoorbeeld. De vrienden en familieleden van het slachtoffer werden geïnterviewd of verschenen op de televisie, waar ze wanhopige oproepen deden. Wexford vroeg zich weleens af – al besefte hij maar al te goed hoe politiek incorrect dat was – of zich ooit weleens een gewelddadige dood voordeed waarbij vrienden en familieleden het slachtoffer voor de verandering eens niet zouden bewieroken als volmaakt, de vriendelijkste man of vrouw die ooit geleefd had, liefhebbend, energiek, hulpvaardig tegenover alles en iedereen en de ideale zoon of dochter, broer of zus. Ongetwijfeld waren de meeste doden in werkelijkheid net zo geweest als iedereen: een mengeling van goed en slecht, ieder met hun eigen verdiensten en tekortkomingen. Sommigen waren misschien echt zo buitengewoon goed en vriendelijk geweest als hun rouwende familieleden beweerden, maar anderen zouden de balans weer in evenwicht brengen doordat ze al net zo satanisch waren als... nou, als Targo.

Wexford had Targo niet meer gezien sinds die dag waarop hij hem met een laptop naar binnen had zien lopen in Glebe Road, en daar had hij ook die spaniël op de voorbank van het bestelbusje zien zitten. Had hij Targo ooit weleens zonder hond gezien? Misschien niet. In het reisbureau had de man een corgi bij zich gehad, in Myringham zijn eigen honden en die in de kennel, en aan Jewel Road was het de hond geweest die Wexford in gedachten omschreef als 'de oorspronkelijke spaniël', waarmee Targo op weg naar de uiterwaard van de Kingsbrook onder Wexfords raam langs was gelopen. Maar hij had de man inderdaad één keer zonder hond gezien. In de hotelbar in Coventry was Targo alleen geweest, en dat was ongetwijfeld zo geweest omdat honden in het hotel niet werden toegelaten.

Het moest nu al weer een maand geleden zijn sinds hij Targo in zijn bestelbusje in Glebe Road had zien zitten. Omdat Targo hem toen had gezien en herkend, had hij min of meer verwacht dat de man hem opnieuw zou zijn gaan stalken. Maar dat was niet gebeurd en nu drong het langzaam tot Wexford door dat die veronderstelling van hem niet realistisch was. Het stalken had zich beperkt tot die vroege jaren in Kingsmarkham. Naderhand was er het voorval met de slang geweest. Maar Wexford was sindsdien nooit meer het doelwit geworden van Targo's langdurige aandacht en sinds de dood van Billy Kenyon en het daaropvolgende onderzoek had hij de man maar één keer ontmoet. Dat was het moment geweest waarop Targo hem had verteld dat hij die puppy aan de moeder van Billy had gegeven.

Mullan had levenslang gekregen voor de moord op Shirley Palmer in Coventry, maar Wexford vroeg zich nog steeds af of de man het wel gedaan had. Iedere rechercheur met wie hij het over de moord had gehad, was van mening dat Mullan volkomen terecht veroordeeld was. Mullan was de moordenaar van Shirley Palmer, dat stond al net zozeer als een paal boven water als het feit dat Christopher Roberts zijn vrouw Maureen had vermoord. Maar Wexford was daar niet zo zeker van. Hoewel Mullan inmiddels al tientallen jaren in de gevangenis had gezeten, had hij nooit bekend, ook al had zo'n bekentenis misschien tot vervroegde vrijlating kunnen leiden. Over het algemeen werd zoiets beschouwd als een argument tegen iemands schuld.

Wilde dat misschien zeggen dat Targo verantwoordelijk was geweest voor de dood van Shirley Palmer? Het zou kunnen. De recente moorden in de omgeving van Kingsmarkham waren met een mes gepleegd en Targo had alleen wurgmoorden gepleegd en geclaimd. Seriemoordenaars hielden er over het algemeen mee op als ze ouder werden, dacht hij. Terwijl hij daarover zat te peinzen, maakte hij in gedachten een lijstje van beruchte moordenaars die toen ze een dagje ouder waren geworden hun misdadige leven achter zich hadden gelaten, en terwijl hij daarmee bezig was, drong het tot hem door dat het er eigenlijk helemaal niet zoveel waren. De meeste mensen van wie bekend was dat ze moorden hadden gepleegd, waren allang opgepakt voordat ze oud waren. Toen kwam de gedachte bij hem op dat Targo eigenlijk niet als seriemoordenaar beschouwd kon worden. Zelfs Wexford, hoe geobsedeerd hij dan ook met Targo mocht zijn, kon iemand die niet meer dan twee moorden had gepleegd nog niet tot seriemoordenaar bestempelen. Maar misschien waren het er wel drie geweest, en er waren ook nog andere moorden waarvoor Targo graag verantwoordelijk geacht zou worden.

Maar zou Targo nu hij zelf ook al een dagje ouder werd, nog sterk genoeg zijn om iemand te wurgen? Wurging was een werkwijze die veel lichaamskracht vereiste, al zou hem dat, als het slachtoffer een vrouw was, nog wel lukken. Wexford haalde zich de man voor de geest: kort van stuk en stevig gebouwd, met de spierbundels van een sumoworstelaar. Zou hij nog steeds met gewichten werken en regelmatig opdrukoefeningen doen? En waar het werkelijk om ging: zou hij nog steeds moordlust voelen? Misschien was hij heel tevreden met het leven dat hij inmiddels voor zichzelf had opgebouwd, met zijn vrouw, zijn huis, zijn auto's en natuurlijk ook zijn honden.

Ik zal hem laten boeten voor zijn daden, zei Wexford in zichzelf. Het maakt niet uit hoe lang het nog gaat duren, en hoeveel werk ik ervoor moet verzetten, maar op een dag krijg ik hem te pakken. De moord op die onschuldige en volstrekt onschadelijke Billy Kenyon heeft me geraakt zoals ik in lange tijd niet geraakt ben geweest. Als ik mezelf dat zou toestaan, zou ik nu meteen om Billy Kenyon kunnen huilen, zelfs nu nog, na al die jaren, maar dat ga ik niet doen... natuurlijk doe ik dat niet. Ik zal Targo goed in de gaten houden en geduldig afwachten, en op een dag zal ik zorgen dat hij zijn verdiende loon krijgt, zijn verdiende loon voor de moord op Billy Kenyon en Elsie Carroll, en misschien ook wel op Shirley Palmer.

12

Drie weken later kwamen ze op twee achtereenvolgende dagen naar hem toe met hetzelfde onderwerp. De eerste was Hannah, die ermee kwam tussen haar rapport over Nicky Dusan en een mededeling over de slechte gezondheidstoestand van Tyler Pike. Jenny was niet naar het bureau gegaan, maar kwam bij hem thuis langs. Maar ze hadden allebei hetzelfde te melden: Yasmin Rahman was samen met Tamima teruggekeerd uit Pakistan. Tamima was niet getrouwd, zonder echtgenoot, en er had geen huwelijksplechtigheid plaatsgevonden. Ze waren eerder naar huis gegaan omdat Tamima heimwee had.

'Die kinderen hebben tegenwoordig toch echt hun eigen gebruiksaanwijzing, hè?' had Yasmin tegen Hannah gezegd, en daarmee in wezen verklaard wat Hannah ook al van haar man te horen had gekregen.

'Ik had gehoopt haar even te kunnen spreken,' had Hannah gezegd. Maar Tamima was niet thuis geweest. In weerwil van wat haar moeder destijds had gezegd, was ze weer aan het werk voor haar oom in het Raj Emporium. 'Binnenkort gaat ze in Londen logeren, bij haar tante in Kingsbury.'

Hannah herinnerde zich dat dat precies was wat Mohammed Rahman had voorspeld. Ze had gevraagd wanneer het zover zou zijn, maar mevrouw Rahman had daarop geantwoord dat ze dat niet wist. Tegen die tijd begon ze ook nogal verontwaardigd te worden. 'Waarom hebt u daar eigenlijk zoveel belangstelling voor?' had ze gezegd. 'Het kind mag gaan en staan waar ze wil. Wat is er aan de hand? Wat hebben haar vader en ik haar misdaan?'

Hannah had geen poot om op te staan. 'Niets, mevrouw Rahman. Helemaal niets.' Hannah was helemaal van slag geweest over de suggestie dat van alle politiemensen uitgerekend zij nu de indruk had gewekt dat ze allochtonen het leven zuur maakte, alleen maar omdat het allochtonen waren. 'Neemt u me niet kwalijk. Het was niet mijn bedoeling om u te beledigen.'

'Tamima is zestien. Als ze wil, kan ze zo het huis uitgaan. Ziet u wel? Ik ken de wetten hier.'

Jenny was door Tamima's vader nog killer tegemoet getreden. 'Ze werkt voor haar oom. Dat doet ze omdat ze graag wat wil verdienen, net zoals een heleboel andere jonge mensen. Wilt u haar oom spreken? Of liever gezegd: zou uw man haar oom soms willen spreken? Want volgens mij is hij degene die bij de politie werkt, en niet u.'

Jenny was daar nogal van geschrokken. 'Nee, nee, natuurlijk niet,' had ze gezegd, en toen had ze het allemaal nog erger gemaakt. 'Het is gewoon dat ik Tamima graag mag, en dat ik wil dat het goed met haar gaat.'

'En denkt u soms dat ik niet op mijn dochter gesteld ben? Mijn enige dochter? Denkt u soms dat ik eropuit ben om haar ongelukkig te maken? Misschien verliest u een beetje uit het oog, mevrouw Burden, dat ik bij Jeugdzorg werk, en dat ik manager Tienerzorg ben in Myringham. Denkt u niet dat ik minstens zoveel verstand heb van de behoeften van tieners als u?'

'Natuurlijk, natuurlijk.' Tot haar ontsteltenis moest Jenny toegeven dat ze niet tegen deze man was opgewassen. Hij was heel wat intelligenter en gehaaider dan ze hem had ingeschat. 'Het is gewoon dat...'

'Het spijt me, mevrouw Burden,' was hij haar in de rede gevallen, 'maar ik heb het druk en ik heb geen tijd om nog lang te blijven praten. Tamima is van plan om binnenkort naar haar tante in Londen te gaan. Ze zal zich daar bij haar nichtjes best vermaken. Hoe lang ze in Londen blijft, is aan haar en aan mijn zus. Daarna komt ze terug naar huis en beslist ze wat ze verder gaat doen. Is dat wat u betreft in orde?'

'Daar moest ik dan maar genoegen mee nemen,' zei Jenny.

'Neem je daar dan geen genoegen mee?' Wexford trok zijn wenkbrauwen op. 'Mag ik vragen wat nou eigenlijk het probleem is?'

'Als je er zo tegenover staat, geef ik het op,' zei Jenny.

'Dat doet me genoegen.' Om van onderwerp te veranderen, zei hij tegen Dora: 'Is Andy Norton vandaag nog geweest?'

'Hij komt altijd op donderdag. Nou, hij is twee keer op dinsdag gekomen, maar dan belt hij altijd ruim van tevoren, zodat ik weet waar ik aan toe ben. Om drie uur. Hij is zo stipt dat je de klok erop gelijk kunt zetten.'

De donderdag daarop ging hij vroeg naar huis. Andy Norton was nog bezig met het bijsnoeien van de weelderig uitgegroeide struikgewassen en klimplanten die de hele achtermuur van de tuin hadden overwoekerd. Wexford zag een lange, magere man met witte haren en een uitgemergeld lijf. Hij liep naar buiten, stelde zich voor en merkte op dat de man sprak met de welluidende klanken en verzorgde articulatie die Eton aan al zijn leerlingen meegaf.

'U bent overuren aan het maken,' zei hij met een glimlach.

'Ik wil alles goed op orde hebben voordat het gaat regenen.'

'Goed op orde', dezelfde uitdrukking die Targo zo lang geleden had gebruikt. Hij bleef staan kijken terwijl Norton in zijn oeroude maar glanzende Morris Minor stapte. Toen hij wegreed, zwaaide de man naar hem. Later op de avond vertelde Dora het hem. Toen hij thuiskwam van zijn werk was het hem opgevallen hoe bijzonder mooi ze eruitzag in die nieuwe donkergroene jurk van haar, met die bijpassende donkergroene schoenen met hoge hakken. Ze had altijd al mooie benen gehad, met lange kuiten en fraaie enkels. Om haar hals droeg ze een gouden ketting met granaten, die hij haar ooit cadeau had gegeven. In zijn ogen was ze nog steeds even mooi als altijd; alleen in haar eigen ogen was ze minder aantrekkelijk dan vroeger. Hij herinnerde zich dat hij vroeger de gewoonte had gehad om haar te vergelijken met de echtgenotes van andere mannen, en dat hem dan telkens weer was opgevallen dat die tegenover haar volstrekt kansloos waren. Hij glimlachte en complimenteerde haar met haar fraaie uiterlijk.

Ze glimlachte terug, bedankte hem en voegde eraan toe: 'Dat wil ik je al een hele tijd vertellen, maar het komt er maar niet van. Er heeft bijna de hele middag een bestelwagen voor de deur gestaan. Dat is al de tweede keer deze week. Op dinsdag stond het ding er ook al. Ik ben ernaartoe gelopen om te kijken of er een parkeerpasje voor bewoners achter de voorruit zat. Dat bleek niet het geval, maar de parkeerwachter was in geen velden of wegen te bekennen. Die mensen zijn er nooit als je ze nodig hebt.'

Glimlachen was nu wel het laatste wat in hem opkwam. Iets in zijn innerlijk verkilde, alsof er ijswater over zijn ruggengraat druppelde, en de innerlijke warmte die was opgewekt door het overduidelijke genoegen waarmee ze zijn complimenten in ontvangst nam, was op slag verdwenen.

'Ik heb het nummer opgeschreven.'

Hij keek naar het velletje papier dat ze hem voorhield. Het was Targo's bestelwagen. Natuurlijk.

'Dat komt ervan als je met een politieman getrouwd bent,' zei ze.

Hij probeerde kalm te blijven. 'Dora, doe dat alsjeblieft niet meer. Ik bedoel, ga alsjeblieft niet controleren of een auto hier wel voor de deur mag staan. Alsjeblieft.'

'Maar waarom niet, schat?'

'Omdat ik het zeg misschien? Zou dat niet voldoende zijn?'

'Dat zeg je tegen kinderen. Goed, maar ik zou wel graag willen weten waarom niet.'

De witte bestelwagen was de dag daarop niet opnieuw in Wexfords straat verschenen, en de dag daarop al evenmin. Maar dat betekende weinig. Targo had op zijn minst één andere auto. Wexford had besloten Dora niet de stuipen op het lijf te jagen door haar te vragen of ze soms een zilverkleurige Mercedes geparkeerd had zien staan op de plek waar ze de bestelwagen had gezien, en hij zou haar al evenmin vragen of er een hond in die bestelwagen had gezeten. Misschien had Targo trouwens wel een hele verzameling motorvoertuigen. Of misschien voerde hij zijn verkenningstochten ook wel te voet uit, en kwam hij nadat hij de bestelwagen een kilometer verderop had gezet, met de Tibetaanse spaniël aan de lijn naar Wexfords huis toe gelopen.

Wat Wexford dwarszat, was de vraag wie Targo nou eigenlijk onder observatie hield, en waarom. Hijzelf kon het doelwit niet zijn. De man moest weten dat hij de hele dag van huis was. En dus was Dora degene die hij in de gaten hield. Dat beviel Wexford helemaal niet. Nog maar een paar dagen geleden had hij zich er bijna van weten te overtuigen dat Targo geen behoefte meer had om te moorden en zich inmiddels tot een gehoorzaam burger had ontwikkeld. Maar nu dacht hij aan die twee keer dat hij dat bestelwagentje in Glebe Road had gezien. Beide keren was Targo bij de familie Rahman geweest omdat een van hun zoons IT-consultant was, wat een heel legitieme reden vormde voor een bezoek. Maar misschien beschikte Mohammed Rahman over informatie die voor hem van onschatbare waarde kon zijn. En opnieuw moest hij aan zijn vrouw denken.

Twee jaar geleden was Dora samen met vier andere mensen ontvoerd en gegijzeld door een groep actievoerders die zich inzetten voor de rechten van het platteland. Hij beschouwde die drie nachten en vier dagen als de zwaarste periode van zijn hele leven. Stél dat ik haar kwijtraak? was de vraag die hij zichzelf voortdurend had gesteld. Stél dat ik haar nooit meer zie? Toen ze terugkwam, had hij gezworen dat hij haar aanwezigheid meer zou gaan waarderen, en over het algemeen had hij zich aan die gelofte weten te houden. Hij had haar op waarde geschat en die liefde en waardering ook laten blijken. Maar er was geen reden om te veronderstellen dat wat er toen was gebeurd, zich nu opnieuw zou voordoen. Voor zover hij wist, had Targo nooit iemand ontvoerd. Opnieuw voelde hij het koude zweet over zijn rug druppelen toen hij hardop zei wat Targo dan wél deed: 'Hij moordt. Dat is een hobby van hem.' Hij had minstens één vrouw en één man vermoord, en misschien wel twee vrouwen. En wie weet waren er nog anderen geweest 'zonder roem of ruchtbaarheid'. Hij herinnerde zich wat Kathleen Targo hem had gezegd toen ze elkaar, nu alweer jaren geleden, hadden ontmoet in het winkelcentrum Kingsbrook: 'Hij heeft altijd al beter overweg gekund met dieren dan met mensen. Met mensen kan hij eigenlijk helemaal niet opschieten.'

Wat moest hij nu beginnen? Hij kon niet zomaar een politieman voor zijn huis posteren om de straat in de gaten te houden. In de ogen van iedereen behalve hijzelf had Targo niets misdaan. Misschien moest hij opnieuw beginnen met zijn pogingen om te bewijzen dat de man niet zo onschuldig was als hij zich voordeed. Het was vrijdagmiddag, een zachte dag in oktober. De boomkruinen waren langzaam bruin aan het worden, en hier en daar dwarrelden blaadjes neer. Het zonlicht was nogal iel en de lichtblauwe hemel was doorschoten met pluizige wolkjes.

De wandeling naar Glebe Road was ongeveer de helft van wat hij nodig had voor zijn dagelijkse minimum aan lichaamsbeweging, maar hij werd bij het lopen nogal vertraagd – en zelfs bijna meegesleurd – door een menigte islamitische mannen die vanuit de moskee in Stowerton terug naar huis liepen of weer naar hun werk gingen. Ze maakten een opmerkelijk gelukkige indruk en liepen met elkaar te lachen en te praten, al gingen ze niet ruw of baldadig met elkaar om, en de gedachte kwam in hem op hoe anders een groepje terugkerende kerkgangers zich gedragen zou hebben. Pas op dat je nou geen omgekeerde racist wordt, hield hij zich voor. Als je allochtonen als beter dan autochtonen gaat beschouwen, ben je al net zo racistisch als Hannah. Hij liet de menigte passeren en liep er toen achteraan. De meesten woonden hier in de buurt, maar toen ze door Glebe Road liepen, waren er nog maar twee jongemannen en een wat oudere man over. Voor Webb & Cobb bleef de oudere man even staan om tussen de platen hout voor de winkelruit door te turen, en daarna liep hij kennelijk tevredengesteld door. Ze gingen alle drie naar binnen op nr. 34, en hij nam aan dat het Mohammed Rahman en zijn zonen waren, de vader en broers van Tamima. Hij wachtte totdat ze binnen waren en belde toen aan.

Er werd opengedaan door de zoon met de baard. Dat was de oudste, had Hannah verteld.

'Hoofdinspecteur Wexford van de eenheid Misdaadmanagement.' Wexford liet zijn pasje zien. Hij had bijna 'Recherche Kingsmarkham' gezegd, want oude gewoonten zijn hardnekkig en met die nieuwe naam klonk het net alsof hij een maffiabaas was.

'Wilt u mijn vader spreken? Hij is binnen, samen met mijn broer. Ik ga naar mijn werk.'

Wexford liep het huis binnen en werd in de smalle gang opgewacht door een man van een jaar of vijftig met zwart haar en een grijze baard. Hij leek Wexford te herkennen, al kon Wexford zich niet herinneren de man ooit eerder gezien te hebben.

'Mohammed Rahman,' zei hij, en nadat hij Wexford een hand had gegeven, wees hij op de jongeman achter hem: 'En dit is mijn zoon Ahmed.'

De vader leek rustig maar op zijn hoede, maar de zoon maakte een gespannen indruk. Het was een knappe man van een jaar of vijfentwintig, met een lichte huid, gitzwarte ogen en zwart haar. Hij had het gezicht van een jonge Mogol-keizer. Ze stonden hier in dat smalle gangetje absurd dicht op elkaar gepakt, zo dicht dat vader en zoon een stapje naar achteren moesten doen om Wexford niet aan te raken terwijl hij zijn rug tegen de muur perste.

'Komt u mee naar de lounge,' zei Mohammed Rahman.

Dat was altijd al een raar woord geweest voor een woonkamer, dacht Wexford, die het in verband bracht met de lijnschepen en Hollywoodfilms uit het begin van de twintigste eeuw. Maar hier was het minder absurd dan het op het eerste gezicht misschien mocht lijken, want het vertrek was onverwacht ruim en door de serre stroomde veel licht naar binnen. In een grote stenen open haard met een schoorsteenmantel van gepolijst graniet stond een schaal met droogbloemen. Er lagen kelim tapijten op de vloer en de serre stond vol planten, waaronder een lichtblauwe plumbago en een roze oleander die, als hij buiten had gestaan, inmiddels al lang doodgegaan zou zijn van de kou. Afgezien van de tapijten was er niets in het hele vertrek te bekennen wat Wexford als 'oriëntaals' zou beschrijven. Hij voelde zich licht beschaamd toen hij zichzelf moest bekennen dat hij het interieur van een Indiaas restaurant had verwacht.

Er werd hem een zwarte leren leunstoel gewezen. De twee Rahmans keken hem afwachtend aan en de vader slaagde erin om te glimlachen, maar de zoon voelde zich duidelijk niet op zijn gemak. 'Kent u een zekere Eric Targo?' vroeg hij.

De spanning werd onmiddellijk een stuk minder. Het was interessant om te zien dat ze zich allebei kennelijk zo opgelucht voelden. Hadden ze verwacht dat hij over Tamina zou beginnen? Nu deed Ahmed voor het eerst zijn mond open. 'Het is een klant van me,' zei hij.

'Een klant van u? U bent toch computerconsultant?'

De jongeman knikte. 'Ik werk vanuit huis. Ik heb boven een kantoor.'

'U onderhoudt de computer van de heer Targo? U repareert die als er iets misgaat?' Hij was zich ervan bewust dat hij de verkeerde terminologie gebruikte.

Kennelijk was Ahmed zich daar ook van bewust, want hij glimlachte. 'Meneer Targo heeft drie pc's. Als hij een probleem heeft, praat ik hem erdoorheen of ik ga bij hem langs.'

'Zo nu en dan brengt hij ook weleens een computer hiernaartoe, Ahmed,' zei zijn vader.

'Inderdaad. Dat heeft hij weleens gedaan. Zijn Toshiba, zijn laptop. Ik zal het uitleggen. Sommige klanten van me kunnen niet echt met computers overweg. Het zijn geen digibeten, zo ver wil ik niet gaan, maar ze worden wel een beetje zenuwachtig van computers. Ze begrijpen niet goed dat als er iets mis is, ik het over het algemeen wel kan verhelpen als we allebei online gaan. Op die manier kan ik hem erdoorheen praten als hij een probleem heeft.' Hij keek Wexford indringend aan, voor het geval die hem niet kon volgen. 'Maar goed, een heleboel klanten blijven er toch hardnekkig van overtuigd dat ik de computer in huis moet hebben om er iets aan te kunnen verhelpen. En daarom komt hij hier zo nu en dan naartoe met die Toshiba van hem.'

'Duidelijk.'

Wat Wexford daar werkelijk bedoelde was dat het hem níét duidelijk was hoe de jongen een apparaat kon repareren zonder het aan te raken of zelfs maar onder ogen te krijgen, maar dat hij met die verklaring genoegen nam. Hij wist eigenlijk niet wat hij dan had verwacht, want hoe moordlustig Targo nu en dan ook mocht zijn, de man moest toch zowel in zijn zakelijke leven als in zijn privébestaan voortdurend in alle eerlijkheid en onschuld contact hebben met een heleboel verschillende mensen.

In Glebe Road vielen de blaadjes van de bomen. Wexford begon aan de wandeling terug naar het politiebureau en herinnerde zich dat hij er als kind een gewoonte van had gemaakt om als hij ergens een gevallen blad zag erop te stappen, zodat hij kon genieten van het knerpende geluid onder zijn voeten. Hij trapte het gedroogde en gerimpelde blad van een plataan plat en merkte tot zijn genoegen dat hem dat nog steeds min of meer hetzelfde gevoel bezorgde. Maar terug naar de familie Rahman. Er was niets sinisters aan de connectie tussen Targo en de Rahmans, dacht hij. Maar toch bleef het een feit dat Targo hem weer aan het stalken was, of liever gezegd: dat Targo nu zijn vrouw stalkte. Toen kwam het in hem op dat echtgenoten volgens de tekst van de oude huwelijksmissen werden beschouwd als 'één vlees', en bij die gedachte voelde hij een scheut van pijn of schrik, alsof er gevaar dreigde. Toen hij weer op het bureau was, riep hij meteen rechercheur Damon Coleman bij zich en terwijl hij zich afvroeg of hij nu iets deed wat hij nooit zou kunnen rechtvaardigen, omdat Targo alleen door hemzelf verdacht werd gevonden, gaf hij de man opdracht om zijn huis onder surveillance te houden. De stalker gestalkt, dacht hij.

Een paar jaar geleden, toen zijn dochter Sylvia een opleiding psychotherapie volgde, had ze hem geleerd over het 'doosje' als middel om met angsten om te gaan. 'Als je met een probleem zit, pa, een probleem dat je maar niet van je af kunt zetten, dan moet je je een doosje voorstellen... Een heel klein doosje maar, zoiets als een lucifersdoosje. Je maakt het open en stopt je zorgen erin. Nee, niet lachen. Het werkt. Je doet het doosje met zorgen dicht en legt het ergens weg, in een la bijvoorbeeld.'

'Waarom het niet in zee gooien?'

'Dat is wel héél definitief. Misschien dat je het doosje ooit nog eens uit die la wilt halen.'

'En daarmee ben ik van alle problemen verlost?'

'Dat heb ik niet gezegd, pa, maar het zou kunnen helpen. Als je merkt dat je toch weer zit te denken aan datgene waarover je je ongerust maakt, kun je ook bij jezelf denken dat het nu veilig in dat doosje zit, zodat je er niet bij kunt.'

Hij had een minachtend gesnuif laten horen, maar toch had hij Targo sindsdien al een paar keer in een doosje gestopt, en soms had het goed gewerkt. Hij probeerde dat nu opnieuw en stopte Targo samen met die witte bestelwagen en al die honden van hem in een doosje, propte zijn eigen angst er toen ook nog bij en verborg het doosje in een lade van het bureau in zijn werkkamer op het politiebureau. En de witte bestelwagen kwam niet meer terug, er stond al evenmin een zilverkleurige Mercedes in zijn straat geparkeerd, en er was geen man met kortgeknipt haar gesignaleerd die een Tibetaanse spaniël uitliet. Het had natuurlijk geen zin meer gehad om Damon Coleman te vertellen over die opvallende wijnvlek, want die was nu verdwenen.

Damon had Dora Wexford twee keer te voet en twee keer met de auto zien weggaan, maar hij was er zeker van dat zij hem niet had gezien, al had Wexford haar wel gewaarschuwd dat hij het huis in de gaten liet houden. Damon was een expert in de rol van onzichtbare toeschouwer. Een vrouw die hij had herkend als Wexfords dochter Sylvia was één keer langs geweest en ongeveer een uur gebleven, en Jenny Burden was langs geweest met haar zoon. Afgezien daarvan was de enige bezoeker een man van in de zestig geweest, die op donderdag om drie uur 's middags was aangekomen in een oeroude Morris Minor. Damon had zijn surveillance om vijf uur 's middags beëindigd en tegen die tijd was de bezoeker nog niet naar buiten gekomen.

Dit was niet helemaal wat Wexford had gewild. Zijn vrouw en haar bezoekers waren niet degenen die in de gaten gehouden moesten worden. Het ging erom wie háár eventueel in de gaten hield. Damons verslag deed hem denken aan het soort verslag dat een privédetective zou kunnen maken voor een echtgenoot die bang was dat hij bedrogen werd. Bij die gedachte moest hij glimlachen. Het idee dat Dora hem ontrouw zou kunnen zijn was absurd. Zelfs de gedáchte aan ontrouw was al volstrekt ondenkbaar.

Maar zijn angst zat nu in een doosje, en dat doosje lag in de bovenste linkerla van zijn bureau. De angst zat daar in dat onzichtbare doosje, geschapen door zijn eigen geest, en daardoor leek het wel alsof die angst al net zomin reëel was als het doosje zelf.

Rashid Hanif was net de poort van het zesdeklascollege aan het grote viaduct van Kingsmarkham uit gelopen toen Hannah hem aansprak. Als ze zonder omhaal naar hem toe was gekomen, zou hij misschien niet zo duidelijk geschrokken zijn, maar nu had hij haar auto een eindje voor zich uit tot stilstand zien komen, en vervolgens had hij gezien hoe deze zeer aantrekkelijke jonge vrouw, die hij ook al in het Raj Emporium had opgemerkt, uitstapte en met een identiteitsbewijs begon te zwaaien. Hij was zelf ook bepaald niet onaantrekkelijk, een lange, knappe jongen met een lichte huid, bruin haar en grijsblauwe ogen.

Hannah kon duidelijk zien dat hij bang was, en ze vroeg zich af waarom. Hij mocht dan pas zeventien zijn, maar hij was een man, en de meeste mannen waren met alle genoegen bereid om met haar te praten, als ze tenminste niets op hun kerfstok hadden. 'Ik zou je graag het een en ander willen vragen over Tamima,' zei ze. 'We kunnen in de auto praten als je wilt. Ik kan je een lift naar huis geven.'

Dat was een vergissing. 'Nee, nee, dank u wel. Ik heb geen lift nodig. Ik kan het wel lopen hoor.'

'Ik weet dat je het wel kunt lopen,' zei Hannah. 'Ik was ook niet van plan om je helemaal naar huis te brengen. Alleen maar tot aan de hoek van de straat. Kom op. Al die boeken die je met je meesjouwt zullen best zwaar zijn.'

Hij liet toe dat ze hem met zachte drang op de plaats naast de bestuurder duwde. Hannah was echter niet van plan om meteen weg te rijden. Ze ging achter het stuur zitten en keek hem aan. 'Ik heb jou met Tamina zien praten in het Raj Emporium, Rashid. Ik heb je daar zelfs vrij vaak gezien. Tamima is jouw vriendinnetje, hè?'

Hij schudde zijn hoofd en zei met zachte stem: 'Was het maar zo.'

'Is ze je vriendinnetje niet? Waarom dan niet? Omdat je ouders ertegen zijn? Of háár ouders soms?'

Er viel een lange stilte, waarin zijn vingers zich om de hengsels van de zware tas klemden. 'Allebei,' zei hij, en toen: 'Hoor eens, daar kan ik beter niet met u over praten. Daar komen alleen maar moeilijkheden van. Mijn vader heeft me gezegd dat ik haar nooit meer mag zien. Maar ik mag er niet over praten.'

Hannah startte de motor en deed er een tijdje het zwijgen toe. Toen ze door Hartwell Lane reden, op weg naar Hart Estate, zei ze: 'Je kunt haar alleen maar zien in de winkel. Zo is het toch?'

'Ik mag er niet over praten.' En daarna stak hij meteen van wal. 'Ze hebben haar meegenomen naar Pakistan om haar bij mij uit de buurt te houden, maar ze heeft me heel erg gemist en ze wilde terug. Nu gaan ze haar naar haar tante in Londen sturen.'

'Heeft zij je dat verteld?'

'Nee, zij niet, maar dat is wat ik denk. Ik heb al gezegd dat ik er niet over mag praten. Mag ik nu uitstappen? Ik kan het van hieruit wel lopen.'

'Ik ben ervan overtuigd dat je dat wel kunt,' zei Hannah. 'Als je me vertelt hoe die tante van haar heet en waar ze woont, rij ik naar het eind van Hartwell Lane en dan zet ik je daar af.'

De jongen ging ongemakkelijk verzitten en hield de tas met boeken nu tegen zich aan gedrukt. 'In Kingsbury. Maar ze is nog niet weg. Misschien gaat ze helemaal niet. Ik weet het niet.'

'En hoe heet die tante, Rashid?'

Het huis waar zijn familie woonde, was nu in zicht. Hannah zette de auto langs de kant en liet de motor lopen. 'Hoe heet die tante van Tamima?'

De twee woorden kwamen er halfgesmoord uit. 'Mevrouw Qasi.' Toen duwde hij het portier open en holde weg.

Hannah wist dat ze nu rustig moest afwachten. Het was waar dat Tamima misschien niet eens naar Londen zou gaan. Als ze er bijvoorbeeld in zou toestemmen om Rashid op te geven, bleef ze misschien gewoon hier. Maar dat was onwaarschijnlijk. Meneer en mevrouw Rahman zouden er niet op vertrouwen dat het meisje zich aan zo'n belofte hield, en al helemaal niet als ze daar in die winkel werkte, waar iedereen zomaar binnen kon lopen om haar aan te spreken. En bovendien, het was hen er niet alleen om begonnen om haar te scheiden van Rashid, maar ook om haar aan iemand anders uit te huwelijken.

'Het zal moeilijk zijn om een meisje hier, in zo'n dorp waar iedereen elkaar kent, tot een huwelijk te dwingen.'

'Vroeger wel,' zei Wexford, en hij dacht terug aan het dorpse plaatsje van zijn jeugd.

'Dat is nog steeds zo,' hield Hannah vol. 'En al helemaal voor allochtonen. De mensen houden hen altijd goed in de gaten om te zien of ze soms iets on-Engels doen, iets raars of in elk geval iets wat ze zelf niet zouden doen. Denk eens aan de enorme opschudding die het zou veroorzaken als Tamima tijdens de huwelijksvoltrekking zou weghollen uit de moskee of het gemeentehuis. In Londen kan ze dat niet doen, ze zou niet weten waar ze was of waar ze heen moest. Denk er maar eens over na, chef.'

'Hannah,' zei hij, 'waar ik over nadenk is het drama dat jij nu maakt van een jong meisje dat een tijdje in Londen gaat logeren. Ze gaat er ongetwijfeld naartoe om te winkelen of veel naar de film te gaan.' Hij moest glimlachen toen hij de opstandige blik in Hannahs ogen zag: 'Ze is nog niet eens weg. Ik heb meneer Rahman en zijn zoons ontmoet en het leken me intelligente en verlichte mensen. Beslist geen types die hun dochter het slachtoffer zullen laten worden van allerlei oude tradities. Het zou me verbazen als Tamima niet gewoon een paar weken wegblijft, zich in Londen enorm vermaakt en dan terugkomt om ergens anders een betere baan te zoeken.'

Op weg naar huis vroeg hij zich af of hij niet een beetje al te stellig was geweest. Was Hannahs theorie nou werkelijk zo vergezocht? Misschien was zijn geruststellende reactie wel uitgelokt omdat ze er zo op gebeten leek om te bewijzen dat hier een gedwongen huwelijk werd voorbereid, zonder dat daar ook maar enig bewijs voor was. Maar eigenlijk was dat niet zo heel anders dan zijn eigen zekerheid dat Targo minstens twee keer een moord had gepleegd. Daar had hij ook geen enkel bewijs voor, en toch hield hij zichzelf voortdurend voor dat hij zeker van zijn zaak was. Hannah beschikte al evenmin over ook maar enig bewijs, en toch zou ze er op dit moment waarschijnlijk ook van overtuigd zijn dat de familie Rahman van plan was om Tamima uit te huwelijken aan de een of andere oude man die ze nooit eerder had gezien. Als Hannahs theorie niet meer was dan een fantasie, ging dat dan niet net zozeer op voor die theorie van hem?

Bij hoge uitzondering stonden er bij hem in de straat deze keer maar heel weinig auto's geparkeerd. Nergens was een witte bestelwagen of zilverkleurige Mercedes te bekennen, in de enkele auto's die er wel stonden, zag hij nergens een hond en er was ook nergens een zijraampje een paar centimeter opengedraaid om het dier frisse lucht te geven. Hij maakte de voordeur open en riep 'Ik ben het!' alsof er andere mensen waren die over de sleutel beschikten.

Dora liep de gang binnen. Hij sloeg zijn armen om haar heen en kuste haar met iets meer hartstocht dan gebruikelijk.

'Ik neem aan dat je zo enthousiast bent omdat je in gedachten voor je zag dat ik hier ergens dood op de grond lag,' zei ze.

'Zeg dat nou niet.'

'En dat is ongetwijfeld de reden waarom je Damon Coleman hier hebt neergezet om het huis in de gaten te houden. Arme jongen, hij stond zich echt enorm te vervelen. Ik ben bijna naar buiten gegaan om hem te vertellen dat mijn minnaar pas om twee uur zou komen.'

Wexford lachte. Maar niet helemaal van harte.

'Het was die witte bestelwagen, hè?' zei Dora.

'Het lijkt voorbij te zijn. Dat is iets om te vieren, dus laten we maar een glaasje wijn nemen.'

13

De verleiding om een tweede glas rode wijn te nemen was heel groot geweest, maar hij had er weerstand aan geboden. Niet omdat hij op de een of andere manier een voorgevoel had gehad dat hij zou worden opgeroepen – dat was nauwelijks bij hem opgekomen – maar omdat het nog vroeg was. Hij was net aan tafel gaan zitten voor het avondeten, en als hij nu nog meer rode wijn zou drinken, zou hij straks voor het slapen nog een glas willen. Dus liet hij de zilveren stop die zijn dochter Sheila hem cadeau had gegeven in de hals van de fles staan en richtte zijn aandacht op de fusilli alla carbonara met rucolasalade, die hij niet bijzonder smakelijk vond maar waarvan Dora dacht dat het goed voor hem was. Als je ouder werd, dacht hij, keerde je smaak terug naar het eten uit je jeugd. Op middelbare leeftijd had hij gefrituurde meloenbloesems, filodeeg en chorizo heel lekker gevonden, maar tegenwoordig had hij veel meer zin in dingen die hij nooit meer voorgezet kreeg: worstjes, pastei met rundvlees en niertjes, custardpudding en pruimencompote. Daar stond tegenover dat hij vroeger het liefst bier had gedronken en dat hij het spul tegenwoordig nauwelijks meer aanraakte. Hij zat daarover te mijmeren, en vroeg zich af of Dora misschien hetzelfde gevoel zou hebben, terwijl hij tegelijkertijd om de een of andere reden zeker wist dat dat niet het geval was. Hij wilde het haar net vragen toen de telefoon ging.

Ze wist dat het wel voor hem moest zijn en gaf hem het toestel aan zonder zelf op te nemen.

'Ik moet weg.' Hij stond op, en liet zijn bord fusilli halfvol staan. 'Het is ernstig,' zei hij. Dat was het zinnetje dat hij altijd gebruikte als hij werd weggeroepen voor een onverklaard sterfgeval of een geval van dodelijk geweld. Hij had het ook gebruikt toen Billy Kenyon dood gevonden was in de hortus botanicus, en toen Nicky Dusan was neergestoken. En achteraf was hij deze keer heel blij dat hij zo zwijgzaam was geweest. Het adres waar hij die avond onverwacht naartoe moest, had hem op dat moment niets gezegd, maar als Dora het gehoord zou hebben, zou ze ontzet zijn geweest, en dus zou het hem dan grote moeite hebben gekost om haar alleen te laten.

Ze knikte berustend. De dagen waarop ze zich luidkeels beklaagd zou hebben over het feit dat hij zijn eten niet op had, lagen al ver achter hen. Nu zijn buik min of meer dezelfde omvang bleef houden, en misschien zelfs nog wel wat dikker werd, was ze alleen maar blij als hij eens een maaltijd oversloeg of zijn bord maar halfleeg at.

Terwijl hij opnieuw blij was dat hij het drinken van die avond had beperkt tot één glaasje rode wijn, reed hij naar Pomfret. Twee politieauto's en een ambulance, die hier niet nodig zou zijn, stonden al geparkeerd voor een rij witgekalkte landarbeiderswoninkjes. Hij parkeerde zijn auto vijftig meter verderop in Cambridge Road. Er was al een blauwwit gestreepte canvastent met een deuropening erin opgezet om het grootste deel van de voorgevel van nr. 6 aan het zicht te onttrekken. Toen hij aan kwam lopen tilde Barry Vine de flap voor de deuropening op en stapte de tent uit.

'De patholoog-anatoom is net gearriveerd, meneer,' zei hij. 'Hij is nu bij de overledene.'

'Wie is het?'

'Dokter Mavrikian.'

'Nee, dat bedoel ik niet,' zei Wexford. 'Wat maakt het nou uit wie de patholoog-anatoom is? Ik bedoel, wie is er bij, tja... wat jij "de overledene" noemt?'

Barry wist maar al te goed hoezeer Wexford de pest had aan jargon en al te veel omhaal van woorden, en dus zei hij: 'Sorry, meneer. De dode heet Andrew Norton. Dit is zijn huis en een buurman...' Toen hij Wexfords gezicht zag, brak hij zijn zin meteen af. 'Kent u die?'

'Wat was de naam ook weer?'

'Andrew Norton.'

Wexford voelde zijn hart wild tekeergaan. Hij kon het gewoon horen kloppen. 'Hij doet – deed – de tuin voor ons.'

'Iemand heeft een touw om zijn nek getrokken en hem gewurgd.'

'Volgens mij kunnen we beter even wachten wat dokter Mavrikian te zeggen heeft voordat we zulke dingen gaan zeggen,' zei Wexford.

Hij was bijzonder geschrokken. Goddank had hij dat adres niet genoemd tegenover Dora. Ze had de man graag gemogen. Ze hadden samen theegedronken als hij op donderdagmiddag zijn pauze nam. Damon Coleman had de man zien komen en gaan in zijn oeroude Morris Minor. Hij liep door de woonkamer, waar het lijk op de grond lag, tussen de bank en de televisie. Mavrikian had op zijn knieën gezeten, maar nu stond hij op en keek Wexford aan met dat uitdrukkingsloze gezicht van hem. Hij was een lange, magere, humorloze man van Armeense afkomst, met een bleke, gerimpelde huid en blond, bijna wit haar. De enige keer dat iemand hem ooit ook maar iets van emotie had zien vertonen, was toen hij te horen kreeg dat zijn vrouw het leven had geschonken aan een dochter.

Wat Wexford betrof, woog de snelle en nauwkeurige wijze waarop hij een inschatting wist te maken van het tijdstip en de wijze van overlijden van een slachtoffer echter ruimschoots op tegen alle gebreken die de man mocht hebben.

'Hij is overleden tussen zeven en negen uur vanochtend, dat wil zeggen dat hij nu een uur of twaalf dood is. Iemand heeft een touw om zijn nek geslagen en dat strak aangetrokken. De details leest u wel in mijn verslag. Goedenavond.'

Net toen de patholoog-anatoom de deur uit liep, kwam Hannah Goldsmith binnen. 'Het was mijn tuinman, die arme donder,' zei Wexford tegen haar.

'Mijn god, chef.'

'Hij is gisteren nog bij me thuis geweest.'

'Dan weet uw partner misschien wel iets wat van belang zou kunnen zijn.'

'Het is mijn vrouw,' zei Wexford geërgerd. 'Niet mijn "partner".'

Andy Norton was een goed uitziende man geweest, met regelmatige gelaatstrekken en een nog gave huid, die echter was opgezwollen door wat hem die ochtend was aangedaan. Zijn grote bos wit haar was net zo dik en glanzend als een pruik, maar wel echt. De plaatsdelictagent wilde graag verder met zijn werk, en dus keerde Wexford zich naar Hannah toe en zei dat ze naar het huisje hiernaast zouden gaan om daar met de buren te praten.

'Het is een zekere mevrouw Catherine Lister, meneer,' zei Barry Vine. 'Ze is weduwe en woont alleen. Het schijnt dat de dode en zij goed bevriend waren.'

'Wat betekent dat?'

'Niet meer dan wat ik zojuist heb gezegd, meneer. Ze is erg overstuur.'

De dochter van mevrouw Lister deed open. Het was een broodmagere vrouw van een jaar of veertig, die haar donkere haar in een paardenstaart droeg.

'Ik was vanmiddag bij moeder op bezoek,' zei ze, 'en toen ben ik maar gebleven. Ik wil haar graag mee naar huis nemen vanavond. Is dat goed?'

'We willen haar eerst even spreken, maar daarna is dat prima,' zei Wexford. Hij had een sterke gewaarwording van déjà vu, het gevoel dat hij hier al eerder was geweest, maar toch wist hij dat dat niet zo was. Hoewel hij bijna zijn hele leven in Kingsmarkham en omgeving had doorgebracht, kon hij zich niet herinneren dit rijtje oude huisjes dat hier in het achterland van Pomfret verscholen lag ooit eerder te hebben gezien. Maar toch kwam het hem allemaal heel bekend voor: het gangetje, de trap naar boven recht tegenover de voordeur, de enkele eet- en zitkamer die ooit uit twee vertrekken had bestaan en de tuindeur in de muur daarachter... Hij dwong zich om de oude vrouw aan te spreken.

Ze leek eigenlijk nogal op zijn eigen vrouw. Hetzelfde type, zíjn type. Ze had nog steeds een goed figuur, met een smal middel en fraaie kuiten. Ze had haar dat ooit heel donker geweest moest zijn en nu staalgrijs was, grote, donkere ogen en de gave huid en gezonde huidskleur van een vrouw die maar heel weinig ziekte heeft gekend. Ze had misschien gehuild, maar nu waren haar ogen droog en haar gezicht was niet opgezet. Ze begon plotseling te praten, zonder op vragen te wachten.

'We waren heel close, Andy en ik,' begon ze. 'We wilden eigenlijk samenwonen, maar daar zijn deze huisjes een beetje te krap voor. Ik heb de sleutel van zijn huis, en hij heeft de sleutel van het mijne.' Ze tuurde naar de handen in haar schoot. 'Ik heb de afgelopen nacht bij Andy geslapen. Dat deed ik elke week twee of drie keer, maar om een uur of zeven vanochtend ben ik terug naar huis gegaan.'

Haar stem was vast en beheerst. De dochter pakte haar hand vast, maar Catherine Lister onderging dat zonder op haar beurt de hand van haar dochter vast te pakken.

'Hoe laat bent u teruggegaan naar hiernaast?' vroeg Hannah.

'Vanmiddag pas. Ik heb eerst hier wat opgeruimd en mijn wasgoed in de wasmachine gedaan. Dat van Andy trouwens ook. Zelf had hij geen wasmachine. Later op de dag zou ik inkopen gaan doen voor ons tweeën...' Haar stem trilde, maar ze schudde even met haar schouders en kreeg zichzelf weer onder controle. 'Het was een uur of vier. Ik ben naar binnen gegaan om te kijken of hij iets speciaals nodig had.' Ook nu begon haar stem weer te trillen, maar ze bleef doorpraten: 'Ik liep naar binnen en ik... ik zag hem op de vloer liggen. Dood. Ik kon zien dat hij dood was.'

'Hebt u hem aangeraakt, mevrouw Lister?' vroeg Wexford.

Ze keerde haar gezicht van hem af. 'Ik heb zijn hoofd opgetild. Ik... ik heb hem gekust.'

En toen brak ze in tranen uit. Haar dochter sloeg haar armen om haar heen en Catherine Lister liet haar voorhoofd op de schouder van haar dochter rusten en begon te snikken. Wexford en Hannah wisselden een blik van verstandhouding en keken een minuut lang zwijgend toe. Het enige wat er te horen viel, was het snikken en naar adem happen van de huilende vrouw.

'Het spijt me, mevrouw Lister,' zei Wexford. 'Het spijt me werkelijk heel erg, maar ik moet u nog wat vragen stellen.'

'U kunt moeder nu toch wel met rust laten!'

'Nee, dat zal helaas niet gaan. Hebt u vanochtend iets gehoord?'

'Niets,' zei ze, met een stem die schor was van het huilen. 'Ik heb niets gehoord en ik heb niemand gezien.'

'Had meneer Norton vijanden?' Die vraag kwam van Hannah. 'Ik bedoel mensen die hij niet mocht of die hem niet mochten?'

'Iedereen was dol op hem,' zei Catherine Lister.

Ze veegde de tranen uit haar ogen en nadat ze hun alles over Andy had verteld wat ze maar weten wilden, liet Wexford haar alleen. Vanwege de tijd van het jaar was de klok een uur teruggezet en het was donker, maar in het licht dat door de openstaande terrasdeuren van nr. 6 naar buiten viel, zag hij de keurig verzorgde tuin van Andy Norton, met nog steeds wat bloeiende chrysanten en herfstastertjes erin. Het gras was een toonbeeld van een 'goed onderhouden gazon'. Hij liep over het pad langs het schuurtje in de rechterachterhoek naar de groen geschilderde deur in de achtermuur. Er zat geen slot of grendel op. Hij trok het open en stapte het met keien betegelde paadje achter de tuinen in. Nu wist hij waar dit rijtjeshuis hem aan deed denken. Deze huisjes leken als twee druppels water op de huisjes aan Jewel Road in het plaatsje Stowerton, en dit huis was op dezelfde wijze ingedeeld als dat van de familie Carroll op nr. 16. Alles was hetzelfde: van het smalle gangetje naar het aangebouwde schuurtje in de tuin tot de deur in de tuinmuur die uitkwam op een paadje daarachter. Of in elk geval was alles hetzelfde geweest toen deze huizen gebouwd werden. Wanneer zou dat geweest zijn? In 1870? Of 1880? Zoiets in elk geval. Waarschijnlijk waren er in Kingsmarkham, Stowerton en Pomfret nog wel meer rijtjeshuizen uit dezelfde periode. Er was een hoop aan verbouwd en ongetwijfeld zouden de huizen aan Jewel Road sinds hij daar in het huis van meneer en mevrouw Carroll was geweest ook ingrijpend veranderd zijn. Twee afzonderlijke kamers zouden zijn samengetrokken tot een ruime woonkamer en er zouden openslaande dubbele tuindeuren zijn geïnstalleerd, en natuurlijk ook centrale verwarming en een nieuwe keuken en badkamer. Maar als je veertig jaar geleden een van deze huizen gezien had, of erin gewoond had, zou je meteen weten hoe ze allemaal in elkaar zaten, waar ze ook mochten staan.

Hij liep de tuin van Andy Norton weer binnen en deed de deur in de muur achter zich dicht. De maan hing laag boven de horizon, en de donkere wolken trokken strepen over het lichtgele oppervlak. Nu de maan zichtbaar was, leek de lucht killer te worden. Hij deed zijn ogen dicht en was terug in Jewel Road, waar een man de deur voor hem opendeed en hem, een paar korte seconden lang, een wijnvlek liet zien die als een paarse kreeft over zijn wang naar beneden krabbelde, voordat hij haastig het sjaaltje van een vrouw pakte en dat eroverheen trok.

Voor Wexford viel er vanavond niets meer te doen. Brigadier Vine en rechercheur Coleman waren druk bezig met het verhoor van de buren. De plaatsdelictagent was klaar. Hij liep door de blauwwit gestreepte tent die het grootste deel van de voorgevel bedekte naar buiten en maakte het tuinhekje open. Een man was zijn hond aan het uitlaten. Hij liep naar de kruising toe. Het was een man op leeftijd, van meer dan gemiddelde lengte, maar hij had geen sjaaltje om en de hond die hij aan de lijn had was een boxer. Maar toch was dit opnieuw een déjà vu.

Hij verwachtte min of meer dat een paar kille blauwe ogen hem strak zouden aankijken. De man keek nieuwsgierig naar de tent en het tape waarmee de plaats delict was afgezet, en liep door.

Wexford ging naar huis om Dora te vertellen wat er gebeurd was, voordat ze het van iemand anders te horen kreeg of het op het journaal zou zien, en toen hij de oprit naar zijn garage opdraaide en de motor uitzette, zag hij in gedachten hoe Targo in het donker de deur naar de tuin openduwde en zich in het schuurtje verborg totdat de tijd rijp was. Targo was iemand met zoveel zelfvertrouwen dat hij het niet nodig zou vinden om moordtuig mee te nemen. De wereld was vol stukken stof, eindjes touw, sjaals, dassen, ceintuurs en riemen. Er zou bij Andy Norton thuis ongetwijfeld wel iets te vinden zijn wat hij kon gebruiken.

Andy Norton was een weduwnaar. Hij had drie kinderen en maar één daarvan, een dochter, woonde in Engeland. Van zijn twee zoons woonde de een in de Verenigde Staten en de ander in Italië. Voor zijn pensionering was hij een tamelijk hoge ambtenaar geweest bij het ministerie van Sociale Zaken. Zijn vrouw was vijftien jaar geleden gestorven. Het echtpaar had in een voorstad in het zuiden van Londen gewoond, maar na zijn pensionering had Norton het huis van de hand gedaan en dit woninkje in Pomfret gekocht. Mevrouw Lister, een weduwe, woonde toen al in het huis ernaast. Mary Norton, een lerares uit Leicester, kwam de volgende ochtend. Terwijl hij in zijn werkkamer met haar zat te praten, zag Wexford zich geconfronteerd met de noodzaak om haar een mogelijk nogal pijnlijke vraag te stellen, namelijk wanneer ze haar vader voor het laatst had gezien. Er viel echter niet aan te ontkomen.

'Wanneer hebt u uw vader voor het laatst gezien, mevrouw Norton?'

Ze had een heldere, luide stem en leek werkelijk in geen enkel opzicht op mevrouw Lister. 'Veertien dagen geleden is hij een weekendje bij me komen logeren. Dat deed hij vaak. Of ik logeerde bij hem.' En haar stem bleef al net zo rustig en helder toen ze verderging: 'We hadden een innige band, vader en dochter, zoals een vader en een dochter met elkaar om horen te gaan.

Ik weet niet hoeveel u over papa weet. Hij is ambtenaar geweest op een ministerie. Acht jaar geleden is hij met pensioen gegaan en hier komen wonen. Hij had een heel goed pensioen, maar hij vond het prettig om iets omhanden te hebben, en dus werkte hij als tuinman. Hij was een heel goede tuinman en hij genoot ervan. Hij genoot van al die kopjes thee en praatjes met allerlei huisvrouwen op leeftijd.'

Hoewel hij besefte dat het onredelijk was, vond Wexford haar manier van doen ergerniswekkend neerbuigend. Toen ze klaar was, zweeg hij een tijdje. Hij legde een pen wat anders op zijn bureau, en trok het vloeiblok recht. 'En mevrouw Lister?' zei hij zachtjes. 'Wat vindt u van haar?'

Het was duidelijk dat Mary Norton hem dat kwalijk nam. Ze had erop gerekend, dacht Wexford, dat tijdens dit gesprek alles precies zou verlopen zoals zij het wilde. Zij zou de tijd bepalen waarop het plaatsvond, zij zou bepalen in welke volgorde de verschillende onderwerpen aan de orde kwamen, zij zou alle informatie verschaffen waarvan ze vond dat de politie die nodig had, en vervolgens zou zij degene zijn die het gesprek beëindigde. Hoewel de vrouw in geen enkel opzicht op die man leek, deed de manier waarop ze hem nu strak aankeek, zonder ook maar even met die diep-blauwe ogen van haar te knipperen, hem denken aan Eric Targo.

'Wat heeft dat met de dood van mijn vader te maken?'

'Ik ben degene die hier de vragen stelt, mevrouw Norton.' Strenge woor-den, maar op vriendelijke toon uitgesproken. 'Wilt u antwoord geven op mijn vraag?'

'Als u het zo nodig wilt weten: het is best een aardige vrouw. Het was goed voor hem om iemand om zich heen te hebben.'

Het is wel meer dan dat geweest, dacht Wexford, heel veel meer. Hij vroeg haar of haar vader een testament had gemaakt, en als dat het geval was, wat er dan in stond.

Het is niet te geloven, maar toen ze daarop antwoordde, gebruikte ze juri-disch jargon. 'Krachtens de beschikkingen in zijn laatste wil en testament heeft hij de gehele nalatenschap verdeeld tussen mijn broers en mij. De erfenis bestond uit zijn huisje en zijn spaargeld. Veel had het niet om het lijf.' Ze aarzelde en voegde daar toen wat toeschietelijker aan toe: 'Mijn vader had het grootste deel van zijn bezittingen al aan zijn kinderen ge-schonken. Hij had zijn huis verkocht en daar een goede prijs voor gekre-gen. Dat had hem in staat gesteld om ons zeer aanzienlijke bedragen te schenken, die onder de zevenjaarsregel vallen. U weet wat dat is? Volgens het Engelse belastingrecht zijn de ontvangers van een dergelijke schenking geen belasting verschuldigd als de schenker na de datum van schenking nog zeven jaar in leven blijft. En dat is hier het geval geweest. Zij het dan ook maar net.'

'Uitstekend, mevrouw Norton. Meer hoef ik op dit moment niet te we-ten.'

Hoewel hij dokter Mavrikians lijkschouwingsverslag nog niet had ontvan-gen, wist hij al dat Andy Norton was gewurgd. Hij had gedacht dat het met een stuk touw was gebeurd, maar er bleek een raamkoord gebruikt te zijn.

'Alle raamkoorden waren aanwezig, meneer,' zei brigadier Vine tegen hem. 'Het gebruikte koord was niet nieuw. Het heeft een tijd in een schuifraam gehangen, en aan één uiteinde was het wat gerafeld. Ik vermoed dat het ergens in een keukenlade of een ladekast heeft gelegen.'

'Dat vermoed je?'

'Ik besef heel goed dat we uiterst nauwkeurig zullen moeten vaststellen waar het koord vandaan is gekomen, meneer. Er wordt op dit moment huis-aan-huisonderzoek gedaan in Cambridge Road.'

'Juist. En verder geen vermoedens, hè?'

Hij ging terug naar Pomfret. Hij zag dat zijn mensen bezig waren met het huis-aan-huisonderzoek, en werd herinnerd aan Jewel Road, al die jaren geleden. Hoeveel huis-aan-huisonderzoeken had hij sindsdien al in gang gezet? En toch deed de procedure die nu werd gevolgd hem aan Targo denken. Andy Norton was gewurgd en Targo was een wurger. Het was absurd. Waarom zou Targo iemand als Andy Norton vermoorden, een man die niets of niemand kwaad deed? Maar die vraag kon je natuurlijk ook stellen bij de moord op Elsie Carroll, en bij die op Billy Kenyon. Waarom had hij die twee vermoord? Die hadden allebei nog geen vlieg kwaad gedaan.

Damon Coleman en Lynn Fancourt waren bezig met het huis-aan-huisonderzoek aan dit uiteinde van Cambridge Road. Hij liep net naar hen toe toen Damon wegliep van de voordeur van nr. 18 en Lynn Fancourt van nr. 20.

'Al iets gevonden?'

'Een vrouw hiertegenover, meneer, op nr. 5, die het huis kennelijk nauwlettend in de gaten heeft gehouden, vooral 's ochtends vroeg en 's avonds laat.' Lynn Fancourt glimlachte. 'Andy Nortons relatie met mevrouw Lister kon haar goedkeuring niet wegdragen, en dus hield ze hun komen en gaan aandachtig in de gaten.'

'Dan zal ze nu haar aandacht ergens anders op moeten richten om aan haar dagelijkse portie spanning en sensatie te komen,' zei Wexford.

'Ja, meneer. Ze zweert dat er vanochtend niemand het huis binnen is gegaan. Ze heeft zitten kijken vanaf het moment dat het licht werd, en dat is om een uur of zeven. Om kwart over zeven zag ze mevrouw Lister naar buiten komen en haar eigen huis binnengaan.'

Wexford liep terug naar nr. 6 en stapte onder het blauwwit gestreepte tentdak het huis binnen. Barry Vine was al binnen, samen met een agent in uniform.

'Laten we er eens van uitgaan,' zei hij tegen Vine, 'dat de dader de achtertuin binnen is gelopen terwijl het nog donker was. Om een uur of vijf bijvoorbeeld. Kom mee.'

Door de achterdeur liepen ze de tuin van Andy Norton binnen. Het was een prachtige tuin, die keurig was onderhouden. Het kleine gazon was keurig gemaaid en volkomen vrij van onkruid en de borders waren rijk aan herfstbloemen, terwijl de vier fraai gevormde betonnen bakken nog steeds ladingen rode, donkergele en roze begonia's bevatten. Maar toch had het bekijken van deze tuin iets afschuwelijks. Vanaf het moment dat degene die deze idyllische tuin had onderhouden, gestorven was, was ook de tuin al stervende. Hij zou nu steeds verder in verval raken. Morgen zouden de planten er weer wat minder goed bij staan, het gras weer wat langer zijn, of wat natter, en de eerste dorre blaadjes begonnen al neer te dwarrelen.

'Hij zou door de tuindeur gekomen kunnen zijn, vanaf het paadje erachter. Laten we ervan uitgaan dat hij de tuin is binnengekomen voordat het licht was. Vóór zeven uur 's ochtends dus, en dat hij hier heeft staan wachten, met dat gordijnkoord. Misschien heeft hij zich verstopt in het schuurtje. Misschien heeft hij gezien dat het licht aanging in huis, en heeft hij dat als een teken beschouwd. Wist hij dat mevrouw Lister in huis was? Dat maakt eigenlijk niet uit. Als ze er nog geweest was, zou hij haar dan ook vermoord hebben? Maar ze was er niet. Ze was al weg.'

'Dat klinkt alsof u weet wie de dader is, meneer.'

'Vind je, Barry?' Wexford schudde zijn hoofd. 'Wat is er vervolgens gebeurd? Hij is naar de achterdeur gelopen en heeft aangeklopt. Er is een klopper, maar geen bel. Toen hij iemand op zijn achterdeur hoorde aankloppen is Andy Norton gaan opendoen, en Norton heeft hem binnengelaten. Waarom? Dat weten we niet. Misschien omdat oudere mensen, die zijn opgegroeid in een veiliger tijd, het vanzelfsprekend vinden om open te doen als er geklopt wordt. Maar misschien is het wel heel anders gegaan, en zat de achterdeur niet eens op slot. Misschien zat die nooit op slot. Zodra ik het verslag van de patholoog-anatoom heb gezien, weten we meer.'

Het was net zo als bij de moord op Elsie Carroll. Er waren in deze plaatsjes zoveel huizen met een paadje achter de huizen, en er waren zoveel tuinen die je, met de achterdeur op slot, alleen maar kon binnenkomen vanaf dat paadje. Vele huisbezitters sloten hun achterdeur nog steeds niet af. Wexford dacht aan Jewel Road 32, waar Targo ooit gewoond had, of Glebe Road 8, waar de man naderhand had gewoond, in zijn tijd als stalker. Targo zou geweten hebben hoe dit huis in elkaar zat, en wat hij hier wel en niet kon doen.

Hij belde aan bij mevrouw Lister. Haar dochter liet hem binnen en legde uit dat ze in plaats van haar moeder mee naar huis te nemen maar was blijven logeren.

'Moeder ligt nog in bed.'

'Ik zou graag willen dat u even naar uw moeder toe gaat en haar twee vragen stelt: of meneer Norton 's nachts de achterdeur op slot deed, en of er bij meneer Norton in huis ergens een stuk raamkoord rondslingerde. Weet u wat een raamkoord is?'

'Een koord waarmee je schuiframen open en dicht kunt doen.'

'Inderdaad. Uw moeder kan waarschijnlijk wel raden waar dat koord voor gebruikt is, als ze het al niet met eigen ogen heeft gezien toen ze het lijk vond. Ik hoop dat ze het niet heeft gezien, en niet zal raden waarvoor het gebruikt is, maar als dat wel zo is, dan valt dat niet te vermijden. Begrijpt u dat?'

'Ja, natuurlijk. Ik neem aan dat het gebruikt is om die arme man te wurgen.'

'Ik wil weten of dat raamkoord hier thuishoorde of dat het... tja, hier mee naartoe is genomen.'

Ze liep de trap op. Wexford bleef zitten en dacht aan Targo. Dit was meer dan een obsessie, dit was paranoia. Targo kon dit niet gedaan hebben. Dit waren niet meer dan wilde fantasieën, een fixatie, een soort waanzin. De dochter kwam de kamer weer binnen.

'Moeder heeft het gezien toen ze... hem vond. Ze herkende het. Het is een stuk raamkoord dat netjes opgerold in het tuinschuurtje heeft gelegen, samen met wat bolletjes touw. Ze zegt dat ze u met alle genoegen van dienst zal zijn. Ze wil dat degene die dit heeft gedaan wordt gepakt.'

'En de achterdeur? Was die 's nachts afgesloten?'

'Dat weet ze niet. Ze zegt dat Andy vaak niet de moeite nam om het nacht-slot erop te doen, en dat ze hem weleens heeft gezegd dat dat niet verstan-dig was, maar hij zei dat ze hier op het platteland zaten, en dat er op het platteland maar weinig misdaad voorkwam.'

Wexford zuchtte.

Het doosje was opengesprongen en Targo was naar buiten gekomen, met dat hanige loopje van hem. Hij had Wexford strak aangekeken, hem zelfs uitgedaagd. Het dilemma waarmee Wexford zich nu geconfronteerd zag, was niet anders dan toen: hoe kon hij iemand aan een verhoor onderwer-pen als diegene op geen enkele manier in verband gebracht kon worden met het slachtoffer van de moord waarnaar hij nu een onderzoek instelde?

'Die vrouw op nr. 5,' zei Burden, 'heeft die alleen Catherine Lister gezien, kort na zevenen?'

'Ze kan Targo niet gezien hebben als hij de tuin is binnengedrongen vanaf het paadje daarachter, op dezelfde manier waarop hij jaren geleden is binnengedrongen toen Elsie Carroll werd vermoord.'

'Iemand is die tuin binnengedrongen, Reg, maar Targo kan het niet geweest zijn. Dat is inmiddels een oude man. Als hij Elsie Carroll werkelijk heeft vermoord – en daar heb ik zo mijn twijfels over, en dat geldt ook voor zijn betrokkenheid bij de moord op Billy Kenyon – zou hij dan tegenwoordig nog steeds de kracht hebben om iemand te wurgen die een kop groter was dan hij? Zou hij inmiddels nog de kracht hebben om wie dan ook te wurgen?'

'Híj wel,' zei Wexford. 'Wat voor smoes kan ik verzinnen om met Targo te gaan praten?'

'Een witte bestelwagen die bij twee verschillende gelegenheden voor het huis van Andy Norton geparkeerd heeft gestaan... wat dacht je daarvan? Of een zilverkleurige Mercedes?'

'Maar die hebben daar niet geparkeerd gestaan. Voor zover wij weten niet tenminste. En nee, Mike, we gaan nu niet aan de slag met denkbeeldige scenario's, want die hebben we helemaal niet nodig. We hebben geen voorwendsels nodig. Wat zou ons ervan kunnen weerhouden om iedereen te verhoren die we maar willen, over welk misdrijf dan ook dat binnen ons ambtsgebied is gepleegd?'

Op de middag van de dag na de dood van Andy Norton reed Wexfords chauffeur, Donaldson, hem samen met rechercheur Lynn Fancourt naar Stringfield. Terwijl ze door het dorpje Stoke Stringfield reden, dacht Wexford even aan Helen Rushford, die een paar maanden zijn vriendin was geweest toen hij in Brighton woonde, het meisje dat hem had gezegd dat ze van hem hield en dat hij alles was wat ze maar wilde. Ze woonde hier ergens, en was inmiddels ongetwijfeld oma, en hij zou allang niet meer zijn wat zij wilde. Zou ze dáár misschien wonen, in dat huis aan de brink, of ergens aan dat laantje daar? In een van deze fraaie oude landarbeiderswoninkjes misschien? Als ze nu een van die huizen uit gelopen kwam, zou hij haar dan herkennen? Waarschijnlijk niet.

Ze kwamen tot stilstand voor Wymondham Lodge. Er stonden geen auto's op de oprit, maar in de garage was plek voor twee, dus misschien stonden ze binnen.

'Kijk eens, meneer,' zei Lynn, 'die dieren. Zijn ze niet prachtig? Zijn dat lama's of alpaca's?'

'Geen idee,' zei Wexford, en hij glimlachte naar de vriendelijk aandoende dieren die nu naar het hek toe gelopen kwamen, misschien omdat ze hoopten op een lekker hapje. 'Targo heeft ook een paar grote katten geloof ik. Maar die zitten achter tralies.'

Toen hij aanbelde, hoorden ze geblaf. Het klonk, merkte Lynn op, alsof het twee honden waren, en dat bleek ook het geval te zijn, de Tibetaanse spaniël en een Staffordshire bulterriërpuppy, dat door een vrouw van gevorderde middelbare leeftijd aan de lijn werd gehouden. De vrouw had het roodste haar dat Wexford ooit gezien had. Hij had weleens geraniums gezien met zo'n kleur, maar nog nooit iemand met zulk haar. Het was als een soort helm over haar grote hoofd gevlochten, en daaronder zag hij een gezicht dat met zijn gedrongen gelaatstrekken en opgetrokken neusje meer weg had van een pekineesje dan van een spaniël of bulterriër. Ze was forsgebouwd en nogal dik, maar ging wel duur gekleed, in een zwarte lange broek en een brokaten jasje met lovertjes. Nadat ze zonder veel uitdrukking op haar gezicht naar hun rechterlijk bevel had gekeken, richtte ze haar nogal uitpuilende ogen op Wexford.

'O ja,' zei ze, 'ik heb hem uw naam horen noemen.'

Dat had hij niet verwacht. 'Mevrouw Targo?'

'Ik ben Mavis Targo, ja.'

Haar manier van doen had geen enkele charme, en haar stem klonk ruw en onhartelijk.

'We willen uw man spreken.'

Ze maakte de lijn van de bulterriër los, die onmiddellijk tegen Wexford opsprong. Ze glimlachte toegeeflijk, maar toen ze Wexford toesprak, was de glimlach meteen verdwenen. 'Hij is niet thuis.'

Hij gaf de hond een duw. Het dier was sterker dan hij had verwacht. 'Wanneer verwacht u hem?'

'Ik verwacht hem niet. Hij doet wat hem uitkomt. Hij gaat volkomen zijn eigen gang.'

'Kunnen we binnenkomen, alstublieft?'

Wexford zette zijn voet op de drempel, zodat ze geen andere keus had dan hem binnen te laten. Lynn liep snel achter hem aan om te voorkomen dat de deur in haar gezicht werd dichtgeslagen. Het oude huis beschikte over een elegantie die door de inrichting vrijwel volkomen teniet werd gedaan. Ze stonden in een ruime hal met een fraaie trap die met een bocht naar de eerste verdieping liep, maar de ruimte was volgepropt met vergulde tafeltjes en stoeltjes in een achttiende-eeuws Frans aandoende stijl die duidelijk nep was, en op de vloer lag een wit-roze vast tapijt met Chinese motieven. Een grote kroonluchter aan het plafond vormde een glitterende waterval van prisma's. Het puppy sprong op een van de tafels en bleef daar kwispelend staan.

'Van de tafel, liefje,' zei mevrouw Targo zonder veel overtuiging.

'Ik snap niet waarom u hier binnen wilt komen,' zei ze tegen Wexford. 'Ik heb al gezegd dat hij niet thuis is, en ik weet niet wanneer hij thuiskomt. Ik heb hem sinds gisterochtend niet gezien.'

'Zestig procent van de inwoners van dit land heeft een mobiele telefoon,' zei Wexford. 'Ik weet zeker dat uw man er ook een heeft. Wilt u hem bellen, zodat ik hem kan spreken?'

'Wat? Nu?'

'Nu.'

'Komt u dan maar mee.'

'Meekomen' hield in dat ze de grote woonkamer binnenliepen, die min of meer in dezelfde stijl was ingericht als de gang, maar dan met een blauw vast tapijt, dat voor een groot deel schuilging onder een in blauw, wit en roze uitgevoerd karpet dat door de honden danig was aangevreten, zodat een groot deel van de zoom ontbrak. Het puppy rende er onmiddellijk naartoe, zette zijn tanden in de rand waar de zoom zich ooit had bevonden en begon vol overtuiging te knauwen.

'Laat dat tapijt met rust, liefje,' zei mevrouw Targo, maar toen de hond niet luisterde, bleek haar dat niet te deren. Ze nam een roze en zilverkleurig mobieltje van een van de tafels en toetste op een lethargische, bijna depressieve manier een nummer in. Haar vingernagels hadden dezelfde kleur als haar haar.

Toen er kennelijk niet werd opgenomen, toetste ze hoofdschuddend een tweede nummer in. Vanuit een foto in een zilveren lijstje op de piano keek Targo hem strak aan. De foto was niet lang geleden genomen, na de behandeling waarbij de wijnvlek was weggehaald. Targo glimlachte – ongetwijfeld vol trots op zijn nieuwe, ongeschonden uiterlijk. Bij iedereen behalve dit monster zou het aandoenlijk zijn geweest, misschien zelfs wel een beetje zielig. Naast die ene foto van Targo stonden er vier van zijn vrouw, die waren genomen toen ze jonger en slanker was. Op een van de foto's droeg ze een bruidsjurk bezaaid met pareltjes.

'Hij neemt niet op,' zei ze. 'Wilt u dat ik een bericht inspreek?'

'Ik doe het wel,' zei Wexford. 'Geeft u me de telefoon maar.'

Hij vroeg Targo contact met hem op te nemen en gaf hem een nummer op. Als dit tenminste de voicemail van Targo was en ze niet een heel ander nummer had ingetoetst.

'Waar ging hij naartoe toen hij gisterochtend vertrok?'

'Hij moest bij iemand langs in Kingsmarkham. Dat heeft hij gezegd, maar hij vertelde er niet bij wanneer hij terug zou zijn of zo.'

'Wat doet uw man voor de kost?'

'Hij is grotendeels met pensioen, maar hij doet zo nu en dan nog wat huizen.'

'Als projectontwikkelaar bedoelt u?'

'U weet wel, van die sociale huurflats die door de bewoners zelf met korting gekocht kunnen worden.'

'En waar is hij nu dan, mevrouw Targo?'

'Dat weet ik toch ook niet? Ik heb geprobeerd hem te bereiken en hij neemt niet op. Wat kan ik verder nou nog doen?'

'Uw hond eet de bloemen op,' zei Lynn. 'In die vaas daar.'

Wexford onderdrukte een glimlach. 'Het is nu tien over drie. Ik bel u om zes uur, maar of hij nou thuis is of niet, om zeven uur staan we hier weer voor de deur. Als uw man belt, zegt u dan maar dat ik hem hier om zeven uur verwacht.'

Toen ze naar de gang toe liepen, gebeurde er iets onthutsends. Ergens op het terrein achter het huis klonk een hees gebrul.

'Het klonk als een leeuw,' zei Lynn.

'Het ís een leeuw.' Mevrouw Targo zuchtte. 'Dat is King. Mijn man is dol op hem, maar ik heb het niet zo op dat beest... Nou, ik zal hem moeten voeren voordat Eric terugkomt, anders gaat hij urenlang zo door.'

'Mag hij zomaar een leeuw houden?' vroeg Lynn toen ze buiten stonden.

'God mag het weten. Daar ga ik me nu niet druk om maken.' Er werd opnieuw gebruld, en toen nog een keer, telkens luider. 'Het is maar goed dat hij geen naaste buren heeft.' Stop de leeuw in een doosje en leg dat in een la, dan houdt hij op met brullen...

Om zeven uur, toen Lynn en hij weer voor de deur stonden, hoorden ze de leeuw niet meer brullen en het was te donker om andere dieren te kunnen zien. Er schenen ook geen sterren aan de hemel en het land vormde een golvende grauwe vlakte, bezaaid met zwarte bomen, die iemand met veel verbeeldingskracht misschien zou hebben kunnen vergelijken met de Afrikaanse savanne. Targo was nog steeds niet thuis. Hij had gebeld, zei zijn vrouw, of in elk geval had er iemand gebeld en een bericht voor haar ingesproken op de vaste lijn.

'Wilt u daarmee zeggen dat u niet thuis was toen er werd gebeld?'

'Ik moest King toch zeker voeren? Dat vind ik doodeng. En daarna moest ik de honden uitlaten.'

'Wie heeft dat bericht ingesproken?'

'Dat weet ik niet. Eerst dacht ik dat het iemand van zijn kantoor was, maar hij heeft laatst gezegd dat hij op dit moment niemand in dienst heeft.'

'Wilt u daarmee zeggen dat het uw man zelf was, die zijn stem had verdraaid?'

'Het zou kunnen. Ik kon het niet uitmaken. Ik was echt helemaal over mijn toeren vanwege King.'

Misschien heb je zelf ook een doosje nodig, dacht Wexford.

'Hoe luidde dat ingesproken bericht?'

'Alleen maar dat het goed met hem ging en dat hij nog wel zou bellen.'

'Wat, die geheimzinnige stem heeft alleen maar gezegd dat hij namens uw man sprak en dat hij morgen wel zou bellen?'

'Inderdaad.'

'Dat wil ik dan graag even horen.'

'O, ik heb het inmiddels gewist. Dat doe ik altijd met berichten, zodat ik niet hopeloos in de war raak.'

'Goed. Ik wil het adres van zijn kantoor, de nummers van alle telefoons die hij in zijn bezit heeft, en het kenteken van zijn auto. Rechercheur Fancourt noteert al die nummers wel. Vooruit, mevrouw Targo.'

Toen Lynn alle nummers had genoteerd, waarbij het haar enige moeite kostte om het nummer van de Mercedes van mevrouw Targo los te krijgen, vroeg Wexford naar de witte bestelwagen en kreeg hij te horen dat die in de garage stond. Mavis Targo begon nu eindelijk een beetje onrustig te worden. Het had lang geduurd voordat ze uit haar apathie was wakker geschud, maar nu was ze duidelijk uit haar doen.

'Ik zeg u toch telkens weer dat ik niet weet waar hij is. Ik hou niet voortdurend in de gaten waar hij uithangt.' En met een onverwacht bittere klank in haar stem voegde ze daaraan toe: 'Ik zou het hier niet lang uithouden als ik dat wel deed.'

'Zijn zoon en dochter wonen hier of niet ver hiervandaan. Ik wil graag hun adres en telefoonnummer.'

'Die heb ik niet! Ik krijg ze bijna nooit te zien. Hij ontvangt ze hier nooit. Hij gaat naar hen toe. Ik weet niet waar ze wonen.'

'Dan stel ik voor dat u een telefoonboek pakt en het voor me opzoekt. Ik neem aan dat u weet wat de achternaam van zijn getrouwde dochter is?'

Ja, dat wist ze. Het duurde even voordat Lynn erin geslaagd was om het telefoonboek te vinden en de namen op te zoeken terwijl mevrouw Targo een sigaret rookte, zichzelf een gin-tonic inschonk en Wexford vroeg of hij en 'de jongedame' ook iets wilden drinken. Dat aanbod werd afgeslagen. De Tibetaanse spaniël begon te janken, en terwijl het gejank steeds schriller begon te klinken, volgde het puppy zijn voorbeeld. Eerst liet het dier korte geluidjes horen, maar even later ging het over op een volwassen geblaf.

'Ze vragen om hun eten,' zei Mavis Targo.

Lynn gaf het puppy een klopje op zijn kop. 'Hij zal zijn baas ook wel missen, denk ik.'

Het kantoor bevond zich in Sewingbury, een kilometer of vijf van Targo's huis, in een klein gebouw met één bovenverdieping aan de rand van het industrieterrein. De straatlantaarns brandden, maar in de meeste gebouwen was het donker.

Net zoals het kantoor dat Targo had gehad toen hij in Myringham een reisbureau dreef, leek het te bestaan uit niet meer dan één vertrek. Lynn scheen met haar zaklantaarn door het venster in de deur, zodat er een tafel en twee stoelen zichtbaar werden, net als in Myringham. Op de vloer stonden twee kommen, de ene voor water en de andere voor hondenvoer. Het enige wat er nog ontbrak, waren affiches met exotische vakantiebestemmingen en de eigenaar zelf. Er was niemand aanwezig en de deur was op slot. Er stonden geen auto's op de parkeerplaatsen voor het gebouw. Het maakte allemaal een zeer verlaten indruk.

Terug op het bureau belde Wexford alle nummers die hij had gekregen. Op Targo's eigen nummer werd hem gevraagd een bericht in te spreken. Alan Targo nam zelf de telefoon op. Hij klonk beleefd en vriendelijk maar had geen idee waar zijn vader zich bevond. Hij had hem al drie weken niet gezien.

'Ik ben advocaat,' zei hij. 'Mijn firma is gevestigd aan Queen Street.'

Wexford dacht erover om de man te vertellen dat hij hem had gezien toen hij nog een kind van vier was, maar bedacht zich.

'Mijn zus is op het moment hier, dus als u haar wilt spreken? Maar ik weet dat ze papa in geen weken gezien heeft.'

En dat bleek inderdaad het geval. Hij herinnerde zich die andere avond, lang geleden, toen Alan aan de voeten van zijn vader zat en de hond aaide, en toen de vrouw met wie hij nu aan het praten was, nog in de buik van haar moeder zat. Maar daar was niets merkwaardigs aan. De helft van de mensen die hij tegenwoordig sprak, was toen hij jong was nog niet geboren...

Hij verspilde zijn tijd, zei Burden toen ze samen iets gingen drinken. Wexford vertelde hem dat ze straks ook samen een hapje gingen eten, want ze konden nog niet naar huis. Vijf minuten geleden had hij mevrouw Targo gebeld en van haar te horen gekregen dat haar man nog steeds niet thuis was.

'Straks ga ik terug naar de dierentuin. Als je zin hebt kun je mee. Die man moet toch ooit eens een keer thuiskomen.'

Ze waren het Dal Lake ontrouw geweest en in plaats daarvan naar een restaurant gegaan dat als gimmick had dat het alleen maar ouderwets Brits eten serveerde. Geen 'Engels' eten, want er stond soms ook haggis op het menu, en ze hadden pasteitjes uit Cornwall.

'Cornwall ligt in Engeland,' zei Burden.

'Daar denken de Cornish anders over. Volgens hen begint Engeland pas als je de Tamar oversteekt.' Wexford had geen al te beste herinneringen aan dat graafschap (of land) en de afschuwelijke Medora in Port Ezra, al had hij daar ook mooie dingen meegemaakt, want in Newquay had hij zijn vrouw voor het eerst ontmoet. Merkwaardig toch om zich te herinneren dat hij Targo destijds al tegen het lijf was gelopen, en dat die man hem dus het grootste deel van zijn leven al had vergezeld.

'Waarom doet hij dat, Mike? Elsie Carroll? Billy Kenyon? En nu Andy Norton? Hij heeft die mensen niet gekend. Het enige wat hij met ze gemeen had, was dat ze toevallig in dezelfde buurt woonden als hij. Maar waarom uitgerekend die drie? Had het willekeurig wie kunnen zijn? O, ik weet dat ik je er nog van moet zien te overtuigen dat hij ze werkelijk heeft vermoord.'

Als er al een antwoord nodig was, dan liet Burden dat achterwege. 'Ik neem de vispastei. Ik heb zin in al die saus en aardappelpuree. Mijn moeder zou het voedzaam hebben genoemd, al weet ik niet of de voedingsdeskundigen van tegenwoordig dat met haar eens zouden zijn. Waarschijnlijk zit er te veel vet in. Niet dat ik me daarom hoef te bekommeren.'

'Niet zo zelfvoldaan, jij. Ik heb het zo al zwaar genoeg.'

Burden lachte. 'En een glas sauvignon, denk ik. Zal ik er ook aardappelen bij nemen of alleen maar spruitjes en wortelen?'

'Als je er nou ook al aardappelen bij neemt, is dat voor mij nog veel moeilijker te verdragen.' Hij keek op van het menu en zei tegen de serveerster: 'Voor die meneer daar een vispastei alstublieft, en voor mij rosbief, maar helaas zonder de Yorkshire-pudding, want van al dat in rosbiefjus gebakken beslag word ik veel te dik. En graag een glas kraanwater erbij, want ik moet straks nog rijden en ik heb geen zin om geld te verspillen aan gebotteld spuitwater. Dat vind ik echt de grootste afzetterij van deze spilzieke tijd.'

Burden nam de inrichting aandachtig in zich op. De wanden werden voor de helft in beslag genomen door muurschilderingen. Op de ene muur stonden Morris-dansers en op de andere ridders die bezig waren met een toernooi. 'Op de muur achter je kun je zien dat ze bezig zijn met de wisseling van de wacht voor Buckingham Palace.'

'*Christopher Robin went down with Alice,*' zei Wexford. '*Alice is marrying one of the guard. "A soldier's life is terribly hard," said Alice.* Volgens mij is dat het eerste gedicht dat ik ooit heb gelezen.'

Burden liet een lichte zucht horen. 'Gaan we daar vanavond werkelijk weer naartoe? Maar waarom dan?'

'Nou, deels om Targo te vragen waar hij zich gisterochtend bevond tussen kwart over zeven en halftien.' De drankjes werden gebracht. Burden kreeg een groot glas sauvignon blanc.

'Heb je je weleens gerealiseerd dat water een stuk minder deprimerend zou zijn als het een kleurtje had? Als het lichtblauw of lichtroze was, bedoel ik, en van nature, dat spreekt vanzelf. Niet een of ander kleurtje dat ze erdoorheen hebben gemengd.'

'Nee, dat is nooit bij me opgekomen. Als je straks niet een eind zou moeten rijden om aan een zinloze zoektocht te beginnen, kon je nu een groot glas rode wijn nemen.'

De serveerster kwam de hoofdgerechten brengen en een andere serveerster bracht de groenten. 'Ik had de Yorkshire-pudding beter wél kunnen nemen, maar nu is het te laat.' Hij zette zijn mes in een plakje rosbief. 'Ik heb me afgevraagd waarom hij dat doet. Waarom vermoordt hij mensen die hij niet kent? Dat was trouwens een retorische vraag. Ik weet hoe hij die mensen uitkiest, ook al weet ik niet wat hem ertoe drijft om ze te vermoorden.'

'Nou, vertel het me dan maar. Deze vispastei is echt heel lekker.'

'Hij kiest iemand uit,' zei Wexford, 'van wie iemand anders verlost wil zijn.'

'Wat?'

'Je hebt me wel gehoord, Mike. Hij hoeft het slachtoffer niet te kennen, zolang hij maar iets over hem of haar weet. Eerst was het Elsie Carroll. Het was in de buurt algemeen bekend, zij het niet bij die arme mevrouw Carroll zelf, dat haar man van haar af wilde, zodat hij zich ongehinderd aan Tina Malcolm kon wijden. De moeder van Billy Kenyon kon haar zoon missen als kiespijn omdat Bruce Mellor alleen maar met haar wilde trouwen als Billy het huis uit was. Misschien zijn er in Birmingham en Coventry nog wel anderen geweest die ook iemand nodig hadden om hen te verlossen van iemand die hen voor de voeten liep, maar als dat het geval is, dan hebben wij daar geen weet van. En wat Andy Norton betreft...'

'Zijn vriendin zei dat iedereen die hem kende dol op hem was. Niemand wilde hem kwijt, dat is wel zeker.'

'Ik wilde hem kwijt, Mike,' zei Wexford. 'Of in elk geval denkt Targo dat ik hem kwijt wilde.'

'Jij? Waarom jij?' zei Burden. 'Wat bedoel je in hemelsnaam?'

'Targo is volledig toerekeningsvatbaar, maar wel een psychopaat. Hij is een monster. Hij heeft absoluut geen geweten en is volkomen ongevoelig voor verdriet en pijn van anderen. Maar om de een of andere reden, en wat die reden is weet ik niet, heeft hij er behoefte aan om mensen die dat nodig hebben een handje te helpen bij hun problemen. Misschien dat hij toch over een bepaald soort geweten beschikt. Misschien doet hij zulke dingen zodat hij tegen zichzelf kan zeggen: "Zo slecht ben ik nou ook weer niet. Ik heb hem een dienst bewezen." Of misschien verschaft het hem een reden voor wat hij doet. Hij moet iemand vermoorden, maar hij heeft wel iets nodig waarmee hij dat voor zichzelf kan rechtvaardigen.'

'Het klinkt krankzinnig. Wat voor dienst zou hij jou daarmee dan bewezen hebben?'

'Denk er maar eens over na,' zei Wexford, en hij nam een flinke slok kraanwater. 'Hij heeft dagenlang naar mijn huis zitten kijken. Hij moet Andy Norton naar binnen hebben zien gaan... door de achterdeur in plaats van door de voordeur, en dat moet bij hem de indruk hebben gewekt dat die man iets in zijn schild voerde. Hij heeft gezien hoe Norton zijn auto parkeerde, achterom ging en dan drie uur lang wegbleef. Dora heeft hij nooit

gezien, maar hij moet geweten hebben dat ze thuis was. Begrijp je het nu?'
'Ik geloof er niets van!'
'Dat betekent dus dat je het wél gelooft, want zo is het altijd als je dat zegt. Hoor eens, ik vind het afschuwelijk om zo te moeten denken, want ik weet dat zoiets voor mijn vrouw volstrekt onmogelijk zou zijn, maar voor Targo is dat waarschijnlijk doodgewoon. Het is mogelijk dat hij ook heeft gezien dat Damon Coleman mijn huis in de gaten hield, en als hij niet wist dat Coleman van de politie was, is het goed mogelijk dat hij heeft gedacht dat het een privédetective was, die ik had aangenomen om mijn vrouw in de gaten te houden. Ik was de bedrogen echtgenoot en Andy Norton was de minnaar van mijn vrouw.'
Burden schudde zijn hoofd, eerder verwonderd dan ongelovig. 'Wil je daarmee zeggen dat hij jou aardig vindt? Dat hij om je geeft?'
'Mensen aardig vinden heeft er wat hem betreft niets mee te maken. Zijn honden, dáár geeft hij om. En ook om zijn lama's en leeuw. Hij heeft gewoon iemand een dienst bewezen of de orde hersteld op een plek waar eerst chaos heerste. Of misschien doet hij dit soort dingen omdat hij zichzelf dan kan beschouwen als een rechtvaardige rechter, een beul die een gerechtvaardigd vonnis uitvoert. Ik geef eigenlijk de voorkeur aan die laatste invalshoek.' Wexford legde zijn mes en vork neer. 'Ik hoef geen toetje meer. Al dat denken over wat Targo allemaal niet gedaan zou kunnen hebben en waarom, heeft me mijn eetlust gekost. Targo is mijn nieuwe vermageringsmethode. Mijn afslankgoeroe. Als we hem niet kunnen oppakken voor de moord op Andy Norton, wat doen we dan? Blijven we de hele stad afzoeken, misschien zelfs wel het hele graafschap, naar mensen die van andere mensen verlost willen worden? De wereld is een treurig oord en dat zijn er ongetwijfeld duizenden.'
'Maar hij vraagt de mensen niet of ze werkelijk van iemand af willen, dus hoe kan hij daar nou zeker van zijn?'
'Mij heeft hij het niet gevraagd, maar sommige anderen misschien wél. Als hij er zeker van is dat de echtgenoot of ouder of wie het dan ook mag zijn, hem dankbaar zal zijn en niets zal zeggen over zijn aandeel daarin.'
Burden zat zwijgend voor zich uit te kijken. Na een paar minuten – wat heel lang is voor twee mensen die tegenover elkaar aan een tafeltje zitten – zwaaide hij even naar de ober en toen de man naar hem toe kwam, bestelde hij een crème brûlée. Wexford keek op zijn horloge.
'Het is tien over negen.'

'Goed. Het duurt niet lang. Per slot van rekening hebben we geen tijd met die man afgesproken.'

'Ik heb het gevoel dat hij er wel zal zijn. Ik vraag me af of hij nog steeds aan lichaamsbeweging doet.'

'Wat maakt dat nou uit?'

Wexford was iemand die op zijn gevoel vertrouwde en over het algemeen bewees zijn intuïtie hem goede diensten. Maar deze keer niet. De maan, die er net zo uitzag als de vorige avond, ietsje smaller maar precies dezelfde kleur, rees half boven de horizon uit terwijl Burden op de deurbel van Wymondham Lodge drukte. Toen Mavis Targo opendeed kwam het puppy haastig naar buiten gerend.

'Je bent zeker teleurgesteld, arme jongen?' zei Burden, en dat was duidelijk het geval, want toen het hondje hun geur opsnoof en merkte dat degene die nu voor de deur stond niet zijn baasje was, sloop het met zijn staart tussen de poten weg.

'Hij is er niet.'

Ook nu weer moest Wexford zachte drang gebruiken om het huis binnen te komen.

'Waar is hij, mevrouw Targo?'

'Ik heb niets van hem gehoord. Ik weet niet waar hij is.'

'Heeft hij een paspoort?'

'Natuurlijk.'

'Zou u dan even willen kijken of u het kunt vinden?'

Ze hoefde niet lang te zoeken. Ze tilde een bureaublad op en haalde Targo's paspoort tevoorschijn. Het rode boekje zat in een hoesje van verguld leer. 'Hij gaat heus niet naar het buitenland, als u dat soms denkt. Hij heeft een hekel aan het buitenland. Tijdens onze huwelijksreis zijn we naar Spanje gegaan, en daar vond hij het zo verschrikkelijk dat we eerder terug zijn gegaan. Hij zei dat hij zoiets nooit meer zou doen.'

Wexford liet zich daardoor niet overtuigen, maar het paspoort bevestigde haar woorden. Het was vrijwel ongebruikt en zag er nog volkomen nieuw uit. 'Is hij nooit eerder zo lang van huis geweest zonder u te laten weten waar hij uithing?'

'O god, zo vaak,' zei ze. 'Hij doet altijd precies wat in zijn hoofd opkomt. Hij zal wel voor zaken ergens heen zijn gegaan. Naar Birmingham, Manchester, Cardiff, of welke andere stad dan ook. Hij kan dagenlang wegblijven, soms wel een week. En als hij terugkomt, is het niet voor mij, maar om te kijken of King en zijn honden het goed maken.'

Wexford liet dat tot zich doordringen. 'Die sociale huurflats met recht van koop waar u het over had. Waar zijn die?'

'Een stel hier in de omgeving, en volgens mij nog wat in Birmingham. Ik weet het eigenlijk niet. Ik heb er nooit iets mee te maken gehad. Waarom zou hij daar trouwens naartoe moeten? Hij hoeft de huur niet op te halen.'

Verder viel er in Wymondham Lodge niet veel te doen.

'Wat was dat met die huurflats met recht van koop?' vroeg Burden toen ze weer in de auto zaten. 'Handelt Targo in onroerend goed?'

'Ik weet het niet, maar ik heb wel zo mijn vermoedens. Het werkt ongeveer zo. Er is ooit een wet uitgevaardigd die het mogelijk maakt voor huurders van sociale huurwoningen om een huis te kopen. Als zittende huurders krijg je je woning dan tegen dertig procent van de marktwaarde. Een paar miljoen mensen hebben zo hun eigen huis gekocht. Er zit een tijdslimiet op, waarbinnen je je huis niet kunt verkopen, maar als je eenmaal mag verkopen, kun je er flink aan verdienen.'

'Oké, maar wat heeft Targo daarmee te maken?'

'Nou, stel dat jij een flatblok weet, of beter nog, een rijtje huizen, met tien huurders erin, die alle tien recht van koop hebben. Dan bied je ze alle tien een flink bedrag om namens jou hun huis te kopen. Zelfs als je die steekpenningen erbij telt, krijg je op die manier een stel huizen in bezit voor ongeveer de helft van wat je er op de vrije markt voor zou moeten betalen. En daarna verhuur je die huizen weer aan de gemeente, die er woningzoekenden in zet. Daar kun je echt een klapper mee maken. En uit wat Mavis Targo ons heeft verteld, maak ik op dat Targo zich daarmee bezighoudt.'

'Dus dat is wat hij uitspookt in Cardiff of Birmingham of waar dan ook, en uitgaande van wat jij zojuist hebt gezegd, is er geen reden om ervan uit te gaan dat dat niet legitiem is. En zijn vrouw maakt zich niet druk als hij lang niets van zich laat horen. Daar is ze wel aan gewend.'

'Ik heb die twee mobiele nummers van hem telkens weer gebeld, en ze staan voortdurend op voicemail. Nadat we op zijn kantoor zijn geweest, heb ik ook zijn vaste nummer daar gebeld, en dat heeft niet eens een antwoordapparaat. De telefoon blijft gewoon eindeloos overgaan. Waarom zou iemand zo leven als hij zich niet met vuile zaakjes bezighield?'

'Ik weet het niet, Reg, en jij al evenmin. Er lopen nou eenmaal wonderlijke mensen rond. Hoe vaak heb ik jou niet horen zeggen dat Onze Lieve Heer een hoop rare kostgangers heeft?'

'Ik zet die Mercedes op de lijst met gezochte voertuigen en Targo zelf laat ik ook opsporen. O, ik weet dat daar geen gronden voor zijn, want dat zeg je telkens weer, maar morgenochtend ga ik meteen naar Freeborn.' Dat was de adjunct-hoofdcommissaris. 'Ik weet hem wel te overtuigen.'

'Nee, dat lukt je niet,' zei Burden. 'Luister nou eens. Wil je hem soms vertellen dat Targo god mag weten hoeveel tientallen jaren geleden drie mensen in Kingsmarkham en omgeving heeft vermoord? Hoe weet je dat? Daar heb je alleen maar een intuïtief vermoeden van. Waar is het bewijsmateriaal, zal hij vragen, en dan ga je een heel verhaal ophangen over Targo die mensen heeft vermoord van wie andere mensen verlost willen worden, en hoe hij jou ooit eens een tijdje heeft gestalkt. En dan vertel je dat je zijn auto wilt laten opsporen, en alle grensovergangen in het Verenigd Koninkrijk in de gaten wilt laten houden voor het geval Targo op een vals paspoort het land uit probeert te vluchten. "Wát?" zegt hij dan. "Donder op, jij! Ik heb wel belangrijker zaken aan mijn hoofd!"'

En dat was min of meer wat er gebeurde. Freeborn zei niet dat hij wel wat beters te doen had of dat Wexford moest opdonderen, maar hij gaf hem wel te verstaan dat er geen sprake van was om de zee- en luchthavens in de gaten te laten houden. Targo werd niet eens officieel als vermist beschouwd en de man mocht dan wel oud zijn, maar als het werkelijk klopte wat Wexford over zijn lichamelijke gezondheid en kracht had verteld, was er geen enkele reden om te geloven dat zijn verdwijning ook maar iets te maken had met zijn leeftijd.

'Heeft zijn vrouw hem als vermist opgegeven, Reg?'

Wexford schudde zijn hoofd. 'Ze zegt dat hij wel vaker een tijd wegblijft en dan al zijn mobieltjes uitschakelt.'

'Nou dan.'

Meer viel er niet te zeggen.

Damon Coleman en Lynn Fancourt waren inmiddels bij iedereen in de omgeving van Cambridge Road aan de deur geweest, maar zonder resultaat. Wexford ging terug naar het rijtje huizen daar en voerde louter en alleen om zichzelf tevreden te stellen een reconstructie uit van wat zich vermoedelijk had afgespeeld op de ochtend van de moord op Andy Norton. Zelf speelde hij daarbij de rol van Targo. Als Targo sloop hij het schuurtje binnen en vond daar een doos met losse eindjes en bolletjes touw waar de moordenaar het raamkoord vandaan had gehaald. Toen hij rechtop ging staan, stootte hij zijn hoofd tegen het dak. Targo was bijna twintig centimeter korter dan hij, dus die zou zijn hoofd niet gestoten hebben. Met een eindje touw in zijn hand – dat precies de juiste lengte had om er iemand mee te wurgen – ging hij op een krukje zitten en vroeg zich af welk moment van de dag hij nu eigenlijk probeerde te reconstrueren. Halfzes 's ochtends? Nee, dat was te vroeg. Zes uur dan. En hoe was Targo hier gekomen? In een van zijn auto's. Die zou hij vermoedelijk ergens in Pomfret geparkeerd hebben en daarna zou hij dan naar Cambridge Road zijn gelopen. Dat kon best. Zo groot was Pomfret niet.

De achterdeur had niet op slot gezeten, maar wanneer was die dan voor het laatst van het slot gedaan? Wexford stond op en liep met het eindje touw in de hand over het met chrysanthemums en herfstasters omzoomde tuinpad naar het kleine terras tussen de achterdeur, de tuinmuur en het keukenraam. Targo had dat vermoedelijk in het donker willen doen, maar eenmaal op het terras had hij zich nergens meer verborgen kunnen houden. Het leek aannemelijk dat de achterdeur niet op slot had gezeten. Was Targo zonder te kloppen naar binnen gegaan? Of had hij wel geklopt, zodat Norton naar beneden was gekomen? En hoe had Targo geweten dat Catherine Lester al was vertrokken? Omdat hij het licht aan had zien gaan in het huis hiernaast? Wexford keek over de muur die de tuin scheidde van de tuin van de buren en zag dat dat heel goed mogelijk was. Vervolgens deed hij wat Targo zelf ook gedaan zou kunnen hebben. Lynn kwam opendoen en Wexford stapte het huis binnen.

Andy Norton zou hem ongetwijfeld meteen gevraagd hebben wat hij hier uitspookte, maar daardoor zou Targo zich niet hebben laten weerhouden. Hij kon alles zeggen wat hij maar wilde, want de harde waarheid was dat Norton hem toch nooit meer zou terugzien.

Wexford stapte de woonkamer binnen, net zoals Targo gedaan moest hebben terwijl Norton hem voorging. Terwijl Targo nog achter Norton stond zou hij het koord om diens nek hebben geslagen, net zoals de Indiase *thuggees* vroeger met hun wurgkoorden. Hij voelde woede in zich opkomen bij de gedachte dat deze zachtmoedige en onschuldige man Targo's zoveelste slachtoffer was geworden.

Het enige wat ik wil, dacht hij terwijl hij in de auto zat, is een kleine doorbraak. Gewoon iets wat ervoor zorgt dat iemand anders me gelooft, al is het maar een heel klein beetje. Een persoon die me het voordeel van de twijfel gunt. Ik weet niet wat ik nu moet beginnen, behalve dan al die nummers nog een keer bellen, behalve dan teruggaan naar Wymondham

Lodge om met die vrouw te praten en te worden aangevallen door een roedel dolle honden. Ik weet niet wat ik moet doen als er geen doorbraak komt.

Lynn Fancourt had hem zien zitten en liep naar zijn auto. Hij liet het zijraampje zakken.

'Ik heb met een vrouw gepraat in Oxford Road,' zei ze 'Dat is de straat parallel aan deze. Het pad loopt tussen de twee rijen tuinen door. Maar misschien wist u dat al.'

'Dat wist ik al, ja. Ben je ook nog iets nieuws te weten gekomen?' En zorg dat het de moeite waard is, dacht hij, maar dat zei hij niet hardop.

'Ze heet Wentworth. Pauline Wentworth. Op de ochtend dat Andy Norton werd vermoord, is ze iets voor zessen naar beneden gelopen om de telefoon op te nemen. Ze heeft geen aansluiting boven. Ze nam de telefoon op omdat haar dochter elk moment kan bevallen en ze dacht dat het daarover ging, maar het was iemand die verkeerd verbonden was. Daarna is ze niet meer naar bed gegaan, want ze wist dat ze toch niet meer zou kunnen slapen. Het was natuurlijk nog donker, maar het was bijna volle maan, weet u nog wel? Ze liep de keuken binnen om water op te zetten. En toen keek ze in de tuin en zag dat de deur in de achtermuur open was en in de wind heen en weer zwaaide. Dat was niet verwonderlijk want die had ze de vorige avond niet afgesloten. Ze liep de tuin in om de deur dicht te doen, en terwijl ze daarmee bezig was, zag ze iemand anders die de tuin van Andy Norton binnenliep.'

'Waarom heeft ze ons niet gebeld?'

Lynn sloeg haar ogen ten hemel. 'Ze zegt dat ze dat niet heeft gedaan omdat ze meende hem te herkennen. De man die de tuin binnenliep, bedoelde ze. Ze dacht dat het iemand was die hier een paar jaar geleden weleens zijn hond kwam uitlaten. Een van die honden was achter haar kat aan gegaan en ze had hem gezegd dat hij zijn hond aan de lijn moest doen. Ze zei dat de man klein van stuk was, niet langer dan zij, en niet jong, meer, maar... en nu komt het, meneer, dat hij de vorige keer dat ze hem zag een grote wijnvlek in zijn nek had, maar dat ze bij deze man geen wijnvlek had gezien.'

Wexford wist zijn opwinding goed onder controle te houden, en zei rustig: 'Kon ze dat in het donker dan zien? Of liever gezegd: in het maanlicht?'

'Ze laat aan het uiteinde van haar tuin de hele nacht een lamp branden. Kennelijk hebben wij, de geüniformeerde politie bedoel ik, nadat er een keer bij haar was ingebroken tegen haar gezegd dat ze dat maar beter kon doen.'

'Waar dacht ze dan dat die man mee bezig was?'

'Dat wist ze natuurlijk niet. Maar ze dacht dat het wel in orde zou zijn, omdat hij "een gerespecteerd iemand" was, en iemand die van dieren hield. Misschien, zei ze, was een van zijn honden de tuin binnengelopen en wilde hij die terug zien te halen zonder de bewoner wakker te maken. Als u het mij vraagt, meneer, zijn die dierenliefhebbers allemaal een beetje kiere-wiet.'

Hij lachte. 'Dankjewel, Lynn. Goed werk.'

Ik ken hem, hield Wexford zichzelf voor. Ik weet hoe hij te werk gaat en ik ken zijn manier van denken, maar dit nieuwe scenario dat ik me nu voor de geest haal... nee, zo kan het niet gegaan zijn. Hij stapte zijn huis binnen en ging op zoek naar zijn vrouw.

14

'Ik had het gevoel dat ik hem echt heel goed kende,' zei ze langzaam. 'Net of hij een goede kennis was. En weet je, over het algemeen heb ik dat niet met mensen die ik nog maar een paar weken ken.' Plotseling moest ze ergens aan denken. Aan de uitdrukking op haar gezicht kon hij wel zien wat het was, en dat was wel het laatste wat hij wilde dat ze zou denken. 'Hij is toch niet vermoord vanwege iets wat ook maar iets te maken heeft met dit huis en met... met mij?'

'Ik weet niet waarom hij is vermoord,' zei hij naar waarheid, en toen loog hij: 'Maar met jou kan het niets te maken hebben gehad. Eerlijk niet.'

'Ik zou het afschuwelijk vinden als dat wel zo was. Daar zou ik nooit overheen komen. O, Reg...'

Hij trok haar stevig tegen zich aan. Ze hief haar gezicht naar hem op voor een kus, precies zoals ze dat in Newquay had gedaan, toen ze voor de tweede keer een avondwandeling waren gaan maken. Het was het grootste blijk van vertrouwen dat hem ooit betoond was.

Een tijd later was hij weer in Pomfret. 'Kunt u beschrijven hoe die man eruitzag?'

'Niet erg lang van stuk,' zei mevrouw Wentworth. 'Heel wat minder lang dan u, bedoel ik.' De blik die ze Wexford toewierp, een beetje aarzelend en streng, alsof hij haar goedkeuring eigenlijk niet kon wegdragen, zorgde ervoor dat hij zich plotseling erg groot en lomp voelde, als een reus in een menselijk rariteitenkabinet. 'Ik heb vroeger in Stringfield gewoond, en daar zag ik hem een of twee keer per week met een hond lopen, maar dat is al jaren geleden... dat ik hem voor het laatst heb gezien, bedoel ik. Ik heb de jongedame verteld dat ik hem meende te herkennen, maar dat ik daar niet zeker van was omdat hij een grote wijnvlek had, en deze man niet. Zoiets kun je toch niet laten weghalen?'

'Met plastische chirurgie is tegenwoordig van alles mogelijk, mevrouw Wentworth.'

'Als ik hem in Stringfield tegenkwam, had hij altijd een sjaal om. Zelfs als het 's zomers heel warm was. Toen vertelde iemand dat hij die om had om die wijnvlek te verbergen en op een dag deed hij die sjaal af terwijl ik stond te kijken, en toen heb ik die wijnvlek gezien. Maar volgens u heeft hij die laten weghalen?'

'Het zou kunnen.'

'Nou, dan is het hem geweest. Ik kon hem heel goed zien, omdat het volle maan was en de tuinlamp aan was. Ik dacht al dat hij het was, maar toen ik zag dat hij die afschuwelijke wijnvlek niet had, dacht ik bij mezelf, nou dan kan het hem niet wezen. Maar hij moet het wel geweest zijn. Ik heb trouwens die ochtend geen hond gezien. Ik dacht dat dat de reden was waarom hij de tuin van meneer Norton binnenliep. Ik dacht: misschien is zijn hond de tuin wel binnengelopen, en is hij naar hem op zoek.'

Zou dat voldoende zijn om Freeborn ervan te overtuigen dat Targo's auto op de lijst met gezochte voertuigen geplaatst moest worden, en om naar hem te laten uitkijken op Heathrow, Gatwick en alle andere Britse luchthavens? Dat hij zijn paspoort thuis had laten liggen, zei wat dat betreft niets. Targo was er wel de man naar om over verschillende paspoorten te beschikken. Er was inmiddels al een heleboel tijd verloren gegaan – Andy Norton was al twee dagen geleden dood gevonden – maar nu had Wexford zijn gewenste doorbraak. Voor het eerst in al die jaren dat hij Targo in de gaten had gehouden en door Targo gestalkt was, voor het eerst in al die jaren dat hij de man had verdacht en zeker was geweest van diens herhaaldelijke schuld, beschikte hij nu eindelijk over concreet bewijsmateriaal voor Targo's betrokkenheid bij moord.

'Ben je nu overtuigd?' zei hij tegen Burden.

'Ik begin het in elk geval allemaal best overtuigend te vinden. En het spijt me, Reg, dat ik al die tijd zo getwijfeld heb. Ik begin overtuigd te raken omdat je me inmiddels zoveel achtergrondgegevens hebt verschaft, maar ik vraag me af of andere mensen ook overtuigd zullen zijn. De getuigenverklaring van die mevrouw Wentworth is niet bijster betrouwbaar, lijkt me. Stel je eens voor hoe dat voor de rechter zou klinken. Zelfs een niet bijster snuggere advocaat zal haar voorhouden dat het eind oktober om zes uur 's ochtends nog pikdonker moest zijn geweest – ondanks al dat maanlicht en die lamp in haar tuin – en haar vragen waarom ze denkt dat een man op leeftijd in staat zou zijn om over muren te klauteren. Haar gezichtsvermogen is toch niet al te best? Heeft ze eigenlijk geen bril nodig? Ze is tweeënzeventig en advocaten discrimineren ouderen altijd.'

'We hebben voldoende bewijsmateriaal om een nationaal opsporingsbevel tegen hem uit te vaardigen,' zei Wexford. 'Kijk niet zo ongerust! Ik ga eerst naar Freeborn om het te vragen. Maar als hij op de hoogte is van de feiten, zegt hij heus wel ja.'

En de adjunct-hoofdcommissaris zei inderdaad ja. Met tegenzin, maar weloverwogen, na enkele minuten nadenken. Nu moesten ze eerst de vermiste Mercedes zien te vinden. Maar wie had Mavis gebeld en dat bericht ingesproken? Was het mogelijk dat iemand zijn stem zo kon verdraaien dat zelfs zijn eigen echtgenote die niet herkende?

Targo was van huis gegaan, dacht Wexford, op dezelfde dag dat hij Andy Norton had vermoord. Waarschijnlijk maar een paar uur later. Hij stond er versteld van dat iemand zo ver verwijderd kon zijn van alle menselijke gevoel, van alle schrik en verontwaardiging, van zelfs het allereenvoudigste zelfonderzoek... dat hij na zo'n vreselijk misdrijf rustig zijn normale dagelijkse bezigheden weer kon opnemen. Maar helemaal volgens het normale patroon was die dag niet verlopen. Targo was van huis gegaan in een Mercedes, zonder zijn hond mee te nemen. Wat had dat te betekenen? Misschien alleen maar dat hij van plan was geweest een tijdje weg te blijven. Maar waar was hij dan eerst naartoe gegaan? Naar zijn kinderen? Nee, hij was niet bij zijn kinderen langsgegaan.

Zou hij soms bij zijn eerste vrouw op bezoek zijn geweest? 'Blij dat ik van die vent verlost ben,' had ze gezegd toen hij haar had ontmoet in winkelcentrum Kingsbrook, nu al weer jaren geleden. Maar mensen veranderden in de loop der jaren soms van mening, mensen verzoenden zich met anderen die ze ooit niet eens zouden hebben gegroet op straat.

En het was inmiddels echt een hele tijd geleden dat hij haar voor het laatst had gezien. Ze was nu achter in de zestig, zag er gezond en sterk uit, en was heel blij hem te zien.

'U bent nog niets veranderd,' zei Kathleen Targo.

Hoffelijk zei hij dat zij er zelfs nog jonger uitzag dan al die jaren geleden toen hij haar had gesproken in winkelcentrum Kingsbrook. 'Ik weet dat u nu mevrouw Varney bent, maar het was een hele toer om u te vinden. Het enige wat ik had om op af te gaan, was dat u in Sewingbury woonde.'

'Dat komt omdat ik hertrouwd ben. Jack is een paar jaar geleden gestorven en ik ben getrouwd met zijn beste vriend. Die is rond die tijd weduwnaar geworden.'

Ze liet hem binnen in de woonkamer en bood hem een kopje koffie aan. 'Nee, dank u wel. Ik heb het nogal druk.' Hij herinnerde zich het kind in de wandelwagen. 'Hoe gaat het met Philippa?'

'Ze is net afgestudeerd als arts. Ze maakt erg lange dagen, maar dat moet de eerste paar jaar nou eenmaal, hè?'

'U zult wel trots op haar zijn.'

'Reken maar. Ik heb heel veel geluk gehad, meneer Wexford. Al mijn kinderen hebben het ver geschopt. Ik ben gezond en sterk, en nadat ik was begonnen met een rotzak, heb ik twee keer een goede man gevonden. Ik mag niet klagen en dat doe ik dan ook niet.'

Ze vroeg of hij niet even wilde gaan zitten. Er stonden foto's van haar kinderen op de schoorsteenmantel, de tafeltjes en de piano. En op iets wat eruitzag als een ouderwets stereomeubel stond één foto van haarzelf als bruid die voor de tweede keer in het huwelijk trad. Hij vroeg zich af hoe hij zich zou hebben gevoeld als Dora al eerder getrouwd was geweest, en een foto van haar vorige bruiloft in de woonkamer had staan. Vervelend, dacht hij, maar Dora en hij waren jong geweest en verliefd, en dat was anders dan dit echtpaar dat was getrouwd om op hun oude dag wat gezelschap te hebben.

'U heette Varney van uw achternaam,' zei hij. 'Maar nu dus niet meer. Hoe moet ik u nu aanspreken?'

'Tegenwoordig ben ik mevrouw Jones, maar u mag wel Kathleen zeggen, hoor.'

'Uw eerste echtgenoot wordt vermist.'

Ze moest lachen. 'Maar ik denk niet dat iemand hem zal missen. Als hij verdwenen is, kunt u er zeker van zijn dat hij daar zelf de hand in heeft gehad.'

'Ik neem aan dat u niet weet waar hij nu uithangt.'

'Daar hebt u gelijk in. Ik weet niet waar hij is. Al zijn andere vrouwen zal hij eerder opzoeken dan mij. Hij is bij Mavis weg, hè? Ze konden niet met elkaar opschieten. Dat heb ik van Joanne gehoord. Alan wil niet dat er iets ten nadele van zijn vader wordt gezegd. God mag weten waarom niet, maar dat moet je hem nageven.'

Merkwaardig en interessant, dacht Wexford, dat volwassen kinderen nog steeds zo trouw kunnen zijn aan iemand die een slechte vader of moeder voor hen is geweest... vaak trouwer dan aan een goede ouder. Omdat ze nog steeds hoopten bij hun vader of moeder in de smaak te kunnen vallen misschien, zelfs na al die jaren nog, zodat die hun uiteindelijk toch hun liefde zouden schenken?

'Hij heeft zijn vrouw alleen maar verlaten in die zin dat hij ergens anders naartoe is gegaan. Weet u de naam en het adres van de vrouw met wie hij hier in Birmingham heeft samengewoond?'

'Tracy... Wacht even. Tracy Cole. Nadat ik hem de deur heb uitgezet, heeft hij een tijdje bij zijn moeder aan Glebe Road gewoond en toen is hij bij haar ingetrokken. Ik heb haar adres uit die tijd nog wel ergens liggen. Ik ben een van die mensen die nooit iets weggooit, dus dat vind ik misschien nog wel.'

'Geeft u me toch maar een kopje koffie,' zei Wexford. 'Als het niet te veel moeite is.'

'Nee hoor, dat is helemaal geen moeite.'

Zou die neiging om alles te bewaren zich ook uitstrekken tot nooit iets vergeten? Misschien. Het was hem opgevallen dat mensen die alle nutteloze briefjes en rommeltjes bewaren, de anale types zoals ze door psychoanalytici werden genoemd, over het algemeen een goed geheugen hadden. Hij zou het haar vragen. Die in vele opzichten zo moeilijke jaren aan Jewel Road zouden misschien nog niet in de nevelen van de tijd vervlogen zijn. Voor zijn geestesoog, als in een droom, zag hij Targo bij het straalkacheltje zitten, terwijl het kleine jongetje Alan, dat nog steeds zo loyaal aan hem was, naar hem toe stapte en hem goedenacht kuste, en daarna de spaniël over zijn zijdezachte kop aaide...

Ze kwam terug met een dienblaadje met een pot koffie en twee kopjes. Er lag ook een vergeeld velletje papier op waarop iemand lang geleden in blokletters een adres had geschreven. 'Een fatsoenlijke brief wilde hij me niet sturen. Er kon niet eens een postzegel af, en postzegels waren toen nog lang niet zo duur als nu. Hij heeft dit velletje papier onder de voordeur door geschoven, zonder zelfs maar een envelop, om me te laten weten waar hij woonde. Hij wist dat ik wel zou zien dat het een adres was in de duurste buurt van Birmingham. Die Tracy Cole bulkte van het geld. Haar vader was gestorven en had haar het huis en bakken met geld nagelaten. Niet alleen aan haar trouwens, maar ook aan Eric. Het was een van die gevallen van een stel dat nooit helemaal van elkaar loskomt, óf de een óf de ander komt altijd weer terug.'

Als ze daar na al die tijd nog steeds woonde, dacht Wexford, zou Targo dan zijn toevlucht bij haar gezocht kunnen hebben?

'Kathleen,' zei hij, en hij voelde zich daar een beetje ongemakkelijk bij, zoals iedereen die iemand anders voor het eerst bij de voornaam aanspreekt, 'weet je nog die avond dat ik met je man ben komen praten? Toen jullie nog aan Jewel Road woonden? Dat had te maken met de moord op Elsie Carroll. Weet je dat nog?'

'Natuurlijk weet ik dat nog. Ik ben jou toch ook niet vergeten? Dat was de enige keer dat we elkaar ontmoet hebben voordat we elkaar tegenkwamen in dat winkelcentrum, behalve dan die keer dat ik in de deuropening zo onbeleefd was.'

Hij lachte. 'Je was niet onbeleefd, hoor. Je reageerde gewoon wat scherp. Lekkere koffie trouwens. Weet je ook nog dat ik je man toen heb gevraagd waar hij zich bevond op de avond dat Elsie Carroll werd vermoord en dat hij toen heeft gezegd dat hij op zijn zoontje had gepast?'

'Ik had Alan net in bad gedaan,' zei ze, en hoewel Wexford dat ongelooflijk vond, was haar geheugen zo goed dat ze daaraan toevoegde: 'En ik was er niet bij toen je dat vroeg. Ik kwam de kamer binnen en hoorde hem zeggen dat ik naar mijn naaicursus was. Ik heb mijn mond gehouden toen hij zei dat hij de hele avond thuis was geweest en fitnessoefeningen had gedaan en zo. Ik zei niets omdat ik bang voor hem was. Dat was me toch wel aan te zien?'

'Ik was toen nog heel jong, Kathleen. Ik wist niets van huiselijk geweld. Nou, eigenlijk wist niemand daar toen veel van. Er werd over gepraat alsof het een privézaak was, iets wat nou eenmaal bij sommige huwelijken hoorde en waar buitenstaanders zich niet mee te bemoeien hadden.'

'En dat kwam die kerels goed van pas, hè? Eric sloeg me in die tijd niet vaak, maar ik wilde dat hij me helemaal niet sloeg, zo vlak voor de bevalling. Ik bedoel, ik wilde niet vallen. Wat ik probeer te zeggen, is dat de lerares die avond niet lekker was geworden en dat ik daarom vroeg weer thuis was. O, ik herinner me het allemaal nog, ook al is het heel lang geleden. Toen ik terugkwam was Eric er niet. Hij was de deur uit gegaan en had Alan alleen achtergelaten. Hooguit tien minuten misschien, maar hij had hem alleen thuisgelaten, en dat was het moment waarop ik voor het eerst dacht: ik heb hier genoeg van. Ik wil niet dat hij zijn zoontje 's avonds alleen achterlaat, ik wil niet dat hij me slaat als ik iets doe wat hem niet bevalt en ik wil niet dat hij zich meer bekommert om die hond dan hij zich ooit zal bekommeren om het kind dat ik verwacht.'

Hij had die bevestiging niet nodig gehad, maar nu was hij nog veel zekerder van zijn zaak.

'Ik ben nog een tijdje gebleven,' zei ze. 'Joanne werd twee weken later geboren. In die tijd hielden ze je heel wat langer in het ziekenhuis dan tegenwoordig, maar hij is me maar één keer komen opzoeken. Eén keer in tien dagen, en dat terwijl ik net zijn kind had gebaard. Hij was ook niet thuisgebleven om op Alan te passen. Hij paste op de hond, en Alan logeerde bij mijn moeder. Ik ben nog twee jaar gebleven. Alan was zes en Joanne bijna twee. En toen sloeg hij me, of liever gezegd: hij gaf me een stomp op mijn borst. Er werd in die tijd wel gedacht dat je daar borstkanker van kon krijgen. Dat is niet zo, dat weten ze tegenwoordig, maar ik geloofde dat toen, en ik zei tegen hem: nou is het genoeg! Wat je nou hebt gedaan, wordt toch al mijn dood, maar nu is het uit, en een dag later heb ik hem met hulp van de buren het huis uit gesmeten. Hij is bij zijn moeder ingetrokken, en daarna bij Tracy, die als een moeder voor hem was.'

Daarna ging Wexford naar een bejaardenhuis. Hij was daar naartoe verwezen door Eileen Kenyons vroegere buurvrouw in Muriel Campden Estate. 'Alzheimer,' had ze gezegd terwijl ze in de deuropening stond. 'Ze is nog maar in de zestig, maar toch heeft ze alzheimer. Er komt geen zinnig woord meer uit, neemt u dat maar van mij aan. Ik heb het geprobeerd en het is pure tijdverspilling.'

Hij kreeg geen zinnig woord uit haar en het was inderdaad tijdverspilling. Het was niet voor het eerst dat hij een bejaardenhuis bezocht, en ook nu weer vond hij het een deprimerende ervaring. De inrichting, de geuren, de halve kring stoelen voor de televisie, waar de oudjes in waren neergepoot, terwijl ze allemaal gekleed waren in rare combinaties met bizarre kleuren, die er allemaal uitzagen als afdankertjes. Maar het tv-programma was misschien nog wel het ergste: acrobatische dansen door beeldschone tieners, allemaal in een strak, met lovertjes bezaaid pakje, met een weelderige haardos die om hen heen slierde en een huidje zo zacht als een versgeplukte perzik.

Net als alle andere tv-kijkers zat Eileen Kenyon in een rolstoel, in de kenmerkende houding van iemand die oud en ziek is, met hangende schouders, haar rug zo krom dat ze bijna een bochel leek te hebben, en haar hoofd opzij gezakt. Net zoals de meeste andere bejaarden hier leek ze wel vol aandacht ergens naar te turen, maar niet naar het beeldscherm. De jonge meisjes in hun strakke pakjes sprongen uitgelaten heen en weer en maakten allerlei onmogelijke sprongen en wervelingen terwijl de oudjes in verwrongen en onderuitgezakte houdingen niet naar hen zaten te kijken. Maar iedereen die jong is, wordt ooit oud, dacht Wexford. Een bejaardenverzorgster fluisterde tegen hem dat Eileen Kenyon eigenlijk niet meer aanspreekbaar was. Ze wist niet langer wie ze was of waar ze zich bevond. En toen de bejaardenverzorgster haar rolstoel wegreed uit de halve kring tv-kijkers en haar naar de plek bij het raam duwde waar hij op haar stond te wachten, zag hij dat ze gelijk had. Eileen Kenyon was nog maar vaag te herkennen als de vrouw die ze ooit was geweest. Het was alsof een hand die in de een of andere stroperige grijzige vloeistof was gedoopt over haar hoofd had gestreken, zodat haar haar wit en dun was geworden, het licht in haar ogen vrijwel was gedoofd en haar gelaatstrekken waren vervaagd.

'Kent u me nog, mevrouw Kenyon?'

Geen enkele reactie. De ogen die daarnet zo strak op een muur ongeveer drie meter van de televisie gericht waren, tuurden nu naar de vloer.

Toen kreeg hij een ingeving. 'Weet u die hond nog? Die hond die u van meneer Targo hebt gekregen?'

Een van haar oogleden begon te trillen. Hij probeerde zich de naam van het dier te herinneren. Het was om gek van te worden dat hij zich de namen van al Targo's eigen honden nog wist te herinneren, Buster, Princess, Braveheart, maar niet de naam van de hond die Eileen Kenyon had gehad toen Billy werd vermoord. Maar hij had nou eenmaal een vrijwel fotografisch geheugen voor alles wat Targo ooit tegen hem had gezegd.

'Dusty's puppy,' zei hij. 'Herinnert u zich Dusty's puppy nog? Dusty was de hond van meneer Targo.'

Ze tilde haar hoofd wat op. Haar ogen gingen open. 'Een slang,' zei ze heel duidelijk, en mompelend ging ze verder: 'Hij had een slang. Een enge slang. Ik hou niet van slangen.' En na een korte stilte: 'Hij vroeg...'

'Wat vroeg hij?'

Maar meer viel er niet uit haar los te krijgen. Er was geen enkele reden om ervan uit te gaan dat Eileen Kenyon die zin afgemaakt zou hebben met de woorden 'of ik soms wilde dat hij Billy uit de weg ruimde' en het leek bespottelijk om haar te vragen of ze wist waar Targo zich nu zou kunnen bevinden. Hij bedankte de bejaardenverzorgster en liep door een sombere gang naar de van glas-in-loodramen voorziene dubbele deuren van de uitgang. Er moesten meer plekken zijn waar Targo naartoe gegaan zou kunnen zijn. Iets wat Kathleen Jones had gezegd, had hem even doen opschrikken. Maar wat had ze ook weer gezegd?

Natuurlijk. Ze had hem verteld dat Targo die avond inmiddels al zo lang geleden niet thuis was gebleven om op het kind te passen. Dat was voor háár het belangrijkste geweest, maar dat was niet waarvoor híj was gekomen. Wat had ze verder nog gezegd? Philippa was arts geworden? Nee. Tracy Cole? Ja, daar had ze iets over gezegd, maar dat kon wachten. Glebe Road, dacht hij, ze had het over Glebe Road gehad. Dat was waar de familie Rahman woonde. Er was niets gebeurd wat hem reden gaf om te denken dat dat een reële mogelijkheid was, maar hij wist dat Targo de afgelopen tijd een paar keer bij Ahmed op bezoek was geweest. Stel nou eens dat hij na de moord op Andy Norton bij de familie Rahman was langsgegaan?

15

Hij nam Hannah mee. Ze kenden haar al en als hij haar moest geloven, hadden ze het niet erg gevonden dat ze zich zo argwanend opstelde. Hannah was eerlijk en had heel openlijk toegegeven dat Mohammed Rahman haar vriendelijk maar zeer beslist de deur had gewezen. Hij was, zo zei ze tegen Wexford, een meester van de met een glimlach gebrachte afwijzing. Wexford had verwacht dat Mohammed wel op zijn werk zou zijn, maar Yasmin vertelde dat haar man ziek op bed lag. Een paar dagen geleden had hij griep gekregen.

Ahmed was boven om zijn vader een kopje thee te brengen, maar een paar minuten later kwam hij naar beneden. De vorige keer dat hij de jongeman had gezien, toen die samen met zijn broer terugkwam uit de moskee, was Wexford getroffen geweest door Ahmeds knappe uiterlijk en het gevoel van gezondheid, of misschien zelfs vergenoegdheid, dat hij uitstraalde. Maar dat was nu anders. Beide zoons hadden een lichte huid, en die van Tamima was goudbruin, maar vandaag zag Ahmed doodsbleek. Er zaten donkere wallen onder zijn ogen en hij had een stoppelbaard. Nou was dat inmiddels natuurlijk de mode voor jongemannen, maar Ahmeds stoppelbaard leek meer het gevolg van verwaarlozing dan van de laatste modetrends. Waarschijnlijk was hij inmiddels ook aangestoken door het griepvirus waarmee zijn vader nu op bed lag. 'Inderdaad, meneer Targo is hier die middag geweest,' zei hij toen Wexford daarnaar vroeg.

'Had u hem verwacht?'

'Nee, hij werd niet verwacht. Toen er werd gebeld, dacht ik dat het de dokter was, die voor papa kwam.' Ahmed aarzelde en zei toen: 'Ik was verbaasd om te zien dat het meneer Targo was. Hij wilde wat software bestellen.'

Hannah, die besefte dat Wexford geen flauw idee had wat dat betekende, zei: 'Kon hij dat dan niet zelf? Kwam hij u vragen om het voor hem te doen?'

'O, jazeker.'

Ahmed keek naar zijn moeder, die nu heel stijf in een stoel met rechte rugleuning zat. Afgezien van haar ringen droeg ze die dag geen juwelen, en in aanwezigheid van Wexford had ze haar hoofd bedekt. Ze keek nogal streng en had haar handen gevouwen, maar toen Ahmed haar snel even aankeek, stond ze op en zei dat ze koffie ging zetten.

'Wat voor software?' vroeg Hannah.

'Een paar floppydisks en een home manager-cd.'

'Wat is dat precies?'

'Een home manager-cd?' Plotseling leek Ahmed heel wat zekerder van zijn zaak. 'Die doe je in je pc en vervolgens kun je dan je lampen en elektrische apparaten aan- en uitzetten door vanuit je pc een signaal naar de schakelmodules te sturen. Het gaat via de elektriciteitsleiding van je huis. Als je wilt kun je er een radio mee aanzetten, of zelfs de waterkoker.'

'En zoiets wilde meneer Targo hebben?'

'Dat zei hij. Hij had er ergens iets over gelezen.'

'En jij kon dat wel voor hem regelen?' vroeg Wexford.

'O, jazeker,' zei Ahmed vol zelfvertrouwen. 'Waar het om gaat is dat ik weet waar ik zoiets kan krijgen en hoe ik het moet bestellen. Die floppy's kun je overal krijgen, maar hij vindt het prettiger als ik dat voor hem regel.'

Yasmin kwam terug met de koffie. Toen ze hen de kopjes aangaf, merkte Wexford dat ze haar ogen snel even op de gepolijste granieten schoorsteenmantel richtte, alsof ze daar iets zag liggen wat niet helemaal klopte, voordat ze abrupt haar ogen afwendde en ging zitten. Toen ze hem de suikerpot aangaf, zag hij haar handen trillen. Niet hevig, niet meer dan een heel lichte trilling die ze wist te bedwingen door haar vingers te strekken.

'Weet u waar meneer Targo naartoe is gegaan nadat hij hier wegging?'

'Naar huis, neem ik aan. Ik heb het hem niet gevraagd.'

'Verbaast het u,' vroeg Wexford, 'dat hij zijn hond niet bij zich had?'

'Ik wil geen honden in mijn huis,' zei Yasmin.

Hoe zou Targo daarop gereageerd hebben? Er viel een stilte, die uiteindelijk door Hannah werd verbroken. 'Werkt Tamima nog steeds in het Raj Emporium?'

Yasmins strenge blik werd nu nog strenger, en er verschenen twee diepe groeven tussen haar donkere ogen. 'Mijn dochter is bij haar tante gaan logeren. We hebben u al vele malen eerder verteld dat ze dat zou gaan doen. Nu is ze vertrokken. Mijn zoon Osman heeft een dag vrij genomen en haar gebracht.'

Ze namen een slokje van hun koffie en Ahmed vulde de stilte door een volstrekt overbodige lezing te houden over innovatieve autonome robotiseringspakketten, met forward-, backup- en turnfuncties. Wat Wexford betrof had hij dat alles net zo goed in het Swahili kunnen vertellen, en nog voordat zijn kopje leeg was, stond hij op en maakte aanstalten om weg te gaan. Maar voordat hij naar de deur liep, stapte hij doelbewust naar de schoorsteenmantel, legde een hand op het glimmende graniet en terwijl hij aandachtig naar de hoek van de schoorsteenmantel tuurde, streek hij daar met zijn vinger overheen. Achter zich hoorde hij Ahmed zachtjes naar adem happen, en met een beleefde glimlach draaide hij zich om. Mevrouw Rahman zat met een volstrekt onbewogen gezicht voor zich uit te kijken. Ahmed stond op en liep meteen naar de voordeur.

'Wat zocht u nou bij die schoorsteenmantel, chef?' vroeg Hannah toen ze buiten stonden.

Wexford stond peinzend naar de Harley-Davidson te kijken die inmiddels bij de andere voertuigen in Burdens voormalige voortuin was komen te staan. 'Er is hier niet lang geleden iets gebeurd,' zei hij. 'Ik weet niet wat, maar Yasmin en haar zoon wel. Ze zijn bang dat het misschien sporen heeft achtergelaten.'

'En is dat ook het geval?'

'Voor zover ik kon zien niet.'

'De tante van Tamima heet mevrouw Qasi en woont in Farmstead Way, Kingsbury, Londen NW9. Denkt u dat Tamima daar werkelijk naartoe is gegaan?'

'Ik weet het niet, Hannah, en het kan me ook niet schelen. Op dit moment heb ik al mijn aandacht nodig voor de vermiste meneer Targo.'

Wexford had besloten dat hoe zwijgzaam en terughoudend ze ook mocht zijn, Mavis Targo op dit moment toch de beste bron van informatie over haar echtgenoot was. Toen ze de deur van Wymondham Lodge opendeed, zei ze: 'Hij kwijnt langzaam weg. Hij wil niet eten.'

Dat waren de eerste woorden die ze tot hem richtte. Ze had hem niet begroet, en zelfs niet gevraagd wat hij kwam doen. Een ogenblik had hij gedacht dat ze het over haar echtgenoot had, dat Targo thuis was gekomen, dat de man ziek was en zich ergens in huis bevond. Maar, zo hield hij zichzelf voor, hij had beter moeten weten. Het ging natuurlijk over een hond, waarschijnlijk over die witte hond met de donzige vacht die zo ontroostbaar in zijn mand had gezeten in die overdadig ingerichte woonkamer. En hij vroeg zich af of deze zo slecht bij elkaar passende echtgenoten elkaar soms gevonden hadden door hun gedeelde hartstocht voor honden. Maar misschien pasten ze eigenlijk ook helemaal niet zo slecht bij elkaar; want nu hij haar eens goed opnam, zag hij dat Targo en zij eigenlijk nogal op elkaar leken. Ze hadden broer en zus kunnen zijn. Ze waren ongeveer even lang, met dezelfde gedrongen lichaamsbouw, dezelfde grove gelaatstrekken en starende blauwe ogen. Als dit een horrorverhaal was, zo dacht hij, zou straks blijken dat dit Targo zelf was, vermomd als vrouw, en dat mevrouw Targo inmiddels dood in de kelder lag. Maar hoe zou Targo dan aan die twee formidabele borsten zijn gekomen, die door haar decolleté niet geheel aan het oog werden onttrokken? Hij moest bijna lachen.

Ze was nog steeds aan het praten over de Tibetaanse spaniël die zijn baasje zo miste, toen het puppy voor de openslaande deuren naar het terras verscheen en luid blaffend tegen het glas aan sprong. Haastig liep ze ernaartoe om het diertje binnen te laten, en toen ze de deuren opende, klonk er van elders op het terrein een schril, ratelend geluid en een luid en diep gebrul. Het puppy rende wild in het rond, sprong tegen Wexford op en liet modderige pootafdrukken achter op het lichte tapijt.

'Hij mist zijn baasje niet,' zei ze. 'Daar ben je te jong voor, hè schatje? Ik kan trouwens niet zeggen dat ik dat heel erg vind. Twee dieren met een gebroken hart, dat zou een beetje te veel worden.'

'Ik neem aan dat u nog niets van uw man hebt gehoord?'

'Niets maar dan ook helemaal niets. Dat is inmiddels behoorlijk lang, zelfs voor zijn doen.'

'Het spijt me dat ik u dit moet vragen, mevrouw Targo, maar helaas kan het niet anders. Zegt de naam Tracy Cole u iets?'

'O god, ja. Daarvoor hoeft u zich niet te verontschuldigen, hoor. Zij was niet zijn vorige echtgenote, maar degene daarvoor. Inmiddels heet ze trouwens anders. Ze is sinds haar huwelijk met hem al twee keer hertrouwd en gescheiden.'

'Hebt u toevallig haar telefoonnummer? Of haar adres?'

'Als u soms denkt dat hij naar haar toe is, dan zit u op een dood spoor.'

'Maar toch, voor het geval dát. Hebt u haar telefoonnummer?'

Ze antwoordde met duidelijke tegenzin. 'Hij heeft haar nummer op zijn mobieltje. Dat weet ik, ook al zegt hij van niet. Maar verder staat het nergens genoteerd. Dat wilde ik niet hebben. Ik heb wel ergens een briefje liggen met haar achternaam erop. Voor het geval u dat niet wist: ze waren niet getrouwd toen ze samenwoonden.' Wexford zei niets en bleef rustig staan wachten. 'Ik weet niet of u dat weet, maar ze was destijds nog heel jong. Haar vader was net gestorven en had haar dat grote huis nagelaten, en een aandelenpakket. Ze was nog maar achttien en ze moest wachten tot haar eenentwintigste voordat ze de rest zou erven.'

Mavis Targo zat anders in elkaar dan Kathleen. Ze ging er prat op dat ze nooit iets bewaarde, gooide vaak van alles weg en had er dan achteraf spijt van. Tracy Coles achternaam uit haar tweede huwelijk was nergens te vinden, maar mevrouw Targo zei dat die haar inmiddels weer te binnen was geschoten omdat het dezelfde achternaam was als die van Targo's eigen tweede vrouw: Thompson. Tracy Thompson heette ze, en Targo's tweede vrouw had Adèle Thompson geheten.

'Was hij met haar getrouwd toen hij in Myringham woonde?'

Het kwam bij Wexford op hoe merkwaardig dit gesprek hem in de oren zou hebben geklonken in de tijd toen hij Targo voor het eerst had ontmoet. Niet zomaar merkwaardig, maar bizar, ongelooflijk en zonder dat het ook maar iets te maken kon hebben met de toenmalige Engelse middenklasse, waarvan de overgrote meerderheid trouwde en getrouwd bleef totdat een van beide echtgenoten stierf. De hedendaagse seriële polygamie zou in die tijd alleen maar in verband zijn gebracht met Hollywood. 'Toen hij die kennel had?'

'Wat? Met Adèle? Ik neem aan van wel. Ik had hem in die tijd nog niet ontmoet.

Dat huwelijk heeft niet lang standgehouden. Ze hield niet van honden. Toen ze elkaar voor het eerst ontmoetten, heeft ze dat voor hem verborgen gehouden maar na een tijdje kon ze dat toch niet verhelen. Nou, dat kon ook moeilijk anders, hè?'

Wexford zei niets, maar keek haar alleen maar bemoedigend aan. Het kwam hem wel goed uit dat mevrouw Targo plotseling zo spraakzaam was. 'De andere Thompson,' zei ze, 'Tracy, bedoel ik, die woonde in Edgbaston, en voor zover ik weet woont ze daar nog steeds. Dat is het deftigste deel van Birmingham. Hij pocht daarover. Een prachtig huis had ze, zegt hij, meer een paleis dan een huis. Maar dat is toch niets voor hem om trots op te zijn, of wel soms?'.

'U zei dat hij niet naar haar toe zal gaan, maar bent u daar wel zeker van? Zou hij zich niet bij haar schuil kunnen houden?'

Nu leek het eindelijk enigszins tot haar door te dringen wat er aan de hand was. 'Waarvoor wilt u hem spreken? Dat hebt u eigenlijk nooit gezegd. Waar verdenkt u hem van?'

'We hebben hem nodig om ons te helpen bij ons onderzoek naar de dood van de heer Andrew Norton.'

'Wie is dat? Ik heb nooit van die man gehoord, en Eric ook niet, daar durf ik om te wedden.'

Wexford stond op. Toen hij overeind kwam, vormde dat voor het bulterriërpuppy een teken om naar hem toe te rennen en tegen hem op te springen. Op de vriendelijkst mogelijke toon, heel anders dan haar nogal ruwe manier van doen tegenover Wexford, zei Mavis duidelijk tegen het hondje dat het moest gaan liggen. Ze sprak het dier aan als 'liefje'. Misschien had het geen andere naam.

'Vertelt u eens,' zei hij toen hij bij de voordeur stond. 'Wanneer heeft uw man die wijnvlek laten weghalen?'

Ze lachte. 'Toen we pas getrouwd waren. Ik heb hem erom gevraagd, en in die tijd deed hij nog wat ik vroeg.'

Wexford gaf geen commentaar. 'U laat het ons weten als u van uw man hoort, mevrouw Targo?'

Als ze nog te vinden was... als ze nog leefde. Plotseling had hij een van die invallen van hem: misschien dat Tracy Cole, de rijke vrouw die in het beste deel van Birmingham woonde, en bij wie Targo zijn toevlucht had gezocht toen zijn vrouw hem het huis uit had gezet, ook degene was bij wie hij nu onderdak had gevonden. Alan Targo was zes geweest, had zijn moeder gezegd, en nu was hij? Veertig? Zou Targo nog steeds dezelfde vrouw begeren als vierendertig jaar geleden? Het zou kunnen. Zo gaat dat wel vaker met mensen. Wexford dacht aan zijn eigen vrouw, met wie hij al zo lang getrouwd was. Kathleen had gezegd dat ongeacht wie er verder ook tussen mocht komen, Eric Targo en Tracy Cole altijd weer naar elkaar terugkeerden. Met de informatie waarover hij nu beschikte, was Tracy niet moeilijk te vinden. Over de telefoon zei ze dat ze Eric Targo al meer dan een jaar niet gezien had, maar wel een paar keer had gesproken. Wexford vroeg zich af of Mavis Targo dat wist. Hij dacht van niet eigenlijk. Tracy, die zich nu mevrouw Thompson noemde, zei dat ze hem een heleboel kon vertellen over haar gewezen minnaar, maar dat ze dat liever onder vier ogen deed. Wilde hij bij haar langskomen?

Voor zijn vertrek nam hij contact op met de politie van de West Midlands om toestemming te vragen. De rechercheur die hij aan de lijn kreeg, was een zekere hoofdinspecteur Roger Phillips. Dat moest wel dezelfde zijn. Na al die jaren, zo nu en dan een telefoongesprek en een of twee brieven, gevolgd door een jarenlange stilte.

'Ik ben nog getuige geweest bij je huwelijk,' zei hij.

'Inderdaad. En een heel goeie, voor zover ik me herinner. Ik ben nog steeds getrouwd met Pauline, en dat blijft zo tot de dood ons scheidt. Hoe staat het met jou?'

'Net zo. Ik ben nog steeds getrouwd met dezelfde vrouw, godzijdank.' Wexford vertelde hem over Tracy Thompson en de jacht op Targo. 'Ik wil graag met haar gaan praten, als jullie daar geen bezwaar tegen hebben.'

'Best hoor. Zal ik een rechercheur meesturen?'

'Nee, bedankt, ik neem mijn eigen brigadier wel mee.'

'Komen jullie daarna samen maar even langs voor een kop thee.'

Wexford zei dat hij dat zou doen, en toen het gesprek voorbij was, probeerde hij zich te herinneren hoe Roger er ook weer uit had gezien. Hij kon het zich niet voor de geest halen, maar het knappe gezichtje van diens vrouw zag hij nog tot in de kleinste details voor zich. Het waren haar ouders die bevriend waren geweest met de mensen die Medora Holland hadden meegenomen naar de bruiloft van Roger Phillips...

Hij nam Barry Vine mee, en ze gingen met de trein, wat vanuit Sussex een lange reis was. Wexford ging tegenwoordig bijna nooit meer met de trein, maar hij las de kranten en keek televisie, en wist dus hoe vaak die vertraging hadden, of zelfs helemaal uitvielen, en hij was op het ergste voorbereid. Maar de trein van Euston naar Birmingham was weliswaar niet stipt op tijd, maar ook niet meer dan vijf minuten te laat, en ze bereikten het huis dat 'meer een paleis dan een huis' was op de afgesproken tijd.

In totaal had hij nu vier vrouwen gesproken die een sterke band met Targo hadden gehad, en van hen was Tracy Thompson de jongste en de kleinste. Een piepklein vrouwtje, niet groter dan een kind van tien, dat voordat je haar van dichtbij zag, voor een tiener kon worden versleten. Maar van dichtbij waren de rimpels in haar gezicht duidelijk zichtbaar, net zoals de witte stroken in haar sluike, bruine haar. Ze ging gekleed als een tiener in een spijkerbroek en een T-shirt met Disney-dalmatiërs erop. Het zou al wonderlijk zijn geweest als ze in een achterstandsbuurt had gewoond en in dit huis viel het helemaal uit de toon.

Het huis had inderdaad wel iets weg van een paleis. Het was heel groot en zelfs wat overdonderend, maar zoals Barry Vine naderhand tegen Wexford zou zeggen, was het ook 'een beetje wonderlijk'. Het meubilair in de ruime vertrekken met hun hoge plafonds zag eruit alsof het daar al verschillende generaties had gestaan, op precies dezelfde plek, zonder ooit aangeraakt of gerestaureerd te zijn, zonder dat het hout ooit gepolitoerd was. De gordijnen waren weliswaar intact, maar door tientallen jaren zonlicht verschoten tot een vale kleur grijs, de vloerbedekking was gebleekt of onherstelbaar bevlekt. Het zou te ver gaan om te zeggen dat het huis net dat van Miss Havisham was, de oude vrijster uit Charles Dickens' *Great Expectations* die nadat haar huwelijk onverwachts niet was doorgegaan nooit meer iets aan haar huis had veranderd, maar als je je voorstelde hoe dat huis eruitgezien zou hebben na een niet al te zorgvuldige grote schoonmaak, kwam je wel dicht in de buurt.

Niets wees erop, dacht Wexford, dat Tracy Thompsons bruidegom ervandoor was gegaan toen ze voor het altaar stond waarna haar niets anders meer restte dan het leven van een teruggetrokken zonderlinge. In plaats daarvan had ze dit huis met alles erop en eraan geërfd, maar zich nooit om haar omgeving bekommerd, zolang ze er maar warm en behaaglijk kon zitten als ze daar behoefte aan had.

Ze zag hem kijken en zei: 'Het is allemaal wat aftands, hè? Zonde eigenlijk. Ik maak telkens weer plannen om er iets aan te doen, maar ik neem aan dat het er nooit echt van gaat komen. Want ik vind het niet prettig om mensen over de vloer te hebben die geen vrienden van me zijn, snapt u? Ik kan schoonmaaksters, bouwvakkers en al dat volk eenvoudigweg niet uitstaan.' Ze veegde haar lange meisjeshaar uit haar ogen. 'Wat wilde u me vragen?'

'Het gaat er meer om wat u ons wilt vertellen, mevrouw Thompson.'

'Nou, dan heb ik eerst een vraag aan u. Waarom wilt u Eric eigenlijk spreken?'

En toen zei ze iets waardoor Wexford bijna opsprong uit de haveloze leunstoel met het verschoten bloemetjespatroon waar hij op dat moment in zat. 'Hij heeft toch niemand vermoord?'

Barry Vine was al bijna net zo verbaasd als Wexford. Hij zag nu wat pips. 'Wat bedoelt u daar precies mee?' vroeg hij. 'Meende u dat?'

'Volgens mij wel,' zei ze. Ze leek bepaald niet geschrokken. 'Maar ik weet niet of hij het meende toen hij het me vroeg.'

'Wat heeft hij u dan gevraagd?'

'Misschien kan ik maar beter beginnen met u te vertellen over ons, over Eric en mij, bedoel ik,' zei ze. 'Ik neem aan dat ik u iets zou moeten aanbieden, maar ik drink geen thee of koffie. Ik denk dat er ergens nog wel wat cola is.'

'Doet u alstublieft geen moeite,' zei Wexford. 'U zou ons vertellen over uw relatie met de heer Targo.'

'Ja, nou wij kennen elkaar al heel lang. Soms lijkt het wel of we elkaar altijd al gekend hebben. Hij woonde nog maar kort in Birmingham. Mijn vader was net overleden en ik voelde me behoorlijk somber. Ik was nog maar net achttien, ziet u, en ik had niemand. Mijn moeder was dood en ik had geen familie. Iedereen zei telkens weer tegen me dat ik blij moest zijn dat ik zoveel geld had, en dit huis. Ik zat op een bankje in het park over van alles na te denken, over wat eenzaamheid was en dat ik er eigenlijk geen gat meer in zag, toen er iemand naar me toe kwam. Het was een spaniël, heel oud, maar ook heel lief en vriendelijk. Hij likte mijn hand en toen ik hem aaide, klom hij naast me op de bank en ging lekker tegen me aan liggen. Hij legde zijn kop in mijn schoot. En toen kwam de eigenaar – dat was Eric – naar me toe en zei dat zijn hond zich wel vaker zo gedroeg bij mensen die hij aardig vond. We raakten aan de praat. Ik vertelde over mezelf, en hij zei dat ik een hond moest nemen. Dat zou hij wel voor me regelen. En nou, dat heeft hij gedaan.'

Dat klonk niet zoals Targo, maar eigenlijk toch ook weer wel. Het was niet helemaal waar dat hij van honden hield en niet van mensen, maar meer dat hij alleen maar van mensen hield die van honden hielden. 'Gaat u verder,' zei Wexford.

'We begonnen te daten. Ik neem aan dat je zou kunnen zeggen dat we verliefd raakten. Hij was mijn type niet, en ik het zijne niet, maar op een bepaalde manier klikte het toch wel tussen ons. Zijn vrouw was bij hem weggegaan en hij wilde zo nu en dan zijn kinderen wel zien, maar hij wilde geen aandeel in hun huis. Ik had genoeg voor ons allebei, maar als u denkt dat hij het met me heeft aangelegd omdat ik rijk was, dan hebt u het mis. Hij was dol op me. Ik was degene die er als eerste genoeg van kreeg. Ik gaf Eric geld om een eigen huis te kopen en een eigen zaak te beginnen, een rijschool. Je zou kunnen zeggen dat ik hem heb afgekocht, en daarna ben ik met iemand anders getrouwd. Maar toch heb ik me nooit helemaal over Eric heen kunnen zetten. Hij was inmiddels officieel van zijn vrouw gescheiden, en een tijdje later ben ik zelf toen ook gescheiden. Eric is niet opnieuw bij me ingetrokken. Hij had per slot van rekening zijn eigen huis, en toen ik erachter kwam dat hij daar was gaan samenwonen met een vrouw, werd ik zo boos dat ik van de weeromstuit met iemand anders ben getrouwd.

Daarna hebben we een soort knipperlichtrelatie gehad, al zou je eigenlijk wel kunnen zeggen dat hij voor mij de enige ware is geweest, en ik voor hem. Ik woon nu al jaren alleen, en er is nooit iemand anders geweest. Eric is getrouwd met die Adèle die hij bij zich in huis had genomen, en is verhuisd naar Myringham in Sussex. Daar kwam ze oorspronkelijk vandaan. En hij kwam uit een plaatsje dat Stowerton heet. Hij had daar al een huis gekocht, dat hij verhuurde, en hij was een logeerkennel voor honden begonnen. Dat was echt iets voor hem, want hij was altijd al zo dol geweest op honden. Ik heb hem geld geleend om die kennel te kunnen beginnen. Ik dacht dat we misschien wel weer zouden kunnen gaan samenwonen, omdat het met Adèle al een paar maanden later weer uit was, maar toen liep hij Mavis tegen het lijf. Hij trouwde met haar, en daarmee was het wat mij betreft wel voorbij. Ik had in dat onroerendgoedproject van hem geïnvesteerd. Het had iets te maken met de aankoop van huurhuizen met recht van koop, en dat liep goed, maar toch moest hij zo nodig met die Mavis trouwen, en met haar geld heeft hij ergens een groot huis gekocht. En meer valt er eigenlijk niet te vertellen. Tot een jaar geleden spraken we nog regelmatig af, en we praatten ook wel met elkaar over de telefoon, maar toen hij me vroeg of er iemand was van wie ik verlost wilde worden, was het wat mij betreft afgelopen, echt definitief voorbij.'

Wexford had dit allemaal zwijgend aangehoord. Nu zei hij heel langzaam: 'Wat heeft hij u precies gevraagd, mevrouw Thompson?'

'Wilt u de details?'

'Alstublieft.'

'Hij belde en zei dat hij voor zaken naar Birmingham moest, en dat hij graag langs wilde komen. Ooit zou hij hiernaartoe zijn gekomen om mij te zien, en dan zou hij hier, omdat hij hier toevallig toch was, ook wel iets te doen hebben gevonden. Maar goed, gedane zaken nemen geen keer. Hij kwam hiernaartoe en ik vroeg of hij bleef logeren. Nee, zei hij. Hij was gekomen om me te vertellen dat we elkaar niet meer zouden zien. Hij was nu met Mavis getrouwd, hij begon ook een dagje ouder te worden en hij had geen behoefte meer aan iemand erbij. Is dat alles wat ik voor je ben, zei ik tegen hem, iemand erbij? En het enige wat hij daarop te zeggen had, was: je weet best wat ik bedoel. Dat zei hij altijd, dat ik best wist wat hij bedoelde... vooral als hij net iets kwetsends had gezegd. En toen zei hij dat hij graag iets voor me wilde doen, als een soort bedankje voor al die jaren. Was er soms iemand van wie ik verlost wilde worden? Ik begreep hem niet... Nou, volgens mij zou niemand dat begrijpen. Hij zei dat hij het wat duidelijker zou formuleren. Was er iemand die ik uit de weg wilde laten ruimen, zonder dat er lastige vragen zouden worden gesteld? Ik dacht dat hij knettergek was geworden. Dat dacht ik echt.'

'Hij vroeg dus of u soms iemand wilde laten vermoorden?'

'Inderdaad. Als een soort van vergóéding voor het feit dat hij me had laten zitten, en misschien ook wel omdat we in het verleden niet getrouwd waren.'

'Wat hebt u tegen hem gezegd?' vroeg Vine.

'Wat denkt u? Ik zei dat ik blij was dat hij had gezegd dat we elkaar niet meer zouden zien, want dat was precies hoe ik er ook over dacht, en als er al iemand was van wie ik verlost wilde worden, hij het was.'

'U hebt er niet aan gedacht om contact met ons op te nemen?'

'Ik heb er wel over gedacht, maar ik kon toch niets bewijzen? Het zou mijn woord tegen het zijne zijn geweest, en ik was bang dat de politie zou denken dat dat nou typisch de reactie was van een vrouw die boos is omdat ze aan de dijk is gezet. Ik bedoel, bekijkt u het eens vanuit een andere hoek. Hij was getrouwd, het ging hem goed, hij woonde samen met zijn echtgenote. Ik was een alleenstaande vrouw met twee mislukte huwelijken achter de rug, een vrouw die hem in de loop der jaren god mag weten hoeveel geld had gegeven en die hij nu had gedumpt. Wat denkt u dat de politie daarvan gedacht zou hebben? Denkt u niet dat die lui gedacht zouden hebben dat het een wraakactie van mij was?'

'Maar u hebt het ons nu wel verteld,' zei Wexford.

'Omdat u zelf naar hem kwam vragen. En ik dacht dat u dat heus niet zou doen als u daar geen goede redenen voor had. Zo is het toch? En u gelooft me toch? U ziet mij toch niet als een versmade vrouw?'

'Ik geloof u.'

Het theedrinken met Roger Phillips draaide erop uit dat een fles port tevoorschijn werd gehaald. Wexford had enkele jaren geleden besloten nooit meer port te drinken, maar dronk samen met Roger toch maar een glaasje en intussen vertelde hij over hun gesprek met Tracy Thompson en de 'vergoeding' die Targo haar had geboden. Hij vertelde hem ook over Elsie Carroll, Billy Kenyon en Andy Norton. Roger reageerde daarop met dezelfde woorden die Wexford had gebruikt tegenover Tracy. 'Ik geloof je.'
'Ze zegt dat ze hem sindsdien niet meer heeft gezien. Hij heeft geprobeerd haar te bellen en berichten ingesproken, maar daar heeft ze niet op gereageerd. Dat aanbod van hem heeft haar echt ten diepste geschokt.'
'Nou, dat viel te verwachten, Reg. Wij van de politie zijn gewend aan moord en doodslag, en dus onderkennen we vaak niet hoe schokkend zulke dingen zijn voor gewone mensen. De samenleving is heus niet zo verloederd als de media ons soms proberen wijs te maken. De meeste mensen leiden behoorlijk beschermde levens, en houden zich strikt aan alle wetten en regels. Denk je dat hij een dergelijk aanbod vroeger ook heeft gedaan aan mensen die misschien iets te winnen hadden bij wat hij van plan was?'
'Mij heeft hij dat aanbod niet gedaan,' zei Wexford, 'en hij verwachtte dat ik iets te winnen zou hebben bij de dood van Norton. Ik ben er zeker van dat hij George Carroll niet zo'n aanbod heeft gedaan. Als dat wel het geval was geweest, wat zou Carroll er dan van weerhouden hebben om ons erover te vertellen toen hij van moord werd beschuldigd? Maar het zou goed kunnen dat Eileen Kenyon het wel geweten heeft. Hij zou het haar voorgesteld kunnen hebben nadat hij haar een puppy had gegeven, en had gezien hoezeer ze met Billy in haar maag zat. Als ze wist dat hij Billy had vermoord, was het in haar eigen belang om daar haar mond over te houden.'
'En nu is hij verdwenen?'
'Ik denk niet dat hij bij een vrouw is ondergedoken. De enige die nog over is, is die Adèle, en we zullen nog contact met haar opnemen, maar het schijnt dat ze het minder lang met hem heeft uitgehouden dan alle andere vrouwen in zijn leven. Hij kan nu echt overal zijn.'
'Hij moet toch geld van iemand krijgen? Heb je naar zijn bankrekening gekeken?'
'Tot nu toe heb ik daar geen grond toe gehad, maar dat is nu het eerste wat ik ga doen.'
Met een afspraak (waar ze zich geen van beiden aan zouden houden) om

contact te houden, en samen uit eten te gaan als meneer en mevrouw Phillips een keer in Sussex waren om Paulines bejaarde moeder op te zoeken, gingen ze uit elkaar. Toen ze in de trein zaten, trok Wexford de *Birmingham Post* die hij die ochtend had gekocht uit de zak van zijn regenjas terwijl Vine, die dol was op Donizetti, op zijn cd-speler naar *L'Elisir d'Amore* luisterde.

Als hij een krant las die gepubliceerd werd in een verre stad, of zelfs een krant die specifiek op Londen gericht was, keek hij altijd naar de familieberichten. Er was een tijd geweest waarin mensen die hij kende trouwden en daarna kinderen kregen, en tegenwoordig gingen sommigen van hen dood. De laatste naam bij de overlijdensberichten was Trelawney: hij kende niemand met die achternaam maar toch... 'Trelawney, Medora Anne, geliefde echtgenote van James, is ons ontvallen op 31 oktober in Sutton Coldfield. Medora wordt begraven in All Saints Church op 3 november, 10.00 uur. Liever geen bloemen. Donaties aan de Britse Hartstichting.'

Het was vrijwel zeker de Medora die hij had gekend. Het vriendje dat had geprobeerd hem te chanteren had ze Jim genoemd en Trelawney was een naam uit Cornwall. Er stond geen leeftijd bij, merkte hij op. Zo te zien was ze gestorven aan een hartkwaal. Wat had ze daar uitgespookt in Sutton Coldfield? Nou, ze zou ongetwijfeld samen met Jim in een huis hebben gewoond, en misschien ook kinderen hebben gehad, die haar nu erg missen. Hij vouwde de krant op en richtte zijn gedachten weer op Targo. Het leed nu vrijwel geen twijfel meer dat die was verdwenen.

16

Hannah Goldsmith haalde Jenny Burden om halfvijf 's middags op bij de uitgang van de school. Het goot van de regen en dat hield in dat iedereen nu een capuchon over zijn hoofd had getrokken of een paraplu had opgestoken en haastig met gebogen hoofd door de gutsende regen liep. Dat kwam Hannah goed uit. Ze wilde eigenlijk liever niet gezien worden terwijl ze een geheime ontmoeting had, of in elk geval een privégesprek, met de vrouw van Mike Burden. Het café waar ze naartoe gingen lag in een zijstraatje van Queen Street.

Het was een verlopen kroegje, waar nauwelijks gelucht werd, zodat de condens van de ramen droop. De thee was het mahoniekleurige spul waarvan vroeger werd gezegd dat je er een lepel rechtop in kon zetten, en dat tegenwoordig 'bouwvakkersthee' werd genoemd.

'Ik wilde je op de hoogte brengen van wat ik de afgelopen tijd heb gedaan,' begon Hannah, 'want ik weet dat je je al net zo ongerust maakt over Tamima Rahman als ik. Ik ben gisteren samen met de chef op bezoek gegaan bij de familie Rahman – naar aanleiding van een heel andere zaak – maar Yasmin Rahman zei toevallig dat Tamima in Londen bij haar tante is gaan logeren. Haar broer Osman – dat is de verpleger – had haar daar de vorige dag naartoe gereden.'

Jenny knikte. 'Dus nu zit ze bij haar tante? En waar woont die?'

'Die tante heet mevrouw Qasi en ze woont in Kingsbury. Dat is een voorstad van Londen in het noordwesten, iets ten westen van Hendon, als je weet waar dat is. Maar ik weet niet of ze daar ook werkelijk logeert. Zij zeggen van wel, en misschien is alles in orde. Maar ik heb het telefoonnummer van mevrouw Qasi opgezocht, haar gebeld en gevraagd of ik Tamima kon spreken. Dat was vanochtend. Ze zei dat Tamima op stap was met haar nichtje. Kennelijk heeft ze een heleboel nichtjes, en wonen die allemaal daar in de buurt. Ze waren naar Oxford Street gegaan om te winkelen, zei ze. Ik vroeg wanneer ze weer terug zouden zijn, maar dat wist mevrouw Qasi niet. Om een uur of drie heb ik opnieuw gebeld en deze keer werd er niet opgenomen. Ik heb een bericht ingesproken.'

'Wat denk je dat er aan de hand is?' vroeg Jenny.

'Ik weet het niet. Sinds Tamima in juli van school is gegaan, nu alweer weken geleden, heb ik voortdurend gedacht dat de familie Rahman misschien zou proberen haar uit te huwelijken.'

'Maar zonder dwang?'

'Ik denk dat ze er vooral op uit zijn om haar uit de buurt te houden van Rashid Hanif, maar dat ze haar naar Londen hebben gestuurd, geeft al aan dat dat niet gelukt is. Dit is misschien het punt waarop het idee van een gearrangeerd huwelijk overgaat in een gedwongen huwelijk.'

'Je bedoelt dat ze haar naar Londen sturen en haar dan voorstellen aan een van haar familieleden, die daar kennelijk met tientallen tegelijk rondlopen, en als ze daar geen bezwaar tegen heeft, nou dan is dat mooi, maar als ze wel bezwaar heeft dan...'

'Als ze geen bezwaar heeft, is het heel wat eenvoudiger om haar in Londen te laten trouwen dan hier, waar iedereen zou weten wat er aan de hand is.'

'En stel dat ze niet wil? Als ze weigert, wat dan?'

'Daar wil ik niet van uitgaan. Nog niet. Eerst wil ik erachter zien te komen of Tamima wel bij mevrouw Qasi logeert, en belangrijker nog, of ze daar ook echt uit vrije wil is.'

Maar Tamima had niet teruggebeld, zoals Hannah had gevraagd. En Jenny had ze al evenmin gebeld, ook al beschikte ze over haar nummer. Tieners schrijven geen brieven, maar sturen wel mailtjes. Jenny had een mailtje van haar gekregen, al was er niets waaruit ze kon opmaken dat het ook werkelijk door Tamima was verstuurd.

Ha mevrouw Burden, het is leuk hier in Londen, bij mijn tante mevrouw Qasi in Farmstead Way 46, Kingsbury, en mijn neefjes en nichtjes. Tot nu toe kende ik ze eigenlijk niet, en het is allemaal ontzettend gaaf. Misschien blijf ik hier wel een tijdje, en zoek ik hier een baantje.
Tamima

'Zoiets kan iedereen gestuurd hebben,' zei Hannah.

'Ja, maar ik weet niet waarom ze zoiets zou willen sturen. Per slot van rekening heb ik al een hele tijd voordat ze naar Pakistan ging geen navraag meer naar haar gedaan. En waarom heeft ze dan geen contact opgenomen met jou?'

'Laten we nog een paar dagen wachten,' zei Hannah peinzend. 'Als we dan nóg niets van haar gehoord hebben, zou je er dan bezwaar tegen hebben om vrijdag of zaterdag naar Londen te gaan voor een bezoekje aan die mevrouw Qasi?'

'Het liefst zaterdag. Dan is er geen school.'

Op vrijdag, toen Hannah met Wexford meeging naar de familie Rahman om zich ervan te vergewissen dat Ahmed nog steeds niets van de vermiste Eric Targo had gehoord, had Osman een dagje vrij en hij was dus thuis.

Hij leek sterk op zijn vader en met een flauwe glimlach, die al net zo hooghartig overkwam als die van zijn vader, zei hij tegen Hannah dat hij wist dat ze 'veel belang stelde in Tamima's doen en laten'. 'Misschien vindt u het wel interessant om te weten dat ze een baan gaat zoeken en hij een appartement gaat delen met haar nichtje en een vriendin. Heel ondernemend van haar, vindt u niet?'

Het was een van die buitenwijken van Londen die nog iets van hun vroegere landelijkheid hebben bewaard, maar dan wel op zwaar verrommelde wijze, bezaaid met gaashekken, betonblokken en verlaten fabrieksgebouwen. Maar er waren nog wel open plekken, en je kon zien waar de naam Farmstead Way vandaan kwam. De weg waarover Hannah reed om daar te komen, liep vlak langs het bekende Brent-spaarbekken, en op het gras was zelfs nog een kleine kudde zwartbonte koeien te zien, die rustig stonden te herkauwen rondom een paar kastanjebomen. Het regende inmiddels niet meer, al zou het niet lang duren voordat de lucht weer betrok. Het was zaterdag en eigenlijk hadden Hannah en Jenny allebei vrij.

Het huis van Faduma Qasi was een twee-onder-een-kap, net als alle andere huizen in de straat, die echter niet allemaal op precies dezelfde wijze waren uitgevoerd; zo waren er niet alleen huizen met rode dakpannen maar ook met groene. Hannah had van tevoren gebeld om mevrouw Qasi te waarschuwen dat ze in aantocht waren, en ze hoefden dan ook niet lang te wachten voordat er werd opengedaan. Zowel Jenny als zij hadden een in zwarte gewaden gehulde vrouw verwacht, die haar hoofd zou bedekken voordat ze opendeed, maar de tante van Tamima was al net zo gekleed als haar niet-islamitische buren gekleed zouden kunnen gaan: in een zwartwitte rok met tamelijk grillig gevormde ruitjes, zwarte sandalen en een rode coltrui.

Nadat iedereen aan elkaar was voorgesteld, zei mevrouw Qasi dat ze thee zou gaan zetten. Jenny en Hannah gingen in de woonkamer zitten, waar werkelijk geen enkel meubelstuk of ornament afkomstig was uit India, Pakistan of Bangladesh. Hannah herinnerde zich dat mevrouw Qasi een zus was van Mohammed Rahman. Diens huis ademde dezelfde Britse, laattwintigste-eeuwse sfeer. Er stond een boekenkast vol Engelse boeken, en tot haar stomme verbazing zag Hannah ook een dienblad met een fles sherry en twee glazen.

Toen de thee werd gebracht, bleek die sterk te lijken op de thee in dat café in Queen Street: sterk en aromatisch, en nadat er een wolkje melk aan was toegevoegd met de kleur van donkere kastanjes.

'Nou,' zei Faduma Qasi nadat ze was gaan zitten om de thee in te schenken. 'Om te beginnen zou ik graag enkele misverstanden uit de weg ruimen. Ik weet wat u denkt. Het staat op uw gezicht te lezen, als ik zo vrij mag zijn.' Ze gaf Jenny een kopje aan, en wees op een kommetje suiker. 'U had zeker een onderdrukte oude vrouw in een boerka verwacht? U denkt dat alle islamitische vrouwen zo zijn, en dat het uw levensdoel moet zijn om hen te verlossen en te emanciperen. Maar ik pas niet in dat plaatje. Ik ben lerares...' Ze keek Jenny aan. '... net als u. Maar ik ben niet getrouwd. Ik ben wel getrouwd geweest, en het was een gearrangeerd huwelijk, maar we kregen allebei foto's te zien van mensen met wie we zouden kunnen trouwen en we hebben elkaar gekozen. Toen we elkaar ontmoetten, vonden we elkaar aardig en we zijn een aantal keren samen uit geweest. Gearrangeerde huwelijken vormen binnen onze familie een traditie. Het huwelijk van mijn broer met Yasmin was ook gearrangeerd, en ik heb nog nooit zo'n gelukkig huwelijk gezien. Ik ben inmiddels gescheiden. Mijn man heeft niet drie keer "Ik scheid van je" gezegd en me het huis uit gezet, zoals je dat in de krant leest. We zijn op een fatsoenlijke manier voor de rechtbank gescheiden. Ik heb een vriend, en als de tijd rijp is gaan we trouwen.'

Hannah nam het theekopje aan en het kommetje suiker werd naar haar toe geschoven. 'Mijn broer is geboren in Pakistan, maar ik ben hier geboren, en Engels is mijn moedertaal. Ik ben geboren als Brits staatsburger, uit verlichte en intelligente ouders. Ik hoef geen hoofddoekje om, want in de heilige Koran staat nergens dat vrouwen hun hoofd moeten bedekken. Ik probeer een goede moslim te zijn en ik drink geen alcohol. Ja, ik heb u naar de sherry zien kijken... maar die is voor gasten. Wilt u soms een glaasje? Of is het daarvoor nog een beetje te vroeg?'

'Mevrouw Qasi,' begon Hannah, 'we willen niet...'

'Nee, ik weet dat u dat niet wilt. Ik weet dat u denkt dat u helemaal geen vooroordelen hebt, maar toch discrimineert u, net zoals alle andere Engelsen. Goedwillende discriminatie zou ik het willen noemen. Kunt u zich daarin vinden? En laten we het nu eens hebben over de reden voor uw komst.'

'Ik denk dat u ons de wind een beetje uit de zeilen hebt genomen,' zei Jenny. 'Dat geldt in elk geval wel voor mij. We zijn eigenlijk gekomen om te zien of het wel goed gaat met uw nichtje Tamima, of ze hier ook werkelijk logeert, en of... nou, of u het wel ziet zitten dat ze samen met uw dochter en een vriendin een appartement gaat delen. Ik bedoel, ze zijn toch nog heel jong? Tamima is nog maar zestien, en ik neem aan dat uw dochter niet veel ouder is.'

'Mijn dochter is ook zestien,' zei mevrouw Qasi. 'Maar als Tamima het over haar nichtje heeft, heeft ze het niet over Mia maar over de dochter van mijn zus – we vormen een grote en hechte familie, mevrouw Burden – en die is zevenentwintig. De vriendin om wie het gaat, is Clare, de vriendin van mijn nicht, en ze delen al vijf jaar een appartement.'

'Zou u ons het adres van dat appartement en de naam van uw andere nichtje willen geven mevrouw Qasi?' vroeg Hannah.

'Het nichtje dat eigenaar is van dat appartement, heet Jacqueline. Haar vader is een Engelsman, ziet u. Maar dat adres geef ik niet. Dat zou ik wel doen als u een rechterlijk bevel had of hoe zoiets ook mag heten, maar dat hebt u niet. Tamima heeft niets misdaan, en Jacqueline en Clare al evenmin. Zoals u wel zult weten, bevindt Tamima zich hier in Londen met goedkeuring van haar vader en moeder. Ze is van plan om aan het eind van het jaar weer naar huis te gaan. Met de kerst, geloof ik. Want ik vier kerst, weet u. Net zoals bijna alle andere Britse burgers, ook al ben ik geen aanhanger van het geloof waarvan de kerst deel uitmaakt... en ook wat dat betreft ben ik niet anders dan de meeste Britse burgers. Tamima is hier tot gisteren geweest. Ze is samen met Jacqueline en Clare vertrokken, rond de tijd dat u belde om deze afspraak te maken. En als u haar adres wilt hebben, lijkt het me het beste als u mijn broer daarom vraagt.

En trouwens,' voegde ze daaraan toe, terwijl ze haar aandacht op Jenny richtte, 'het mailtje dat Tamima u heeft gestuurd, heeft ze geschreven omdat ik haar dat gezegd heb. Dat leek me zowel verstandig als beleefd.'

Dit bezoek was tot nu toe heel anders verlopen dan Hannah had verwacht. Hoewel ze het ontzettend vervelend vond om te horen te krijgen dat ze aan 'goedwillende discriminatie' deed, moest ze toegeven, al was het maar alleen tegenover zichzelf, dat Faduma Qasi de spijker op de kop had geslagen toen ze tot in de pijnlijkste details het soort vrouw had beschreven dat Jenny en zij hier hadden verwacht. Sommige uitdrukkingen die ze had gebruikt, en dan vooral met betrekking tot kleding en huwelijk, kwamen exact overeen met wat ze hadden gezegd tijdens de rit hiernaartoe. Zij, die altijd zo prat was gegaan op haar volslagen gebrek aan vooroordelen, en zichzelf ervan had weten te overtuigen dat alle mensen, ongeacht hun ras, huidskleur en land van herkomst, elkaars gelijken waren, moest haar eigen houding nu grondig onder de loep nemen en waar nodig aanpassen. Ze voelde zich vernederd, wat voor haar een ongebruikelijke gewaarwording was. Maar dat wilde ze beslist niet laten merken.

'Hoe lang heeft Tamima bij u gelogeerd?' vroeg ze.

'Ongeveer een week. Het was een soort vakantie voor haar. Jacqueline werkt thuis, dus ze kon gemakkelijk een paar dagen vrij nemen en heeft Tamima Londen laten zien. U weet wel. Ze zijn naar de matinee geweest in de schouwburg, en naar de film, en naar musea. Onze familie is heus niet gespeend van alle cultuur. Daarna hebben Clare en zij voorgesteld dat Tamima een baantje zou nemen bij de Aziatische supermarkt Spicefield, en bij hen in zou trekken. Tamima heeft haar ouders gevraagd of dat goed was en die hebben toestemming gegeven.'

'Volgens mij,' zei Jenny, 'waren meneer en mevrouw Rahman er sterk op uit om Tamima gescheiden te houden van een jongen die ze heel aardig vond, Rashid Hanif.'

'Daar weet ik niets van. Tamima heeft geen woord over die jongen gezegd.'

De rest van het weekeinde was Hannah bezig met het opstellen van een verslag voor Wexford, dat niet alleen haar verdenkingen bevatte maar ook enkele onweerlegbare feiten. Er was geen bewijs dat Tamima Rahman in Londen was geweest, want daarvoor hadden ze alleen maar verklaringen van haar ouders en haar tante, Faduma Qasi. Mevrouw Qasi had geweigerd het adres van het appartement van haar nichtje Jacqueline te geven, en dus had Hannah geen idee waar Tamima zich bevond. Van de vriendin van die Jacqueline was haar niet meer bekend dan dat ze Clare heette, en ze wist al evenmin in welke vestiging van Spicefield Tamima werd verondersteld een baantje te hebben.

Hoewel Wexfords aandacht grotendeels door Targo in beslag werd genomen, nam hij toch de moeite om het verslag door te lezen.

'Ik heb je dit al eerder gevraagd, Hannah, maar ik zal het je nog eens vragen. Waarvan verdenk je die mensen nou eigenlijk?'

'Ik verdenk hen ervan dat ze haar dwingen met iemand te trouwen.'

'Waarom denk je dat?'

'Dat staat in mijn verslag, chef.'

'Ik heb het gelezen. Maar nu wil ik dat je antwoord geeft op een paar vragen die ik je ga stellen. Heeft Tamima of iemand anders in de familie Rahman tegen jou ooit iets gezegd over gedwongen huwelijken... als iets waar ze vóór zijn of waar ze juist bezwaar tegen hebben? Heeft een van hen ooit tegen jou gezegd dat die Rashid Hanif hun goedkeuring niet kan wegdragen? Of hebben ze ooit de naam van iemand genoemd die ze liever als vriendje, verloofde of echtgenoot van Tamima zouden zien? Je zegt, al staat het niet in het verslag, dat de familie Rahman een verlichte en geïntegreerde familie is, maar toch verdenk je die mensen ervan dat ze hun dochter onderwerpen aan een wrede en oeroude gewoonte. Waarom? En wat nog het belangrijkste is, waarom stel jij, die ik altijd als bijzonder pro-islamitisch en antiracistisch hebt beschouwd, je plotseling zo achterdochtig op tegenover die mensen, zonder dat je over ook maar iets beschikt waarmee je dat kunt rechtvaardigen?'

Dat laatste werd Hannah te veel. Ze barstte uit in een hartstochtelijke weerlegging. 'O chef, dat is helemaal niet waar! Zo is het niet! Ik probeer er juist open en onbevangen tegenaan te kijken. Ik ben bang dat als ik... nou, nog pro-islamitischer word, ik al mijn oordeelsvermogen kwijtraak.'

'Daar hoef je echt niet bang voor te zijn, hoor,' zei Wexford bruusk. 'Nou, we hebben een hoop te doen. Er wordt iemand vermist van wie we bijna zeker weten dat hij minstens één moord heeft gepleegd. Ik heb net gehoord dat zijn Mercedes is gevonden. Die stond langs de weg geparkeerd in een dorpje in Essex. En verder gaat de misdaad gewoon door. Kleine misdrijven, dat geef ik toe, maar zo onbelangrijk vind je een inbraak niet meer als het jouw huis is dat wordt leeggehaald en vernield. Dus je mag nog één poging doen om te achterhalen waar Tamima Rahman woont en werkt, en als dat niet lukt, hou je ermee op. Kun je daarmee leven?'

'Als u het zegt, zal het wel moeten, chef,' zei Hannah. Maar in stilte nam ze zich voor om als het nodig was op eigen houtje, zonder hulp van anderen, zelfs zonder hulp van Jenny, naar Tamima te blijven zoeken. Ze zou beginnen bij Spicefield en erachter zien te komen in welke vestiging Tamima werkte, als ze tenminste werkelijk bij die supermarktketen in dienst was.

17

Deze keer ontmoetten ze elkaar in de gelagkamer van de Olive and Dove. De asbakken op de tafeltjes waren tot over de rand toe gevuld met as en peuken, het plafond was geelbruin van de teer. 'Als het ooit tot een rookverbod komt,' zei Wexford, 'dan zullen ze het hier weleens grondig schoonmaken. Misschien dat ze dan zelfs wel nieuwe gordijnen nemen.'

'Ik denk eerder dat ze de tent dan wel kunnen sluiten. De mensen blijven dan gewoon thuis. Rokers roken graag terwijl ze drinken.'

'Of we hebben het rijk straks alleen.'

Wexford ging de drankjes halen. In de *saloon bar*, de nette gelagkamer, was het minder druk dan gewoonlijk, alsof de gasten alvast anticipeerden op het naderende rookverbod. Aan een tafeltje in de hoek zaten twee meisjes te praten en te roken. In zijn jeugd, dacht Wexford, zouden ze in een tearoom hebben gezeten, maar ook daar zouden ze elkaar net als nu sigaretten hebben aangeboden. De heer op leeftijd die alleen aan een tafeltje zat met zijn gele labrador – zouden mensen als ze hém zagen het ook over 'een heer op leeftijd' hebben? – had een pijp in zijn mond. Pijpen waren aan het verdwijnen. Zelfs nu al praatten zijn kleinzoons over iemand die ze pijp zagen roken op dezelfde toon die hij als jongetje gebruikt zou hebben voor iemand die hij met overschoenen of een monocle had zien rondlopen. De man met de hond deed hem aan Targo denken; niet dat het vaak voorkwam dat hij niet aan die man dacht.

'Wat wij moeten weten,' zei hij tegen Burden, 'is wat hij in Kingsmarkham heeft uitgespookt tussen de tijd dat hij bij de familie Rahman is weggegaan – rond een uur of drie, maar laten we het op halfvier houden – en het moment waarop hij de Mercedes is komen ophalen, ergens na kwart over acht 's avonds. We weten dat de auto er om kwart over acht nog gestaan heeft omdat het meisje uit de nagelbar die daar toen heeft gezien. Dus zelfs als hij er om halfnegen mee weggereden is, heeft die auto daar toch bijna een uur of zes gestaan.

Hij is niet naar huis gegaan. Mavis Targo zegt dat hij niet is thuisgekomen, en waarom zou ze daarover liegen? Hij is niet bij zijn kinderen langsgegaan. Hij is niet naar zijn kantoor in Sewingbury gegaan. Want als hij daarheen was gegaan, zou hij de auto hebben genomen. Zelfs voor hem is dat te ver lopen.'

Burden nam een slokje wijn. Hij trok zijn neus op, maar gaf geen commentaar op de kwaliteit of de smaak van zijn drankje. 'Waarom had hij geen hond bij zich? Ik weet dat mevrouw Rahman geen hond over de vloer wil, maar tijdens minstens één vorig bezoek heeft hij wel een hond meegenomen en die in de auto gelaten. Waarom had hij deze keer dan géén hond bij zich? Misschien vanwege wat hij wilde gaan doen nadat hij bij de familie Rahman was geweest? Hij heeft de auto laten staan op de plek waar die stond omdat er in Glebe Road geen betaald parkeren is, en daarna is hij gaan doen wat hij gedaan heeft, wat dat dan ook geweest mag zijn.'

'Ja, maar wat heeft hij dan gedaan? Dat hij geen hond heeft meegenomen, lijkt erop te wijzen dat hij wist dat hij niet naar huis zou gaan. Hij was op de vlucht. Hij had opnieuw een moord gepleegd en deze keer besefte hij dat hij was gezien terwijl hij de tuin van zijn slachtoffer binnenliep.'

'Maar wist hij dat dan, Reg? Natuurlijk niet. Als hij dat geweten had, zou hij heus zijn tijd niet hebben verdaan met het bestellen van dure computerapparatuur. Dan zou hij er toch zeker zo snel mogelijk vandoor zijn gegaan, zodra hij kans had gezien om zijn tas te pakken?'

'Je hebt gelijk,' zei Wexford. 'Dat kan hij niet geweten hebben. Hij had geen haast. Het ziet ernaar uit dat hij verwachtte weer naar huis te gaan. Zijn vrouw zegt dat hij geen kleren heeft meegenomen. Dus er is iets gebeurd terwijl hij bij de familie Rahman thuis was, of anders niet lang nadat hij bij de familie Rahman is weggegaan. Misschien heeft hij daardoor in de gaten gekregen dat iemand hem gezien zou kunnen hebben? Het zou kunnen. Misschien moeten we eens langs een aantal van die winkels gaan die vroeger "herenmodezaken" werden genoemd, maar die tegenwoordig ongetwijfeld anders heten, om te vragen of ze die middag soms één enkele klant een compleet nieuwe garderobe hebben verkocht?'

'Wat? En daarna heeft hij al die spullen dat hele eind met zich meegesjouwd? Helemaal naar de auto in Glebe Road?'

'Tja, als theorie is het niet briljant, Mike. Dat weet ik. Wat denk je? Zou hij misschien een vals paspoort gehaald kunnen hebben bij een of ander vriendje van hem?'

'Ik weet dat Kingsmarkham al net zo aan het verloederen is als de rest van het platteland, maar voor zoiets moet je toch zeker in Londen zijn, of anders misschien in zijn andere favoriete thuisbasis, Birmingham?'

'Mike, ik weet het niet hoor. Dit hele gedoe klopt gewoon niet. Maar voordat we hiernaartoe gingen, ben ik druk in de weer geweest met een kaart van Essex. Melstead, waar die Mercedes is gevonden, ligt een kilometer of tien van de luchthaven Stansted. Dat is waarom ik dacht dat hij misschien kleren en een paspoort gekocht zou kunnen hebben. Het is mogelijk dat hij het land al uit was voordat er ook maar iemand naar hem op zoek ging, al blijft het dan natuurlijk wel de vraag waarom hij zijn auto op die plek heeft laten staan. Die zou vroeg of laat toch worden gevonden, dus waarom heeft hij die niet gewoon op het parkeerterrein van Stansted neergezet?'

'Nu je het er toch over hebt,' zei Burden, 'waarom zou hij eigenlijk naar Stansted zijn gegaan, terwijl we hier vlak bij Gatwick zitten?'

'Dat weet ik. Daar heb ik ook aan gedacht. Ik heb Mavis Targo gebeld en haar gemeld dat de Mercedes is gevonden. Ze zei alleen maar "In het buitenland?" en dat kwam eruit op een toon die de indruk wekte dat ik zojuist had gezegd dat haar man weleens op Mars zou kunnen zitten. En toen herhaalde ze nog maar eens dat hele verhaal dat Targo het buitenland zo verschrikkelijk vindt. Hij is maar één keer het land uit geweest en dat was voor een huwelijksreis naar Spanje.

Ik zei dat hij toch niet lang geleden zijn paspoort had verlengd. Dat was omdat ze naar New York zouden gaan, zei ze. Haar dochter zou gaan trouwen in New York en ze wilde naar de bruiloft. Ik wist niet dat ze een dochter had. Geen kind van Targo natuurlijk. Targo zou ook meegaan, maar toen het erop aankwam, zag hij erg op tegen de vliegreis, en aan boord van schepen wordt hij zeeziek. Toen ik zei dat het nog steeds mogelijk was dat hij het land had verlaten, was het enige wat ze daarop te zeggen had, dat zij degene was die nu al die stomme dieren moest voeren. Elke keer dat ze de kooi binnenstapt om die leeuw te voeren, begint ze zo te trillen van angst dat ze de grote brokken vlees bijna uit haar handen laat vallen.'

Burden lachte. 'Ik ben geen voorstander van het houden van gevaarlijke wilde dieren als knuffeldier. Waarom doet hij dat?'

'Ik neem aan dat hij een bepaalde vorm van verwantschap met ze voelt. Hij is zelf ook een gevaarlijk dier, een monster.'

'Waarom denk je dat hij het land uit is gevlucht... als hij tenminste echt het land uit is?'

'Terwijl de auto voor het huis van de familie Rahman stond en hij door Kingsmarkham liep om te winkelen, of om bij iemand langs te gaan of, ik zeg maar wat, alle plaatsen te bezoeken waar hij ooit een misdrijf heeft gepleegd, heeft hij iemand gesproken, of iets gezien of gelezen, en daardoor is het tot hem doorgedrongen dat hij in gevaar verkeerde. Ik weet niet wat dat geweest kan zijn, maar dat is het enige wat kan verklaren waarom hij niet naar huis is gegaan, zoals hij van plan was. In plaats daarvan moest hij er snel vandoor.'

'Maar zelfs toen is hij er niet snel vandoor gegaan. Die ontdekking van hem – dat hij als verdachte beschouwd zou worden, bedoel ik – zal hij dan toch waarschijnlijk in de loop van de middag gedaan hebben, in elk geval niet later dan een uur of zes, toen het al donker was dus, en de enige mensen die nog niet thuis waren, in de pub zaten. Maar we weten dat hij Glebe Road pas na halfacht heeft verlaten. Toen hij daar wegging, is hij niet naar de dichtstbijzijnde luchthaven gereden, maar naar het noordelijke deel van Essex, een heel eind hiervandaan, over de grote verkeersbrug over de Dartford en een eindeloos stuk snelweg. Dat is iets anders dan er snel vandoor gaan.'

'Daar heb je gelijk in. En dan hebben we er nog niet eens over nagedacht hoe hij van de plek waar hij de auto heeft geparkeerd op Stansted is gekomen, gesteld dat hij daarheen is gegaan. Zou hij dat gelopen hebben? In het holst van de nacht? Als dat plaatsje ook maar een beetje lijkt op al die dorpjes hier in de buurt, zou hij langs smalle, volkomen onverlichte plattelandsweggetjes moeten lopen, waar soms in geen kilometers een huis te bekennen is, en als er wel ergens een huis staat, dan heeft daar op dat uur van de nacht toch geen licht meer gebrand. Hoe heeft hij dan de weg kunnen vinden? Is hij daar ooit eerder in de buurt geweest? Ik heb het aan Mavis gevraagd, en voor zover zij wist niet, zei ze. Ze wist wel dat hij nog nooit vanuit Stansted ergens naartoe was gereisd.'

'De vingerafdrukken op de Mercedes... ik neem aan dat die van hem afkomstig zijn?'

'Van hem en van Mavis. Wat dat mens ook mag zeggen, Mike, Targo is nu het land uit en hij is niet van plan om terug te komen. Er is maar één ding aan die theorie wat me werkelijk dwarszit: zou hij al die dieren zomaar achterlaten? Zijn honden? O, hij wist dat hij er wel op zou kunnen rekenen dat zij voor die dieren zou zorgen, maar toch zeker niet voor altijd? De honden misschien nog wel, maar de lama's? En de leeuw? Dat is wat ik hier niet aan snap. Ik moet de plek zien waar die auto geparkeerd heeft gestaan. Morgen ga ik naar Melstead.'

Terwijl ze na de brug over de Dartford over de M25 en de M11 reden, was het landschap vrijwel overal even lelijk en verrommeld. Maar achter de grote billboards en de eindeloze massa verkeersborden, achter de bloemenstalletjes, de golfbanen en de met prefabmateriaal in elkaar gezette cafés, waren weilanden te zien en ongerepte bossen, met hier en daar een kerktoren of een oeroud vakwerkhuis. Nadat Donaldson eenmaal de afslag naar Braintree had genomen, werd het landschap steeds fraaier, en Wexford, die net als de meeste mensen uit Sussex had gehoord dat Essex over het algemeen foeilelijk was en zo plat als een pannenkoek, was aangenaam verrast. Hij was maar één keer eerder in Colchester geweest, en had niet verwacht hier zacht glooiend heuvelland te vinden, met stroompjes omzoomd met wilgen en meer fraaie dorpjes met huizen met rieten daken dan in zijn eigen graafschap.

Melstead was ook zo'n plaatsje. Ze naderden het zoals het kennelijk alleen maar te bereiken viel: via een netwerk van smalle landweggetjes zonder trottoirs. Toen een vrouw zonder ook maar even vaart te minderen met hoge snelheid langs hen heen kwam schieten, zag Donaldson zich genoodzaakt om de berm in te rijden, en zelfs een eind de haag in. Wexford dacht erover om er iets aan te doen, maar hield zichzelf voor dat hij geen verkeersagent was en wel wat beters te doen had.

De straat waar Targo's Mercedes was aangetroffen, liep van de dorpskern, die gevormd werd door een brink met een oorlogsgedenkteken, de kerk en de pastorie, naar een pub die de Prince of Wales Feathers heette en een klein wijkje met sociale-huurwoningen. Donaldson parkeerde en Wexford en Lynn Fancourt liepen naar het middelste deel van de straat. Hier waren de enige twee winkels die het dorp nog had: een slager, die die moeilijk te beschrijven sfeer van trots en ijdelheid uitwasemde die onlosmakelijk verbonden was met zijn reputatie als de beste slager van Essex, en een gemakswinkeltje annex postkantoor.

Lynn, die zich niet lang geleden tot het vegetarisme had bekeerd, begon theatraal te huiveren toen ze de hier in de omgeving geschoten fazanten zag die meneer Parkinson in zijn etalage had uitgestald, wendde snel haar ogen af en liep achter Wexford aan de gemakswinkel binnen. Maar ook daar wachtte hun een verrassing. Hier, in dit rustieke en buitengewoon karakteristieke Engelse plekje was de eigenaar van de dorpswinkel en de beheerder van het postkantoor een Aziaat. En dan ook nog een Aziaat met een haakneus en een uitzonderlijk donkere huid. Wexford vroeg zich af of het eigenlijk niet onfatsoenlijk was om zoiets zelfs maar te denken. Hij liet Anil Mansoor zijn rechterlijk bevel zien, en stelde hem voor aan Lynn.

'Sussex, hè? Ik heb daar neven en nichten wonen. Misschien kent u ze wel.' Dat deed Wexford denken aan het soort mensen die als je hun vertelt dat je naar Sydney gaat, zeggen dat je dan misschien ook wel hun broer zult tegenkomen die tien jaar geleden naar Perth is verhuisd. Hij reageerde er niet op en vroeg naar de auto.

Meneer Mansoor zei dat hij die helemaal niet had opgemerkt totdat een klant hem had verteld dat het ding daar al vier dagen stond en hem had gevraagd wat hij dacht dat eraan gedaan moest worden. 'Bemoei je met je eigen zaken' leek een belangrijke leefregel van deze winkelier te zijn.

'Ik zei dat dat niets met ons van doen had. Het is hier vrij parkeren. Iedereen kan hier een auto laten staan als hij dat wil. Ruimte genoeg.'

'Woont u boven de winkel, meneer Mansoor?' vroeg Wexford.

Er klonk iets van trots in Mansoors stem. 'Nee, ik heb een huis in Thaxted. Ik kom hier elke dag naartoe met de auto. Het is niet ver.'

'U hebt de man die de Mercedes hier heeft geparkeerd niet gezien?'

'Zoals ik al zei, ga ik elke avond om vijf uur terug naar Thaxted. Eigenlijk zou je dat beter vijf uur 's middags dan vijf uur 's avonds kunnen noemen, maar hoe het ook zij, om die tijd rij ik naar huis.'

'Als iemand van hieruit naar Stansted wilde, en hij had geen auto, wat zou hij of zij volgens u dan doen?'

'Hij zou kunnen gaan lopen.' Dat was kennelijk een gedachte die meneer Mansoor zo vreemd en buitenissig vond dat hij in lachen uitbarstte, alsof hij zojuist een uitzonderlijk geestige opmerking had gemaakt. 'Als hij gek was, of doodarm, ja, dan zou hij het kunnen lopen. Het is tien kilometer. Maar je kunt beter een taxi nemen. Het huis van de taxichauffeur is recht tegenover de pub. Op het hek staat Tip-Top Taxi's, wat ik maar een rare naam vind.'

Vandaag stonden er aan meneer Mansoors kant van de straat zoveel auto's dat er niet meer dan twee plekken over waren waarop iemand met veel moeite een auto zou kunnen parkeren. Als er ook maar één enkele auto of bestelwagen aan de andere kant had gestaan, zou er geen fiets meer bij hebben gekund.

'Wat gebeurt er als iemand van de andere kant komt, Lynn?'

'Dan gebeurt er dat, meneer,' zei ze, en ze wees naar een bestelbusje dat net de tweede helft van de straat had bereikt. Het busje reed onverstoorbaar verder, zodat de Fiat die hem tegemoetkwam, zich gedwongen zag om achteruit te rijden, een manoeuvre die voor de oude man aan het stuur een hele uitdaging vormde. Een paar keer dreigde hij met zijn autootje langs de carrosserie van een Rolls Royce, een Volkswagen en een Transit-busje te schrapen. Ze keken vol belangstelling toe, maar applaudisseerden toch maar niet toen de bejaarde bestuurder erin slaagde om zonder schade aan zijn eigen auto of de auto's van anderen aan het bestelbusje te ontsnappen, en liepen toen over het pad naar de voordeur van Tip-Top Taxi's.

Wexford was er vrijwel zeker van dat de taxichauffeur hem zou gaan vertellen dat hij op de betreffende datum rond middernacht gebeld was door iemand die naar Stansted had gewild of zelfs naar een station aan de spoorweg van Londen naar Cambridge. Maar de eigenaar van Tip-Top Taxi's stelde hem teleur. Meneer Davis hield zijn administratie keurig bij en noch een dergelijk telefoontje, noch een dergelijke rit waren daarin vastgelegd.

'Dat zou ik me trouwens wel herinnerd hebben.'

'Hoezo, meneer Davis?'

'Omdat ik vijfenzestig ben, en volgens mij is dat eigenlijk echt wel een beetje te oud om de een of andere luie donder in het holst van de nacht naar Stansted te rijden, terwijl er voor zes uur 's ochtends toch geen enkel toestel vertrekt.'

'Het zou natuurlijk ook de volgende ochtend geweest kunnen zijn,' zei Lynn, die dacht dat Targo misschien in zijn auto had overnacht. 'Hebt u soms de volgende ochtend een ritje naar de luchthaven of een spoorwegstation in uw boekhouding staan?'

'Helemaal niks, mevrouw. Elke woensdagochtend maak ik dezelfde vaste rit. Dan breng ik een dame naar haar moeder die in een bejaardentehuis in Newmarket woont. Als ik haar daar heb afgezet, wacht ik een tijdje, en dan rij ik haar weer terug. Weet u nu voldoende?'

Dus Targo had zijn auto geparkeerd en was verdwenen. Hij was sterk, in goede conditie, intelligent en vindingrijk. Hij had kunnen gaan lopen.

'Langs die smalle weggetjes, meneer?' vroeg Lynn terwijl ze terugliepen naar de auto. 'In het donker? U hebt gezien hoe snel de mensen hier rijden.

Hij zou van geluk mogen spreken als hij het er levend afbracht. Herinnert u zich die vrouw nog die ons op weg hier naartoe inhaalde?'

'Ja, die zal ik niet snel vergeten. Met een voetganger zou ze korte metten maken.'

Hannah werd doorverbonden met iemand die werd aangeduid als 'personeelscoördinator' op het hoofdkantoor van de Spicewell-supermarktketen. Dat hoofdkantoor stond ver van Londen, en zelfs nog verder van Kingsmarkham, op een industrieterrein even buiten Peterborough.

'Kingsmarkham Crime Management. U spreekt met brigadier Goldsmith. Kunt u mij vertellen of u in één van uw vestigingen een zekere Tamima Rahman in dienst hebt? Dat is R-A-H-M-A-N.'

'Ik zal even kijken.'

Vroeger, toen dergelijke informatie nog in dossiermappen werd bewaard, zou de vrouw later hebben moeten terugbellen. Maar nu hoefde ze niet eens te vragen of Hannah even aan de lijn wilde blijven. Binnen dertig seconden wist ze het al. 'Nee, we hebben niemand van die naam in dienst.'

Hannah was altijd grondig. 'Wilt u dat alstublieft nog even controleren?'

Ook een tweede keer kijken leverde geen ander resultaat op. Daarna belde Hannah mevrouw Qasi. Die klonk nogal scherp. 'Nee, u hoeft het niet te vragen. Ik heb Tamima sinds ze hier is weggegaan niet meer gezien. Zoals ik u al heb gezegd, woont ze nu in bij Jacqueline en Clare in Wandsworth.'

Zodra ze dat had gezegd, drong het tot Faduma Qasi door dat ze zonder het te willen had verteld wat Tamima's huidige woonplaats was. Hannah vroeg haar of ze dat, alstublieft, wat kon toespitsen.

De tante van Tamima aarzelde... of had ze opgehangen?

'Bent u daar nog, mevrouw Qasi?'

'O, wat maakt het ook uit? Mancunia Road, Wandsworth, SW18. Nummer 46.'

'Heel erg bedankt.'

Terwijl Hannah de supermarkt natrok, was Damon Coleman een aantal winkels afgelopen. Toen Wexford nog jong was, en verloofd met Alison, was er in Kingsmarkham maar één winkel geweest waar mannen hun kleren konden kopen, een zelfs toen al ouderwetse herenmodezaak in High Street. Prior's heette die, en de vrouwen hadden daar ook hun rokken en mantelpakjes gekocht, en de schooluniformen van hun kinderen. Nu waren er zes kledingwinkels. Een daarvan bevond zich in het vervallen Kingsbrook Centre, een andere, die heel trendy was, zat in York Street, en de rest was gevestigd in High Street, waar Prior's nog steeds een vooraanstaande rol speelde, zij het inmiddels zonder de ouderwetse apostrof, en onder de naam Priors Prime of Life. Dat was de winkel waar Damon het eerst naartoe ging, maar zonder succes. Het trendy winkeltje in York Street leverde al evenmin iets op, en dat gold ook voor Young Adults, dat drie etalages van Priors verwijderd was. De laatste winkel die hij bezocht heette Heyday, en de etalage lag vol met spijkerbroeken, sweaters, honkbalpetjes, grote cowboyhoeden en broeksriemen met metalen ornamenten.

Nee, meneer Targo had die middag niets gekocht, maar ze kenden hem wel. Hij was niet echt een vaste klant, maar hij had hier een paar keer een spijkerbroek gekocht. Twee of drie weken geleden was hij voor het laatst geweest.

'Je gaat "flitsend" gekleed, Damon,' zei Wexford. 'Zeggen ze dat nog steeds zo?'

'Voor zover ik weet niet, meneer.'

'En jij zou het weten. Laten we het er maar op houden dat je aandacht besteedt aan je verschijning. Zou jij het land uitgaan met niet meer dan de kleren aan je lijf?'

'Nee, dat zou ik niet doen. Maar ik hoef per slot van rekening ook niet het land uit te vluchten.'

'Vluchten' was echter het juiste woord niet. Weifelen en doelloos rondhangen, dat vormde eigenlijk een betere omschrijving. Targo had niet eens op grote schaal inkopen gedaan. Als je zonder een koffer met kleren op het vliegtuig stapte, dacht Wexford, dan zou je dat toch zeker alleen maar doen omdat je verwachtte op je plaats van bestemming genoeg kleren te vinden. Niet noodzakelijkerwijs in de winkels van de een of andere buitenlandse stad, maar omdat je die klaar had liggen in het huis van een vriend of vriendin. Hij belde Mavis Targo.

'Mijn dochter? Lois? Daar zou hij niet naartoe gaan. De enige keer dat ze elkaar hebben ontmoet, konden ze niet met elkaar opschieten. Dat was hier, en ze is allergisch voor honden. Ze is maar één nacht gebleven, maar ik moest de honden opsluiten, en u kunt zich wel voorstellen wat een drukte Eric daarover heeft gemaakt.'

'Maar toch wil ik graag haar telefoonnummer hebben, alstublieft.'

'Hoe laat is het? Twee uur 's middags? Nou, waar zij woont is het nu pas

zeven uur 's ochtends. Ik geef u het nummer, maar dan moet u me wel beloven dat u wacht met bellen tot ze fatsoenlijk wakker heeft kunnen worden.'
Vijf minuten later toetste Wexford zonder zich te bekommeren om het fatsoenlijk wakker worden het nummer in van Lois Lidgett in Colorado Springs. 'Ik zou hem niet in huis willen hebben,' zei ze, en dat klonk hem vertrouwd in de oren. Hij herinnerde zich dat Adèle Thompson had gezegd dat zij niet in één en dezelfde kamer met Targo zou willen verkeren, en dat mevrouw Rahman zijn hond niet in huis wilde hebben.

In de loop der jaren had hij van vele mensen te horen gekregen dat een eindje wandelen een goede manier was om je gedachten te ordenen. Als je op een stoel ging zitten en probeerde na te denken, liep je altijd het risico dat je gewoon in slaap viel.

Maar eerst wil ik het monster in zijn doosje stoppen, dacht hij. En daarna het doosje weggooien... maar dat kon niet, want hij moest nu juist over het monster nadenken. Hij had wandelen altijd al als heilzaam beschouwd, in die zin dat als je het maar genoeg deed, je een deel van de calorieën kwijtraakte die je had ingenomen in de vorm van rode wijn, cashewnoten, Chinees eten, vruchtencake en snacks. Zou het ook psychische voordelen bieden? Zou wandelen hem helpen om zich te concentreren op het probleem waarmee hij zich nu geconfronteerd zag?

De hortus botanicus was niet mooi meer. Of misschien kwam het alleen maar door de tijd van het jaar, de rommeligste tijd, als de gazons bruin zien van de gevallen bladeren, en waar de laatste stervende rozen zich nog aan rafelige struiken vastklampen. De broeikas was omgebouwd tot koffiebar. Het pinetum was grondig vernield door jeugdbendes, zoals die van Scott Molloy, en het deel van de hortus dat bestemd was voor zeldzame bomen was verbouwd tot een (niet vaak gebruikte) speeltuin met schommels en wippen. Het gras was te nat om over te lopen en dus bleef hij eerst op het hoofdpad, en nam toen een zijpad tussen twee grasvelden die overschaduwd werden door grote ceders en beuken, waar koperkleurige bladeren uit neerdwarrelden.

Een vrouw kwam zijn kant op gelopen, en omdat hij zich altijd bewust was van de angst die vrouwen voelen als ze op een afgelegen plek een man alleen tegenkomen, ging hij van het pad af en zette een paar stappen op het natte gras. Hij rook haar geur en hoorde haar zeggen: 'Verboden op het gras te lopen, Reg. Weet je nog dat je dat tegen me zei voordat deze hortus werd aangelegd?'

Hij had geen idee wie het was, een lange, magere vrouw, met een kaars-rechte rug, en haar witte haar in een wrong. Hij herkende haar niet... Maar toch had zij hem herkend.

'Waarom heb ik dat gezegd?'

'De meeste woorden in dat zinnetje waren overbodig of te lang, zei je. "Niet op lopen" zou ook voldoende zijn geweest. Ik heb het altijd onthou-den. Je weet niet wie ik ben, hè?'

Maar nu wist hij het wel. 'Ja, Alison, natuurlijk herken ik je. Hoe gaat het met je? Ik hoop dat je hier niet woont en dat het dus geen ongelukkig toe-val is dat ik je al die jaren nooit eerder ben tegengekomen.'

Ze lachte. 'Ik woon in Frankrijk. Mijn eerste man is overleden en ik ben hertrouwd met een Fransman. Ik ben hier omdat mijn moeder is overle-den. Ze was heel oud, maar toch is het beroerd. Het is nog steeds een hele schok.'

'Laten we een eindje lopen,' zei hij.

Ze liepen terug in de richting waaruit hij gekomen was. Nadenken over het probleem waarmee hij te kampen had, kon hij nu wel vergeten. Hij liep te vertellen over zijn leven, zijn kinderen en kleinkinderen toen ze hem een arm gaf en toen hij omlaag keek, naar haar rechterhand die nu op zijn arm rustte, zag hij de ring die ze aan haar middelvinger droeg. Het was de verlovingsring die hij haar had gegeven toen ze eenentwintig was, en die ze had gehouden toen hij zei dat dat mocht. Hij keek ernaar en ze zag hem kijken, maar geen van beiden zeiden ze er iets over.

Bij de toegangspoort, zei ze: 'Ik logeer in de Olive. Waar zou ik anders kunnen logeren? Morgen neem ik de Eurostar terug naar Frankrijk.'

'Vaarwel, lieve Alison,' zei hij, en hij nam haar in zijn armen en gaf haar een kus. Toen ze wegliep, draaide ze zich nog één keer om en wuifde naar hem.

Terug naar het politiebureau, en naar het alledaagse leven. Daar kreeg hij te horen dat brigadier Goldsmith naar Londen was gegaan om Tamima Rahman te zoeken, maar dat ze binnenkort weer terug zou zijn. Hij voelde een lichte ergernis. Hij had haar gezegd dat ze nog één keer mocht probe-ren Tamima te achterhalen. Misschien was het dat woordje 'binnenkort' dat hem ergerde. Wat was er mis met 'snel'? Hij probeerde het denkwerk te verrichten waar die toevallige en aangename ontmoeting met Alison hem van had afgehouden, toen Burden de kamer binnenliep. Zijn voorhoofd was gefronst, en hij keek somber. Burden vloekte niet vaak, maar nu wel. 'Die verdomde leeuw is ontsnapt.'

'Wat?'

'King of hoe het beest ook mag heten, is ontsnapt. Mavis Targo belde net. Ze was hem aan het voeren en toen is hij ontsnapt.'

'In hemelsnaam, Mike. Wanneer is dat gebeurd?'

'Vanochtend vroeg. Ze durfde het ons niet te vertellen en dacht dat hij misschien uit eigen beweging wel zou terugkomen. Ze heeft eerst de dierenbescherming gebeld, en toen iets wat de Feline Foundation heet, de Katachtigenstichting, en toen ze helemaal niets anders meer kon bedenken, kwam het bij haar op dat ze ons misschien ook weleens kon bellen. De media hebben er nog geen lucht van, maar dat zal niet lang meer duren. Ik heb de dierentuin van Myringham gebeld en er komt iemand hierheen. Kennelijk is dat hun grotekattendeskundige.'

'Hoe is hij ontsnapt?'

'Nou, over het algemeen, zegt ze, zou ze zijn kooi niet binnengaan. Targo doet dat wel, en kennelijk aait hij het beest dan. Zij gooit een half lam, of wat die leeuw dan ook te eten mag krijgen, over het hek – hij hangt het aan een haak – maar deze keer gooide ze niet hoog genoeg en bleef het aan het hek bungelen. Ze maakte het hek open, stapte de kooi binnen en probeerde het vlees los te wippen, maar dat lukte niet. De leeuw lag in zijn grot. Ze ging een trapje halen en vergat af te sluiten. Toen ze terugkwam stond het hek open en ze zag de leeuw rondlopen op het grasveld, waar de muntjaks zitten. Dat zijn een soort kleine herten. Ze was zo bang dat ze het huis binnen is gerend, zichzelf heeft ingesloten en een groot glas cognac achterover heeft geslagen. Ik weet niet waar ze op hoopte, een wonder misschien, of dat ze zou ontwaken uit een nachtmerrie, maar pas een halfuur geleden heeft ze ons gebeld.'

Wexfords telefoon ging. Hij nam op.

'Met Lionel Smith van de *Kingsmarkham Courier*. Wat kunt u ons vertellen over de ontsnapte leeuw?'

18

De vele aandacht in de media kwam Wexford wel goed uit. Als er ook maar iets was, wat ervoor zou kunnen zorgen dat Targo weer kwam opduiken, dan was dit het wel. Het nieuws dat zijn vrouw werd vermist, of een van zijn kinderen, zou de man hoogstwaarschijnlijk onverschillig laten, maar de vermissing van een van zijn kostelijke dieren zou voor hem een grote ramp zijn.

Natuurlijk waren het vooral de Britse media die aandacht aan de zaak besteedden, maar Damon Coleman zag op het internet dat er ook artikelen over waren verschenen in Franse, Duitse en Spaanse kranten. Hoewel er in die landen hele kuddes stieren door de straten renden, rondzwervende beren nietsvermoedende wandelaars de stuipen op het lijf joegen en een dier dat sterk op een lynx leek telkens weer op de heide werd gesignaleerd, was dit een lééuw, een menseneter, de koning der dieren. De Britse kranten genoten met volle teugen. De voorpagina van *The Sun* werd volkomen in beslag genomen door een prachtige foto van een leeuw, met daarboven maar één woord: ONTSNAPT! Of het nou werkelijk een foto van King was, deed nauwelijks ter zake. Alle leeuwen lijken op elkaar en deze beschikte over alle algemeen als leeuwachtig erkende kenmerken: een nobele kop, wapperende manen en een prachtig gespierd lijf. De *Guardian* haalde een primeur met een foto van Targo in zijn leeuwenkooi, op nog geen twee meter afstand van het dier. Die zou Mavis wel uit haar fotoalbums opgedoken hebben, dacht Wexford. De versie van de *Daily Mail* beviel hem het best. De kopregel luidde: ALLEBEI VERMIST, en daaronder stonden foto's van een anonieme leeuw die zo te zien elk ogenblik tot de aanval kon overgaan, en van Targo die aan het joggen was in een korte broek en een T-shirt, met een sjaaltje om zijn hals.

Kingsmarkham werd overspoeld door journalisten en fotografen, die allemaal hoopten, zei Burden, dat King tevoorschijn zou komen uit zijn schuilplaats en de een of andere nietsvermoedende burger zou opvreten, bij voorkeur in het openbaar, en dan bij voorkeur een vrouw en als het even kon een blondine.

Burden lachte. 'Maar ik weet niet of er ergens nog een "nietsvermoedende burger" te vinden is. De hele stad is verstard van angst. De helft van de winkels in High Street is gesloten. De medewerkers zijn niet naar hun werk gekomen. Er is nergens een voetganger te bekennen, maar er is meer verkeer bij de weg dan gebruikelijk. Iedereen die dat maar kan, heeft nu de auto genomen.'

'Volgens mij komt Targo nu uit eigen beweging wel terug, denk je ook niet, Mike? Hij zal niet bang zijn dat dat ellendige beest niet gevonden wordt, maar juist dat het wél wordt gevonden en onmiddellijk wordt afgeschoten.'

'Wat zou het uithalen als hij terugkwam? Hij weet al net zomin als wij waar die leeuw uithangt.'

'Misschien haalt dat ook niets uit. Maar dat jij dat zo zegt, komt omdat je je niet kunt voorstellen hoe het is om zo gehecht te zijn aan een dier als Targo aan die leeuw van hem. En aan zijn honden trouwens ook. Als jij in het buitenland zou zitten en een van je kinderen werd vermist, dan zou je toch ook naar huis gaan?'

'Nou, natuurlijk,' zei Burden, 'maar dat is iets anders. Het zijn mijn kinderen, en het zijn mensen.'

'Voor Targo maakt dat geen verschil. Hij heeft ook kinderen, maar zijn dieren zijn voor hem belangrijker. Dat is altijd al zo geweest. Ooit, lang geleden, heb ik hem eens vriendelijk zien glimlachen naar zijn zoontje Alan. Niet omdat hij zulke tedere gevoelens voor de jongen koesterde, maar omdat het kind bijzonder aardig was voor zijn spaniël. Volgens mij komt hij wel terug.'

'Die jongen van de dierentuin in Myringham heeft me verteld dat hij die leeuw met een verdovingspijltje zal neerschieten als hij daar kans toe ziet. Het probleem is dat hij wel weet hoe dat gaat, maar het zelf nooit gedaan heeft. De man van de Feline Foundation heeft een .12-kaliber geweer. En een vergunning. Dat heb ik meteen gecontroleerd toen ik dat hoorde. Hij gebruikt dat geweer liever niet, maar is er wel toe bereid als het om mensenlevens gaat. Ik hoop maar dat ze het arme dier niet hoeven af te schieten.'

'Ik ook,' zei Wexford.

Op het allerlaatste moment had Hannah besloten Jenny Burden mee te nemen naar Wandsworth, als Jenny tenminste mee wilde. Dat wilde ze wel, en dus gingen de twee vrouwen in Hannahs auto op weg naar Londen. Het was laat in de middag, en het was druk op de weg, maar toch wisten ze zonder problemen Mancunia Road te bereiken, die uitkwam op Wandsworth Common.

Het appartement bevond zich op de bovenste verdieping van een rijtjeshuis uit het victoriaanse tijdperk. Op het naambordje onder de deurbel stond: CLARE COOPER EN JACQUIE CLARKE.

'Ik had verwacht dat we er langer over zouden doen,' zei Hannah. 'Misschien zullen we lang moeten wachten voordat we thuis zijn.'

Ze had nogal nerveus ingeparkeerd in een parkeervak waarvoor je een bonnetje uit een machine op het trottoir moest halen. Die indruk had ze in elk geval. Het was hier allemaal heel anders dan in Kingsmarkham. Zelfs al voordat ze hier waren, was het bij Hannah opgekomen dat ze hier het afschuwelijke risico liep om een wielklem te krijgen. Maar ze had haar munten in de machine geduwd en er was een bonnetje uit gekomen, dat haar het recht verschafte om twee uur lang te parkeren. Samen met Jenny liep ze het trapje naar de voordeur van nummer 46 op en belde aan bij Clare Cooper en Jacquie Clarke. Ze waren eigenlijk nogal verbaasd toen er een stem uit de luidspreker klonk die zei dat ze Clare Cooper was en dat ze zou opendoen. Hannah was er zeker van dat het hun niet de hele tijd zo voor de wind kon blijven gaan, en daar had ze gelijk in.

Een lange, jonge vrouw met blond haar liet hen binnen in het lichte en ruime appartement. Ze nam tamelijk lang de tijd om met grote belangstelling naar Hannahs politiepasje te kijken. 'Tamima is er niet,' zei ze. 'Ze is al – hoe lang is het nou al? – minstens een week geleden weggegaan.'

'Wat? Ze is alweer vertrokken?' zei Hannah. 'In haar eentje? Waar is ze dan naartoe?'

'Terug naar haar ouders, neem ik aan. Ik heb het haar niet gevraagd. Het is een nichtje van Jacquie. Ik had haar nog nooit ontmoet voordat ze hiernaartoe kwam. Ze heeft geprobeerd een baantje in een supermarkt te vinden, dat weet ik wel, maar dat is haar niet gelukt. En toen begon ze elke avond uit te gaan met de een of andere jongen. Volgens mij heeft Jacquie hem weleens gezien, maar eigenlijk zou ik dat niet weten. Maar goed, ze zei dat ze wegging, pakte haar koffers en is vertrokken.'

'Wanneer komt Jacquie thuis?' vroeg Jenny.

'Maandag pas. Ze is het weekend weg.'

Ze hadden de twee uur parkeertijd die hun was toegewezen bij lange na niet opgemaakt. Ze gingen in de auto zitten en wisten niet goed wat ze nu moesten beginnen.

'Ze is beslist niet thuis bij haar ouders,' zei Hannah. 'Ik heb Mohammed Rahman vanochtend nog gesproken. Hij was niet al te vriendelijk, maar het lijdt geen twijfel dat ze daar niet was. Hij zei dat ze weer thuis zou zijn voor de Id-ul Adha, wat dat dan ook zijn mag.' Ze betrapte zichzelf en bloosde. Ze had iets onvergeeflijks gedaan, iets politiek incorrects, want hoewel ze in woorden niets had miszegd, was de toon waarop ze naar een oude islamitische traditie had verwezen wel wat denigrerend geweest. 'Ik bedoel dat ze ter gelegenheid van een religieuze feestdag weer thuiskomt.'

'Waar is ze nu dan?'

'Dat weet ik niet. Wat denk je, zullen we maar eens naar Kingsbury gaan om te kijken of mevrouw Qasi ons iets wijzer kan maken?'

'Dat is kilometers hiervandaan,' zei Jenny nogal somber. 'En dat niet alleen, we moeten dan tijdens het spitsuur ook nog eens door het centrum van Londen. Maar de beslissing is niet aan mij. Jij bent degene die rijdt.'

Hannah was er niet de vrouw naar om zich te laten afschrikken door een klein bezwaar, zoals om vijf uur op vrijdagmiddag het centrum van Londen doorkruisen. 'Ik heb er geen bezwaar tegen. Laten we dan maar gaan.'

Het duurde heel lang. Hannah zou al net zomin gebeld hebben met haar mobieltje terwijl ze reed, als ze geparkeerd zou hebben op een plek waar dat niet was toegestaan. Ze overhandigde het mobieltje aan Jenny en gaf haar het nummer van mevrouw Qasi. Tegen die tijd reden ze al over Wandsworth Bridge, zodat er eigenlijk al geen terugkeer meer mogelijk was. En Faduma Qasi was thuis. Haar stem klonk geamuseerd toen ze Jenny vertelde dat Hannah en zij natuurlijk langs konden komen. Ze zou hun met alle genoegen ontvangen en zorgen dat de thee klaarstond.

'Ik dacht dat ze elk ogenblik kon gaan lachen,' zei Jenny. 'Het was werkelijk heel merkwaardig. Ik zou bijna denken dat al die mensen samenspannen om Tamima voor ons verborgen te houden.'

'Nou, zo'n samenzwering is er ook waarschijnlijk wel. Wat bedoelde die Clare toen ze zei dat Tamima elke avond met "de een of andere jongen" uitging?' Als je het te vergezocht vindt, moet je het zeggen, maar inmiddels denk ik niet langer aan een gedwongen huwelijk, maar aan eerwraak. Ze hebben haar vermoord.'

Jenny zweeg even. Toen zei ze: 'Gisteren stond er iets in de krant over een Indiase weduwe die sati had gepleegd, door zichzelf op de brandstapel van haar echtgenoot te werpen, terwijl haar hele familie eromheen stond.'

'Het is "sati worden", niet "sati plegen",' zei Hannah. 'Dat doen de hindoes, niet de islamieten, en het is al tweehonderd jaar verboden.'

'Maar eerwraak is ook verboden en toch worden er voortdurend vrouwen en meisjes vermoord.'

'Dat weet ik.'

De volgende dag slaagde Hannah erin om opnieuw bij Faduma Qasi langs te gaan, en deze keer ging ze alleen. Net als de vorige dag weigerde mevrouw Qasi om het met hun over Tamima te hebben, en haar vragen stuitten op een muur van stilte. Geen absolute stilte natuurlijk, want terwijl mevrouw Qasi haar opnieuw thee of koffie aanbood, of, met een half-geamuseerde blik in haar ogen, wat Oloroso-sherry, had ze zich met alle genoegen bereid getoond om met Hannah over het weer te praten, over een kleine aardbeving in Pakistan en over de lange vastendagen waaraan haar familie en zij zich hielden tijdens de ramadan. Maar telkens als Hannah probeerde om het over Tamima te hebben, zei ze dat ze het werkelijk niet met haar over familieaangelegenheden kon hebben.

'Toen ik hier voor het eerst op bezoek kwam, leek u anders maar al te graag bereid om over uw nichtje te praten.'

'Ja. Misschien was dat een vergissing van mij. Ik heb reden om te geloven dat mijn broer er grote bezwaren tegen heeft dat zijn privéaangelegenheden door mij met derden worden besproken.'

'Als het hier om een misdrijf gaat, mevrouw Qasi,' zei Hannah, 'zijn dit geen privéaangelegenheden meer. Ik heb reden om te geloven dat Tamima haar familie tegen zich in het harnas heeft gejaagd door een jongen te ontmoeten die door haar vader en moeder onaanvaardbaar wordt geacht, en dat er daarom maatregelen zijn genomen om daar een einde aan te maken.'

'Daar kan ik werkelijk niets over zeggen.'

'Misschien kunt u ons wel zeggen waar ze nu is. Clare Cooper, de huisgenote van uw andere nichtje, heeft me verteld dat ze niet langer bij hen inwoont. Ze is er niet in geslaagd om een baan te vinden. Ze is niet thuis in Kingsmarkham. Clare heeft iets gezegd over uitgaan met een jongen. Tamima is nog maar zestien.'

'Daar weet ik niets van.' Faduma Qasi stond op. 'Ik denk dat u maar beter kunt gaan.'

Hannah had geen keus, en ging dus maar. Maar alles wat mevrouw Qasi over dit onderwerp te berde had gebracht, maakte haar alleen maar ongeruster. Tot nu toe zag ze alleen nog maar een beeld voor zich van Tamima die gevangenzat, gewoon thuis natuurlijk, bij een of ander familielid dat Hannah niet kende – niet vastgebonden als een dier – maar misschien wel opgesloten in een slaapkamer die toebehoorde aan degenen die haar gevangen hield totdat ze 'weer bij zinnen kwam'. De jongen met wie ze uit was geweest, zou ongetwijfeld Rashid Hanif zijn en zodra ze weer terug was in de omstreken van Kingsmarkham, reed Hannah dan ook rechtstreeks naar diens huis.

Toen ze haar auto parkeerde op de enige vrije plek die ze in Rectangle Road in Stowerton kon vinden, vroeg Hannah zich af waarom er zo weinig mensen op straat waren. Auto's, dat wel, maar ze zag nergens voetgangers. Ze was halverwege het huis van Hanif toen een auto naast haar tot stilstand kwam en een vrouw haar hoofd uit het zijraampje stak.

'U kunt hier beter niet over straat lopen,' zei ze. 'De leeuw is gezien in Oval Road. Als ik u was zou ik maar snel naar binnen gaan.'

Hannah weerstond de verleiding om te zeggen dat zij haar niet was, bedankte de vrouw en liep naar de voordeur van de familie Hanif. Er werd opengedaan door Fata Hanif, blootshoofds. 'Ik zag u al aankomen,' zei ze. 'Ik dacht, misschien hebt u de leeuw gezien. Komt u snel binnen. Mijn man is net thuis. Hij zegt dat het dier is gezien in High Street.'

'Ik kom voor u, mevrouw Hanif. Met de leeuw heeft het niets te maken.'

Akbar Hanif zat in de woonkamer, met de baby op schoot en een ouder kind aan weerszijden. Hij was een tamelijk dikke man met een zware baard, gekleed in een ruimvallend wit overhemd en een zwarte broek. Hij knikte naar Hannah, keek met een welwillende glimlach naar haar identiteitsbewijs en vroeg wat de politie aan de leeuw deed. Hannah ging daar niet op in.

'Ik had gehoopt dat uw zoon Rashid thuis was,' zei ze. 'Of is hij nog niet terug van school?'

'Ze hebben vakantie.'

Dat wist Hannah al. 'Maar hij is niet thuis?'

'Nee, hij is niet thuis,' zei Fata, die nu een klein meisje in haar armen had. 'Hij is gaan kamperen met zijn neefje. Hij werkt hard. Hij heeft er recht op om zo nu en dan eens vrij te nemen. Zijn oudtante is gestorven en heeft hem wat geld nagelaten, een klein beetje maar, en dat heeft hij besteed aan een tent en kampeergerei. Hebt u daar soms iets op tegen?'

'Fata?' zei haar man. Het was duidelijk bedoeld als een standje, maar het werd op vriendelijke en zachtmoedige toon gezegd.

'Waar is hij aan het kamperen?'

'Iets wat het Peak District heet, al gaat u dat eigenlijk niets aan.'

Deze keer nam Akbars standje de vorm aan van een treurig hoofdschudden.

'Wanneer verwacht u hem terug?' Die vraag stelde ze aan Rashids vader.

'Woensdag of donderdag.' Fata sprak nu namens haar echtgenoot. 'Ik wil niet dat hij hier terugkomt terwijl die leeuw rondsluipt. Ik wil niet dat mijn kinderen de straat op gaan.'

Hannah was die hele leeuw inmiddels spuugzat. 'En dat neefje van hem is de enige met wie hij aan het kamperen is?' Wat hadden die mensen allemaal toch een hoop familie, dacht ze onwillekeurig, en onmiddellijk nadat ze zichzelf daarop had betrapt, verweet ze zichzelf vol afschuw dat dat het zoveelste voorbeeld van racisme was dat zomaar in haar opkwam. 'Alleen hij en dat neefje van hem, met niemand anders erbij?'

'O nee,' zei mevrouw Hanif. 'Ze zijn met zijn vieren of vijven. Nog een neefje en twee schoolvrienden.' Ze keek Hannah indringend aan. 'Maar als u daarmee soms bedoelt dat ze een meisje bij zich hebben, dan hebt u het mis. En nu kunt u maar beter gaan.' Daarmee was ze al de tweede vrouw die dat binnen vier uur tegen Hannah had gezegd.

De straat was leeg en verlaten. Het was aan het eind van de middag en het begon al donker te worden. Ze reed terug naar Kingsmarkham, waar ze Lynn Fancourt tegenkwam op het parkeerterrein van het politiebureau.

'Ik ben echt bang voor die leeuw,' zei Lynn. 'Vooral na het donker. Katten zijn toch nachtdieren? Ik neem aan dat die leeuw 's nachts pas echt naar voedsel op zoek gaat.'

'Hij gaat heus de stad niet in. Waarschijnlijk is hij heel wat banger voor mensen dan mensen voor hem.'

'Ik hoop dat je gelijk hebt.'

Hannah liep naar Wexfords kamer.

Hij zat naar het beeldscherm van zijn computer te kijken, met Damon erbij om hem de weg te wijzen op internet. De blik die hij Hannah toewierp, was bepaald niet vriendelijk.

'Nou?'

Damon maakte aanstalten om de kamer uit te lopen, en Wexford zei niets om hem daarvan te weerhouden.

'Ik ben naar Londen geweest, chef,' zei Hannah, 'en na mijn terugkeer ben ik met de ouders van Rashid Hanif gaan praten. Volgens mij is Tamima Rahman er met Rashid vandoor gegaan en zijn ze ergens ondergedoken. Van dat verhaal van zijn ouders, dat Rashid is gaan kamperen met een stel vrienden en familieleden, geloof ik helemaal niets.'

'Dus ze is ergens ondergedoken, zoals jij het formuleert. Samen met haar vriendje. Ze is zestien, en volgens mij is met een jongen vrijen voor een meisje van zestien in dit land niet verboden.'

'Maar het is wél tegen de sharia, en sommige Aziaten hebben voor minder dan dat hun dochter vermoord. Óf ze hebben haar al gedood, óf ze zijn het van plan. Mag ik u vertellen wat ik te weten ben gekomen?'

'Je kunt maar beter gaan zitten,' zei Wexford nogal zuur.

Hannah vertelde hem over Clare Cooper, de twee keer dat ze op bezoek was geweest bij mevrouw Qasi en de manier waarop meneer en mevrouw Hanif hadden gereageerd op haar vragen. 'Dus u zult wel begrijpen waarom ik me zorgen maak, chef. De afgelopen dagen, of misschien zelfs weken, heeft niemand dat meisje gezien. Iedereen heeft wel een uitvlucht om te verklaren waarom ze niet is waar ze verondersteld wordt te zijn. Maar Clare Cooper heeft gezegd dat ze uitging met een jongen, en omdat Rashid Hanif ook al niet te vinden is, ligt het toch zeker voor de hand dat ze samen zijn. Of dat ze samen zijn geweest totdat...'

'Goed, dat begrijp ik allemaal best. Maar niets daarvan leidt me tot jouw conclusie dat ze het slachtoffer is geworden van eerwraak. Je hebt absoluut geen bewijs daarvoor. Het is alleen maar een vermoeden.'

'Zou u het goedvinden als ik morgen naar de familie Rahman ga om het hun te vragen? Om hun te vragen, bedoel ik of Tamima niet thuis is omdat ze er met Rashid vandoor is gegaan.'

Wexford zweeg even. Toen zei hij: 'Wat ik eigenlijk het liefst zou willen, Hannah, is dat ik de naam Tamima Rahman nooit meer te horen krijg in combinatie met de uitdrukkingen "gedwongen huwelijk" of "eerwraak". En als je met de familie Rahman gaat praten, zou ik het prettig vinden als je Tamima levend en wel zou aantreffen, te midden van haar familieleden. En ik zou het nog prettiger vinden als je me daar niets over vertelt.'

'Goed hoor, chef. Het is me wel duidelijk.' In de deuropening draaide

Hannah zich om. 'Weet u, chef, dat u de enige bent die ik sinds ik hier terug ben gesproken heb, die het niet over die leeuw heeft gehad?'

Misschien had hij het er niet over gehad omdat hij de hele dag weinig anders gehoord had. Toen Hannah binnenkwam, had hij op internet naar foto's van leeuwen zitten kijken, en naar een video van een leeuw waarvan beweerd werd – al was dat ongetwijfeld onjuist – dat het King was die heen en weer liep over de open ruimte voor zijn grot, in de tijd dat hij daar nog gewoon opgesloten had gezeten. Hij belde Mavis Targo. Nee, ze had nog niets van haar man gehoord. Ze zou het meteen gemeld hebben als ze wel iets van hem had vernomen. Op dit moment durfde ze eigenlijk alleen maar de deur uit om naar het witte bestelwagentje te hollen waarmee ze haar inkopen ging doen. En dat was een wandeling van hooguit drie meter. Ze beschreef Wexford de doodsangsten die ze elke keer dat ze die korte tocht maakte weer uitstond, terwijl ze elk ogenblik verwachtte dat King vanuit de bosjes op haar af zou duiken.

'En een van de muntjaks is verdwenen.'

Wexford moest even denken. Wat was een muntjak ook weer? Een klein soort hert? 'Een van die herten van u?'

'Van Eric zult u bedoelen. Hij had er drie, en nu zijn het er nog maar twee. Ik heb ze met een verrekijker bekeken. Ik durfde niet naar buiten te gaan.'

De volgende ochtend zou hij langskomen, zei hij. Het was nu bijna twee weken geleden sinds haar man het huis uit was gegaan.

19

De leeuw liep nog steeds los rond. In deze omgeving, dacht Wexford, was er maar heel weinig reden waarom King niet weken of zelfs maanden op vrije voeten zou kunnen blijven, zolang hij maar voldoende kleine dieren wist te vinden om zich mee te voeden. Overal in de omgeving zat klein wild: wasberen, vossen, hazen, konijnen, fazanten en patrijzen. Op weg naar Stringfield merkte Wexford dat hij naar alle dode diertjes op de weg zat te kijken, de platgereden, bloederige vachten en de bundeltjes zwarte en bruine veren. Aten leeuwen ook aas? Waarschijnlijk wel, als ze honger hadden.

Terwijl Donaldson voor een rood licht bij de afrit van de snelweg bleef staan, belde Wexford met de familie Rahman. Yasmin was degene die opnam, en ook nu weer was hij onder de indruk van haar gezaghebbende toon en afgemeten manier van spreken.

'Hallo? Met wie spreek ik?'

Wexford zei dat hij met haar man en haar wilde praten, en indien mogelijk ook met haar zoon Ahmed.

'Mijn man zal er zijn,' zei ze. 'Mijn zoon Ahmed ook.' En met een heel zwak sprankje humor in haar stem voegde ze daaraan toe: 'Mijn zoon Osman ook, als u de hele familie wilt spreken.'

'Dan zou Tamima er natuurlijk ook bij moeten zijn.'

Ze reageerde geërgerd. 'Hoe vaak moeten we het u nu nog vertellen? Tamima is in Londen, bij haar nichtje.'

'Nee, daar is ze niet, mevrouw Rahman. Maar daar hebben we het straks wel over.'

Het was een mooie, zonnige dag, en het terrein van Wymondham Lodge en de vlakten daarachter bevonden zich op het toppunt van hun herfstige schoonheid. Engelse bossen hebben maar weinig bomen die in november rood worden. Dat is voorbehouden aan Noord-Amerika, waar de bossen vooral uit esdoorns bestaan. Hier in Sussex waren de weilanden groen, en de bossen donkergroen, geel en bruin, met goudbruine berken en geelbruine beuken en eiken. Een lichte wind deed de boomtoppen ruisen, zodat de verschillende tinten zich huiverend met elkaar vermengden. Op enkele verre hellingen graasden schapen en in de weilanden bij de Brim zag hij zwartbonte koeien. Maar dichter bij huis bevonden zich exotischer diersoorten. De lama's genoten van de zon, de twee resterende muntjaks renden haastig weg om beschutting te zoeken toen ze Wexfords auto hoorden. Maar natuurlijk was er nu geen leeuw meer om hem met zijn gebrul te begroeten.

Er werd niet onmiddellijk opengedaan. 'Wie is daar?' riep Mavis Targo. Toen hij antwoordde moest Wexford onwillekeurig glimlachen. Verwachtte ze soms dat de leeuw zou antwoorden met: 'Ik ben het, King!'

Ze had zich netjes aangekleed voor zijn bezoek. Of voor haar eigen genoegen. Een strak zwart mantelpakje en een groene blouse benadrukten haar zware gouden juwelen, verschillende halskettingen, oorbellen zo groot als jasknopen. Haar dikke vingers stonden stijf van de gouden, met diamanten bezette ringen. Wexford stelde zich voor hoe ze angstig opgesloten in haar eigen huis zichzelf vermaakte door verschillende kledingstukken te passen en juwelen op een of ander door een dure ontwerper gemaakt kledingstuk te hangen, en voor de spiegel te experimenteren met kleuren en vormen, als een klein meisje dat met haar moeders kleding aan het spelen was.

'Ik heb nog niets van hem gehoord,' begon ze, en ze had het niet over de leeuw. 'Geen woord sinds hij die ochtend de deur uit is gegaan. Ik denk niet dat hij in het buitenland zit. Dat doet hij niet. En nu is Ming ziek. Hij kwijnt weg van verlangen naar Eric, dat is het. Ik ben gisteren met hem naar de dierenarts geweest, en zij zegt dat het een virus is. Maar het is geen virus. Ze mist Eric.'

De Tibetaanse spaniël lag in elkaar gedoken op een stapel zijden kussens in de hoek van het vertrek. 'Het arme dier, hij wil niet in zijn mand liggen maar alleen op die kussens, en Sweetheart blijft hem maar lastigvallen. Nou ja, hij is natuurlijk maar een puppy, en hij wil spelen.'

'Kan ik even gaan zitten, mevrouw Targo? Ik wil dat u me nog eens vanaf het allereerste begin vertelt wat er is gebeurd op de dag dat uw man is weggegaan, maar nu tot in de kleinste details. Begint u maar met 's ochtends na het wakker worden.'

Ze liepen de overdadig ingerichte zitkamer binnen.

'Eric was al heel vroeg op,' begon ze. 'Maar dat was hij zo vaak. Hij ging ergens naartoe... volgens mij in de bestelwagen.'

Om naar Pomfret te rijden en daar in het huis van Andy Norton te doen wat hij zich had voorgenomen, dacht Wexford. 'Heeft hij de hond meegenomen?'

'Dat weet ik niet. Het was vijf uur 's ochtends. Ik ben wakker geworden toen hij wegging, en toen weer in slaap gevallen. Toen ik opstond was hij terug, en de honden waren allebei hier. O ja, ik herinner me nog dat hij zei dat hij ze had uitgelaten. Later op de ochtend ben ik boodschappen gaan doen, en toen ik terugkwam, was hij buiten, bij de dieren.' Ze wierp Wexford een geërgerde blik toe. 'U hebt geen idee hoe vaak ik dit in gedachten allemaal al heb doorgenomen. Ik ben er echt bijna tureluurs van geworden, en heb telkens weer geprobeerd me te herinneren wat hij heeft gezegd, en of hij ook gezegd heeft waar hij naartoe ging. Maar dat heeft hij niet gezegd, daar ben ik heel zeker van.'

'Wanneer is hij weer de deur uitgegaan?'

'Dat moet tussen twee en drie uur 's middags zijn geweest. Hij heeft eerst iemand gebeld op zijn mobieltje, maar ik weet niet wie dat geweest is. En daarna is hij weggegaan in de Mercedes.'

'En hij had de hond niet bij zich?'

'Dat kreeg ik pas in de gaten toen hij al weg was. Ik had Ming al een tijdje niet gezien, maar Sweetheart wel, en dus dacht ik dat hij Ming wel meegenomen zou hebben. Maar dat was niet het geval, want niet lang daarna kwam die vanuit de tuin naar binnen gelopen.'

'En hij heeft niets tegen u gezegd over waar hij heen ging?'

'Nee, maar het kwam zo vaak voor dat hij zonder iets te zeggen wegging. Als ik erover had gedacht, zou ik hebben gezegd dat hij naar het kantoor in Sewingbury was gegaan, of misschien even bij een huurder langs. En toen hij niet terugkwam, dacht ik, nee, hij is naar Birmingham gegaan, en daar blijft hij overnachten.'

'Ik weet dat dit een heel persoonlijke vraag is, mevrouw Targo,' zei Wexford, 'maar toch moet ik het u vragen. U was niet erg gelukkig samen, neem ik aan?'

Heel achterdochtig zei ze: 'Waarom zegt u dat?'

'Als een man zomaar de deur uit loopt, zonder tegen zijn vrouw te zeggen waar hij heen gaat, zonder zelfs maar even te bellen vanaf de plek waar hij zich bevindt, waar dat dan ook zijn mag, of vanuit de auto terwijl hij op weg daarheen is? En dan dagenlang wegblijft en nog steeds geen contact met haar opneemt?'

'Dat is nou eenmaal zijn manier van doen,' zei ze. 'Zo is hij altijd al geweest. En dan zult u misschien zeggen dat de meeste vrouwen daar geen genoegen mee zouden nemen, maar mij kan het niet veel schelen. Ik voel me er prima bij. Ik heb dit mooie huis, en de honden, en het grootste deel van alles wat ik graag zou willen. U hoort mij niet klagen.'

Het had geen zin om hier verder op door te gaan. 'U bent door iemand gebeld. Er was een bericht ingesproken door iemand wiens stem u niet herkent. Bent u daar zeker van? Weet u zeker dat u die stem niet herkend hebt?'

'Eric was het niet, en Alan ook niet. Dat weet ik wél. Volgens mij had ik die stem al eens eerder gehoord. Het klinkt misschien een beetje raar dat ik dat zeg, maar volgens mij was het de stem van iemand die hier weleens is geweest, om een klusje te doen of zo, een bouwvakker of een tuinman, of misschien iemand die iets met dieren te maken had.'

'Kunt u dat wat meer toespitsen?'

'Ik denk van niet. Ik weet alleen maar dat het een stem was die ik al eens eerder had gehoord.'

'Misschien iemand die voor uw man werkte op het kantoor in Sewingbury?'

'Die heb ik nooit ontmoet... Nou, er was maar één werknemer, en die was al vertrokken voordat Eric vermist raakte. Ik heb zijn stem nooit gehoord.'

Onhoorbaar slaakte Wexford een zucht. 'Het forensisch onderzoek op uw auto – de Mercedes – is voltooid. Morgen krijgt u hem terug.'

Ze knikte onverschillig. 'Ik rij er nooit mee.' Sweetheart kwam de kamer binnen, en begon met zijn staart te kwispelen toen ze Wexford zag. Mavis tilde het dier op en nam het in haar armen. 'Die arme schat is al drie dagen niet buiten geweest. Maar wat moet ik anders? Ik kan mijn leven niet op het spel zetten om een hond uit te laten.'

Targo zou dat wel doen, dacht Wexford, ook al deed dat in dit verband niet ter zake. Zonder dat hij meer van plan was dan haar een beetje gerust te stellen, en met niets anders om naar te kijken dan het stille en lege zonovergoten landschap, stond Wexford op en liep naar de openslaande tuindeuren. Hij legde zijn hand op de deurkruk. 'Mag ik?'

'Als u maar voorzichtig bent.'

'Mevrouw Targo, uw leeuw ligt daar heus niet van de zon te genieten.'
Maar dat bleek wel het geval.

Wexford deed een stap naar achteren en deed de terrasdeuren dicht. King was diep in slaap. De leeuw lag behaaglijk opgerold op het terras, als de grote kat die hij was, aan de voet van een marmeren beeld van een leeuw en een vrouw die hem bewaakte, en een meter verderop lagen de meelijwekkende resten van wat ooit een klein hertje was geweest. Alleen de vrijwel vleesloze lange poten van de muntjak waren niet aangevreten. De rest had voor King het ontbijt gevormd, of misschien ook wel het diner van de vorige avond.

'Ik heb de man van de dierentuin gebeld,' zei Wexford een paar uur later tegen Burden.

'Misschien is het niet eerlijk van me, maar ik had toch het gevoel dat die man van de Feline Foundation er iets te happig op was om dat geweer van hem te gebruiken. Toen ik met Mavis in die afschuwelijke pseudo-Versailleskamer ging zitten en ze telkens weer "Wat moet ik nu beginnen?" zei, antwoordde ik telkens weer dat ze alleen maar hoefde te wachten totdat de man met het verdovende middel zou komen. "Zet u maar even een kopje thee voor ons," zei ik, maar die vrouw zit anders in elkaar dan Yasmin Rahman. Het kostte haar meer dan een kwartier en toen de thee klaar was, was die lichtgrijs van kleur. Ik vroeg me af of ze ooit van haar leven weleens thee had gezet. En terwijl ik theedronk, of liever gezegd deed alsof, moest Ming de spaniël braken.'

'Maar de man van de dierentuin is wel gekomen?'

'O ja, die is gekomen. Tegen die tijd zat ik me af te vragen hoe lang die leeuw in slaap zou blijven en wat er zou gebeuren als hij wakker werd voordat de man van de dierentuin ter plekke was. Maar King bleef diep in slaap, de man van de dierentuin kwam op tijd, er werd een spuitje in Kings flank geschoten, hij rolde stilletjes op zijn zij en raakte bewusteloos. Mavis begon te gillen dat hij dood was en wat Eric wel niet zou zeggen als hij terugkwam. Ik had de aanvechting om te zeggen: "Hij komt hier toch niet meer terug. Als hij ooit weer opduikt, gaat hij meteen de cel in." Maar natuurlijk heb ik dat niet gezegd.'

'Wat is er met de leeuw gebeurd?'

'De man van de dierentuin en zijn collega's hebben hem op een soort brancard getild en achter in een bestelwagen gelegd. Een zwarte bestelwagen trouwens, met het logo van de dierentuin van Myringham op de zijkanten: een giraf die aan een boomkruin knabbelt. Een van de oppassers kwam terug en heeft het karkas van de onfortuinlijke muntjak opgeruimd. Hij vertelde dat als niemand de leeuw opeist, ze hem in de dierentuin willen houden. Kennelijk waren ze toevallig net op zoek naar een mannetje voor hun drie leeuwinnen.'

'Dus dit is een verhaal met een gelukkig einde voor King en zijn harem.'

'Ja. Dan heeft Targo's verdwijning toch nog iets goeds opgeleverd. Hebben we nog tijd om te gaan lunchen voordat ik naar de familie Rahman ga?'

'Ik heb Indiaas eten besteld,' zei Burden.

Wexford ging aan het houten bureau zitten, dat zijn privé-eigendom was, en nadat Burden had gemerkt dat zijn pogingen om op een hoekje daarvan te gaan zitten tot opgetrokken wenkbrauwen leidden, liet hij zich in de enige andere gemakkelijke stoel in het vertrek zakken.

'Ik ga bij de familie Rahman langs, al is Tamima natuurlijk niet thuis, en dan zal ik proberen om die obsessie van Hannah met eerwraak de wereld uit te helpen. Maar als ik niets uit ze weet los te krijgen behalve ontkenningen, zitten we nog steeds met de vraag waar het meisje zich nu bevindt. Volgens mij is ze er eenvoudigweg vandoor met Rashid Hanif. Zijn moeder heeft Hannah gezegd dat hij "een klein beetje" geld geërfd had. Dat kan tienduizend pond zijn, maar ook niet meer dan vijftig, dat hangt er maar net van af hoe arm of rijk je zelf bent. Maar wat het ook zijn mag, ik geloof niet dat hij uit kamperen is gegaan, zoals zijn moeder beweert. Volgens mij heeft hij voor zichzelf en Tamima ergens een hotelkamer gehuurd.'

'Wil je daarmee zeggen dat haar ouders daar weet van hebben?'

'Ik betwijfel het. Maar ze moeten inmiddels wel in de gaten hebben dat Tamima zich niet op een van de plekken bevindt waar ze verondersteld wordt te zijn; niet bij haar tante, mevrouw Qasi, en al evenmin bij die twee meisjes in hun appartement in Wandsworth. Hoe het ook zij, ik neem aan dat ze ongerust zijn en daarom blij zullen zijn mij te zien. Ik ga Ahmed en zijn moeder ook vragen – zij waren thuis toen Osman de deur uit was en zijn vader ziek in bed lag – wat zich precies heeft afgespeeld toen Targo acht of negen uur na de moord op Andy Norton aanbelde bij hun huis in Glebe Road.'

Het Indiase eten dat werd gebracht, was afkomstig uit het Dal Lake Restaurant. Het was kip korma, aloo gobi, rijst en mangochutney, plus een bord met chapatti's, en Lynn Fancourt bracht het eten binnen op een dienblaadje, met daarop tevens een kan met ijswater en een pakje papieren servetjes, die waren bedrukt met een hier nogal uit de toon vallend opgedrukt motief van hulst en mistletoe.

'Die zijn zeker nog over van iemands kerstfeest, neem ik aan.'

'Je loopt achter,' zei Burden. 'Al sinds september liggen de winkels vol met kerstspullen.' Hij schepte wat rijst met korma voor zichzelf op. 'We weten toch zeker,' zei hij, 'waarom Targo naar hen toe is gegaan. Hij wilde zo'n computerdingetje dat het licht en de verwarming aandoet.'

'Ja, dat zou kunnen. Maar vind je het niet merkwaardig dat iemand die, net zoals ik, kennelijk niet over de meest elementaire computervaardigheden beschikt, iemand die hulp nodig heeft met de apparatuur in zijn kantoor, een apparaat wil kopen dat naar ik aanneem toch alleen maar goed bediend kan worden door iemand die wél met computers overweg kan? Zijn vrouw is de hele dag thuis om erop te letten dat alles tijdig aan en uit wordt gezet en dat de verwarming het doet. En bovendien is het niet duidelijk waarom hij dan zo lang gebleven is. Hij is 's middags gekomen – om halfdrie of drie uur, daar lijkt niemand helemaal zeker van – maar het is wel zeker wanneer hij vertrokken is: in elk geval niet vóór kwart over acht 's avonds, omdat de dame van de nagelbar en mevrouw Scott zijn auto daar "na kwart over acht" nog hebben zien staan.'

'Kennelijk wilde hij pas na het donker vertrekken.'

'Ja, maar om een uur of vijf moet het die maand al donker zijn geweest, dus eigenlijk is dat geen antwoord op de vraag.'

'We dachten dat hij misschien kleren aan het kopen was geweest, en misschien ook een koffer, en de auto gewoon heeft laten staan.'

'Maar we weten inmiddels dat hij geen kleren is gaan kopen, Mike. Niemand in Kingsmarkham heeft hem die middag kleren verkocht, en als hij naar Stowerton of Myringham is gegaan om kleren te kopen, waarom zou hij dan, om maar eens iets te noemen, een taxi of bus hebben genomen terwijl hij ook gewoon met zijn eigen auto had kunnen gaan? Ik begin me af te vragen of het allemaal niet veel anders is verlopen. Stel nou eens dat hij maar een uur of twee bij Ahmed en zijn moeder is gebleven en daarna te voet is gegaan? Dat hij ergens op de trein is gestapt of een taxi naar Gatwick heeft genomen?'

'Dat kan hij niet gedaan hebben.' Burden schepte nog wat spinazie op, met als zelfrechtvaardiging dat zijn vrouw, ook al was die hier niet, goedkeurend zou knikken als ze hem zo gezond zag eten. 'Hij kan niet te voet zijn gegaan omdat zijn auto ergens in het noorden van Essex is teruggevonden.'

'Hij is niet de enige in Kingsmarkham en omgeving die kan autorijden, Mike. Stel nou eens dat hij is gaan lopen en dat iemand anders – naderhand, toen het donker was, zodat hij niet gezien zou worden – met de Mercedes naar de omgeving van Stansted is gereden om de indruk te wekken dat Targo daarheen was gegaan.'

'Een of ander maatje van hem, bedoel je? Een medeplichtige? Wat dacht je van zijn vrouw?'

'Mavis heeft gezegd dat ze nooit in de Mercedes rijdt. Maar dat zegt niets. Ze kan best aan het stuur gezeten hebben. Het interieur was bezaaid met haar vingerafdrukken, wat alleen maar te verwachten viel, of ze er die dag nou in gereden heeft of niet, en naast die van Targo zijn er geen andere vingerafdrukken aangetroffen. Misschien is ze met het bestelbusje tussen negen en tien uur naar Glebe Road gegaan, en heeft ze dat ergens in de omgeving achtergelaten, alleen niet in Glebe Road zelf. Vervolgens zou ze dan met de Mercedes over de M11 naar het noorden van Essex kunnen zijn gereden.'

'Wacht even, Reg. We komen altijd weer terug bij het probleem dat degene die de auto naar het dorpje heeft gereden, vervolgens naar Stansted moet zijn gegaan, of terug naar Londen, en dat laatste zal zelfs nog lastiger zijn geweest. Stel nou eens dat ze om negen uur in een Mercedes uit Glebe Road is weggereden, dan heeft ze een reis van een uur of drie voor de boeg gehad, vervolgens over de brug over de Dartfort, over de M25 naar de M11, dan langs Stansted over de A120 naar Thaxted of Braintree, en van daaruit naar het dorpje toe. Daar komt ze dan om een uur of twaalf 's nachts aan. Maar hoe komt ze dan terug?'

Wexford tuurde door het raam naar buiten. Boven hen was de hemel egaal grijs, maar aan de verre horizon hoopten zich zwarte, dreigende donderwolken op. Slecht weer op komst. Hij richtte zijn aandacht weer op Burden. 'Er gaan 's ochtends vroeg al treinen van Stansted naar Londen. Maar zij bevond zich niet in Stansted. De man van Tip-Top Taxi's die ik heb gesproken, heeft die nacht niemand vanuit Melstead ergens anders heen gereden, en de volgende ochtend al evenmin. En bovendien zijn wij de volgende ochtend om tien uur bij mevrouw Targo langsgegaan in Stringfield. Nee, je hebt gelijk, dat had niet gekund. En bovendien acht ik haar daartoe niet in staat. Het antwoord moet dus wel zijn dat wie die auto daar ook heen gereden mag hebben, over een medeplichtige heeft beschikt die hem of haar in een andere auto weer heeft teruggereden. Wie die mensen zijn, weten we niet. Wat dat betreft zijn we nog geen stap verder dan een week geleden.'

Een plotselinge windvlaag blies het halfopen raam wijd open, en terwijl de eerste donderslagen klonken, liep Wexford ernaartoe om het dicht te doen. 'Is het nou echt zo dat zulke stormen vroeger alleen maar voorkwamen in de zomer, of verbeeld ik me dat maar?'

'Reg,' zei Burden, 'zoals ik al zo vaak heb gezegd: jij hebt meer verbeeldingskracht dan goed voor je is.'

20

Er werden geen daken van de huizen geblazen, en er stortten geen gebouwen in. Er werden hooguit een stuk of zes bomen omvergeblazen. Een daarvan viel dwars over de weg van Kingsmarkham naar Brimhurst, en een andere richtte een ravage aan in Burdens rotstuin. De zware regenval deed de waterstand in de Kingsbrook snel stijgen, zodat het riviertje buiten zijn oevers trad tot aan het punt waar Wexford vroeger zijn tuin had gehad. Een ramp was dat niet, want er groeide daar maar weinig, en er hadden geen dieren lopen grazen.

'Het is net dat grapje over de saaiste krantenkop die je je maar kunt bedenken,' zei hij tegen Burden. 'KLEINE AARDBEVING IN CHILI. GEEN GEWONDEN.'

Burden lachte beleefd, zoals hij altijd deed als Wexford een grapje maakte waarom hij niet kon lachen. 'Ik weet dat het me een fortuin gaat kosten om die boom te laten weghalen.'

Wexford dacht aan zijn eigen tuin, die nu in rap tempo terugkeerde naar zijn normale toestand van rommelige verwaarlozing, en toen dacht hij aan Andy Norton, die, hoe je het ook wendde of keerde, door zijn toedoen aan zijn einde was gekomen.

Net als een van die personages in een negentiende-eeuwse roman die de metropolis afzoeken naar een gevallen vrouw, een meisje dat van het rechte pad is geraakt, zocht Hannah Goldsmith nu heel Londen af naar Tamima Rahman. Die vergelijking gebruikte ze zelf terwijl ze van mevrouw Qasi in Kingsbury naar mevrouw Clarke in Acton reed, en erover nadacht dat de kuisheid van een jong meisje tegenwoordig alleen onder moslims (en misschien ook onder orthodoxe joden) zo hoog gewaardeerd werd dat het verlies daarvan werkelijk gevaar met zich meebracht, soms zelfs levensgevaar. Ze was begonnen met een optimistisch beeld van deze zaak. Wexford geloofde niet dat Tamima risico liep, noch het risico op een gedwongen huwelijk, noch het, veel ernstigere, risico om gewond te raken of zelfs vermoord te worden om de eer van de familie te redden. En over het algemeen had hij gelijk terwijl zij het vaak mis had. Inmiddels hoopte ze echter alleen nog maar Tamima levend en wel terug te vinden, samen met Rashid Hanif. Hoeveel sympathie ze ook voor de islamitische cultuur mocht hebben, toch kon ze zichzelf er niet van overtuigen dat er ook maar iets mis was met een meisje van zestien jaar of ouder dat een paar weken samen doorbracht met haar vriendje. Zoals zij het zag, zou het enige wat daar mis mee was, erin gelegen zijn dat de beide geliefden dan een paar weken school misten.

Rashid Hanif had wat geld. Niet veel waarschijnlijk, maar wel voldoende om samen met haar een paar weken in een goedkoop hotel te kunnen logeren. Dat het stel bij familieleden was gaan logeren, was zo onwaarschijnlijk dat het buiten beschouwing kon worden gelaten. Geen enkele goede moslim zou Rashid en Tamima onderdak bieden tegen de wil van hun ouders in. Maar een familielid zou misschien wel enig idee hebben waar ze heen gegaan zouden kunnen zijn. Dat was de reden waarom Hannah nu op weg was naar een aantal familieleden van de Rahmans die zich in Acton hadden gevestigd, en ook naar de zus van Akbar Hanif in Ealing. Maar toch zei een klein zacht stemmetje ergens diep in haar innerlijk telkens weer: 'Je zult Tamima niet vinden. Je weet dat je haar niet zult vinden. Ze is dood. Rashid is misschien ook wel dood. Ze zijn een hedendaagse Romeo en Julia.'

Mevrouw Clarke, geboren Rahman, woonde in een klein halfvrijstaand huis en was zo te zien de enige die op dat moment thuis was. Ze was een aantrekkelijke vrouw van in de vijftig, al was ze nogal mager. Haar ogen waren donkerbruin, haar haar was onnatuurlijk zwart, en de veelkleurige pantalon en zijden blouse die ze droeg, pasten daar wel bij, al was het op het randje. Nee, ze had haar nichtje al vier of vijf jaar niet gezien. Natuurlijk wist ze dat het meisje bij haar dochter in huis woonde. Haar dochter en zij waren heel close, maar ze kon zich niet herinneren dat ze het samen ooit over Tamima hadden gehad. Uit wat haar dochter Jacquie haar had verteld, had ze opgemaakt dat Tamima een tijdje in het appartement had gelogeerd dat Jacquie deelde met een vriendin die ze al kende sinds haar studie aan de universiteit. 'De uni,' zei ze, en dat klonk Hannah erg vreemd in de oren. Ze hield zichzelf voor dat ze al net zo pietluttig begon te worden als de chef. Kennelijk was het besmettelijk.

Amram Ibrahim, de broer van Yasmin Rahman, woonde in het huis ernaast, samen met zijn vrouw Asha. Ze verklaarden allebei nadrukkelijk dat ze Tamima nauwelijks kenden en haar niet meer hadden gezien sinds ze een klein meisje was. Ze reed naar Akbar Hanifs zus Amina in Ealing. Amina woonde in een fraai vrijstaand huis uit de jaren twintig, heel wat anders dan het huis van haar broer in Rectangle Road, Stowerton. Ze was een grote, duur geklede vrouw van achter in de veertig, en ze had er geen bezwaar tegen om over familieaangelegenheden te praten. Omdat ze zelf geen kinderen had, was ze zeer gehecht aan de kinderen van haar broer.

'Het zou me verbazen als Rashid heeft gedaan wat u nu suggereert,' zei ze toen ze tegenover elkaar zaten met de koffie die ze voor Hannah en zichzelf had gezet. 'Hij is niet alleen een goede jongen, die erg zijn best doet op school – hij haalt heel goede cijfers – maar, tja, hij is opgevoed met respect voor zijn ouders. Je zou zelfs kunnen zeggen dat hij zijn ouders vreest, en dan vooral zijn moeder. Op een goede dag zullen ze een huwelijk voor hem regelen, en hij heeft me gezegd dat hij daar vrede mee heeft. Dat gaat trouwens pas gebeuren nadat hij zijn studie aan de universiteit heeft afgerond. Waarom denkt u dat hij niet aan het kamperen is in Derbyshire, zoals Fata zegt?'

Hannah had al contact opgenomen met de politie van Derbyshire, en geopperd dat ze eens naar Rashid Hanif op zoek moesten gaan (ook al was ze er zeker van dat ze hem niet zouden vinden), en vervolgens was haar, heel beleefd, te verstaan gegeven dat de politie echt geen tijd had voor dergelijke aangelegenheden.

'Volgens mij is hij ergens anders naartoe, samen met Tamima Rahman. Of anders is hij in elk geval ergens anders met haar geweest.'

'Dat lijkt me zeer onwaarschijnlijk. Daar is hij gewoon de jongen niet voor.'

Het was de oom van Rashid, Fata's broer in Hounslow, die haar een eerste bruikbare aanwijzing gaf. Zijn vrouw en hij waren twee keer naar Brighton geweest, waar ze in een bed en breakfast hadden gelogeerd. 'Heel leuk,' zei hij. 'Echt heel prettig daar. De eigenaars waren heel aardig. Ze weten dat het bij wet verboden is om mensen de deur te wijzen omdat ze van Aziatische afkomst zijn – mijn vrouw komt uit Zuid-India. Dat is niet toegestaan, maar sommige pensionhouders weten zodra ze een bruin gezicht zien toch maar al te duidelijk te maken dat je niet welkom bent. Maar meneer en mevrouw Peddar van Channel View hebben ons heel vriendelijk welkom geheten.'

'En dat hebt u uw zus en haar man verteld?'

'Inderdaad. Maar ze zijn er nooit heen gegaan. Hoe kun je nou op vakantie als je zeven kinderen hebt?' Hij lachte. 'Als je zeven kinderen hebt, kun je helemaal niets.'

Zouden Rashid en Tamima daarheen zijn gegaan? Het leek Hannah niet onmogelijk. Ze noteerde het adres dat Rashids oom haar gaf, en vol hoop dat die twee daar op zijn minst geweest waren, belde ze met Channel View. Mevrouw Peddar kwam meteen al over als iemand met weinig gevoel voor discretie.

'We hebben hier veel Aziatische bezoekers. Ik heb ze heel graag. Ze gedragen zich altijd zo keurig. We hebben er zelfs over gedacht om onze advertenties speciaal op Aziaten te richten, maar dat mag niet. Dat is tegen de wet.'

'De mensen die ik in gedachten heb,' zei Hannah, 'zijn heel jong, een jonge man en een jonge vrouw.'

'Dat zouden meneer en mevrouw Khan weleens kunnen zijn. Eerlijk gezegd denk ik helemaal niet dat die twee meneer en mevrouw zijn. Ik weet zeker dat ze niet getrouwd zijn, maar tegenwoordig maakt dat niemand meer iets uit, toch? Ik vind het eigenlijk nogal netjes dat ze zichzelf meneer en mevrouw noemen. Daarmee geven ze op een bepaalde manier toch blijk van... nou, van respect.'

Hannah dacht dat ze in de loop van haar werk wel vaker mensen met rare meningen tegenkwam, maar zelden zo raar als deze. 'Ik zou graag naar u toe komen om ze te bezoeken, mevrouw Peddar.'

'Ze hebben toch niets misdaan? Dat kan ik nauwelijks geloven.'

'Nee, ze hebben niets misdaan,' zei Hannah.

'Ik heb eens nagedacht over waar we het gisteren over hadden,' zei Wexford toen Damon thee voor Burden en hemzelf kwam brengen, 'en er kwamen een paar heel politiek incorrecte gedachten bij me op.'

'Dat heb ik nou de hele tijd,' zei Burden nogal mismoedig. 'Wat waren dat voor politiek incorrecte gedachten?'

'Toen ik in Melstead was, heb ik daar een Aziaat gesproken die de dorpswinkel runt, een zekere Anil Mansoor. Dat heb ik je al verteld. Dat winkeltje van hem zit in de straat waar Targo's Mercedes is aangetroffen. Niets wat hij ons vertelde was erg nuttig, en er zat zeker niets bij wat argwaan wekte. Maar één opmerking van hem die ik destijds genegeerd heb, komt nu weer bij me op. Hij zei: "Sussex? Ik heb neven en nichten in Sussex. Misschien kent u ze wel."'

Burden nam tegenwoordig suiker in zijn thee. Dat was een nieuwe ontwikkeling. Hij was er pas een paar maanden geleden mee begonnen. Als hem gevraagd werd waarom, legde hij uit dat hij gewoon eens wat anders wilde, wat Wexford geen toereikende verklaring vond. Hij nam Burden wat weemoedig op en hoopte te zien dat de man zwaarder was geworden, maar eigenlijk leek hij juist wat afgevallen. En nu, alsof hij Wexford daarmee wilde uitdagen, lepelde hij maar liefst drie grote scheppen suiker in zijn theekopje.

'Dus?' zei hij.

'En dat is het punt waarop mijn gedachten politiek incorrect werden. Als hij... nou, blank was geweest, zou ik die opmerking van hem niet onthouden hebben. Dus hij had neven en nichten in Sussex? Nou en? Maar omdat hij een Aziaat is, denk ik aan andere Aziaten, aan de familie Rahman bijvoorbeeld.'

'Maar er zijn honderden, misschien wel duizenden Aziaten in Sussex.'

'Ik heb al gezegd dat het een politiek incorrecte gedachte was.'

Nadrukkelijk genietend nam Burden een slokje van zijn inmiddels nogal stroperige thee. 'Goed, maar wat wil je daarmee zeggen?'

'We waren al tot de conclusie gekomen dat Targo die auto misschien niet zelf naar Melstead heeft gereden. Stel eens dat een van de Rahmans dat heeft gedaan? Die is ermee naar Melstead gereden omdat hij dat plaatsje kende en wist hoe hij daar over al die smalle landweggetjes kon komen, en de reden dat hij dat wist, was dat hij er weleens eerder was geweest om een bezoek te brengen aan zijn neef, de uitbater van de dorpswinkel annex het postkantoor?'

'Dat is pure speculatie.'

'Een groot deel van wat wij hier doen is niet meer dan dat.'

'Wil je daarmee zeggen dat de familie Rahman en die winkelier – hoe heet hij ook weer? Mansoor? – met Targo heeft samengespannen en hem heeft geholpen het land uit te vluchten? Dat ze ons wilden laten denken dat hij via Stansted het land heeft verlaten terwijl hij in werkelijkheid via een andere luchthaven het land uit is gegaan, of met de veerboot of via de tunnel, of misschien wel helemaal het land niet uit is?'

Burden schonk zich nog een kop thee in. En met een zijdelingse blik op Wexford, die door zijn chef als een uitdaging werd geïnterpreteerd, schepte hij de suiker erin. 'Er zijn toch geen aanwijzingen dat ze om geld verlegen zitten?'

'Iedereen zit wel om geld verlegen. Vaak om allerlei redenen waar je geen idee van hebt.'

'Als je gelijk hebt,' zei Burden peinzend, 'en meer dan één lid van de familie Rahman is hierbij betrokken, dan vormt dat het antwoord op de vraag hoe Targo in het holst van de nacht van Melstead naar Stansted is gekomen. Targo is in gezelschap van... Osman bijvoorbeeld vanuit Sussex naar Stansted gereden. Osman is vervolgens in zijn eentje naar Melstead gereden, heeft de Mercedes daar laten staan en is door Ahmed of zijn vader in hun eigen auto opgehaald en teruggereden naar Sussex.'

'Ik ga met ze praten. Waarom ga je niet mee?'

De omgewaaide bomen waren weggeruimd, maar de achterafstraatjes van Kingsmarkham, met hun vele bomen, waren bezaaid met afgeknapte takken en twijgen, de laatste gevallen bladeren, en hier en daar een afgewaaide dakpan. Wexford en Burden zagen Hannah voor de etalageruit van Webb & Cobb staan. Een van de ervoor getimmerde platen was losgeschoten tijdens het noodweer van de afgelopen nacht en ze keek gefascineerd naar het interieur, dat Wexford al vertrouwd was: de kisten, de dozen, de keukenladder en het dienblad vol gebroken serviesgoed op de tafel.

'Ik wilde net bij de familie Rahman naar binnen gaan, chef,' zei ze.

Terwijl ze dat zei, ging de voordeur van nr. 34 open en kwam Ahmed naar buiten met een hamer en een zak spijkers. Met een nogal schorre – misschien nerveuze – stem zei hij dat hij niet meer dan vijf minuten bezig zou zijn. Hij ging even die plaat weer voor het raam spijkeren.

'We hebben geen haast,' zei Burden kil.

Mohammed zat in de leunstoel die het gezin als uitsluitend voor zijn gebruik bestemd leek te beschouwen, terwijl Osman in de serre stond en de potplanten water gaf. Hij zette de gieter neer en liep naar binnen toen zijn vader zei: 'Ik ben blij dat u gekomen bent. We zijn ongerust over mijn dochter. Ze is verdwenen.'

'In elk geval geeft u dat nu toe,' zei Wexford. 'Ik moet bekennen dat ik bang was dat u zou blijven volharden in dat verhaal van u dat ze in Londen bij een of ander familielid logeert en zich daar enorm vermaakt.'

Hij liet zijn blik van de een naar de ander gaan. Yasmin zo roerloos als een standbeeld, haar met vele ringen versierde handen in haar schoot, haar hoofd strenger dan anders omwikkeld met hoofddoeken: een zwarte en een Pruisisch blauwe; Osman, al net zo knap als zijn broer maar met een baard, nog gekleed in zijn verplegersuniform, een donkerblauwe broek en mandarijnenjasje; Ahmed en zijn vader, allebei gekleed als zakenmensen, in een wit overhemd en een donker kostuum. Hij keek snel even naar Hannah, die zei: 'Brigadier Goldsmith gelooft dat Tamima zich in Brighton bevindt, samen met Rashid Hanif, maar ik denk van niet. Wat denkt u?'

De oudere Rahmans zwegen. Op de tonen van iemand die een kwade dag zo lang mogelijk probeert uit te stellen, zei Osman: 'Ik heb Rashid vandaag gezien. Hij is wezen kamperen, maar hij is gisteravond teruggekomen en zijn moeder heeft hem naar de eerste hulp gebracht omdat ze vermoedde dat hij zijn enkel heeft gebroken. Hij heeft Tamima in geen weken gezien.'

'En dat geloof ik,' zei Yasmin met tegenzin, alsof de woorden uit haar werden geperst. Wexford richtte zijn aandacht op Ahmed.

'Tamima zal als vermist moeten worden opgegeven. Maar ik waarschuw u dat als ze niet werkelijk vermist is en u weet waar ze zich bevindt, u wordt gearresteerd en wordt aangeklaagd wegens verspilling van tijd en aandacht van de politie. Is dat duidelijk?'

Ahmed knikte. Hij keek zwijgend voor zich uit, alsof hij in trance verkeerde, of onder hypnose was. Was dat uit angst? Of het gevolg van wat hij wist? Het gezicht van Yasmin vertoonde een van haar gebruikelijke gelaatsuitdrukkingen. Deze keer was het minachting. Ze tuurde naar de handen in haar schoot alsof ze de enorme lading ringen bewonderde waarmee die versierd waren.

'Ik zou graag willen dat u de waarheid vertelt over wat zich heeft afgespeeld toen meneer Targo hier die middag op bezoek is gekomen, onder voorwendsel dat hij wilde dat u een of ander soort afstandsbediening voor hem bestelde. Wat was de werkelijke reden, meneer Rahman?'

Ahmed probeerde zijn keel te schrapen. Hij was kennelijk een van die mensen bij wie angst op hun stem slaat. Het keelschrapen leek te werken, zij het slechts tot op zekere hoogte, want toen hij iets zei, klonk hij nogal hees. 'Hij wilde die... die software werkelijk hebben.'

'En wat was het andere doel van zijn bezoek?'

Yasmins stem klonk heel helder, niet gehinderd door nervositeit. 'Je kunt het hem maar beter vertellen, Ahmed.' Ze liet een korte stilte vallen, keek Burden strak aan en zei: 'Het was niet de schuld van mijn zoon.'

'Je moeder heeft gelijk,' zei Burden. 'Je kunt het ons maar beter vertellen. Jij alleen, zonder je familie erbij als je dat wilt, hier of op het politiebureau. Wat zal het worden?'

'Ik vertel het u wel.' Ahmed haalde eens diep adem, en zei toen met een wat rustiger stem: 'Ik heb mijn vader dit nog niet verteld. Mijn broer weet het ook niet. Mijn moeder was erbij. Zij weet het. Targo – meneer wil ik die vent niet meer noemen – kwam hier en vroeg naar die software. Toen zei hij dat hij wist dat mijn zus uitging met een jongen die niet bij onze familie in de smaak viel. Hij had haar gezien, zei hij. Dat was Rashid Hanif natuurlijk. Want hij zei dat het om een blanke jongen ging, maar Rashid is niet echt blank. Hij heeft gewoon een lichte huid omdat zijn moeder uit Bosnië komt.'

'Wat had hij verder nog te zeggen, Ahmed?'

Ahmed keek van de een naar de ander, alsof hij hulp verwachtte die achterwege bleef. Hij sloeg zijn ogen neer en schudde zijn hoofd. 'Goed, ik zal het u vertellen. Hij zei dat hij wist dat we mijn zus wilden doden om de eer van de familie te redden, en dat als wij dat werkelijk wilden, hij het wel voor ons zou doen. Hij zou haar wel vermoorden, zei hij. We hoefden hem er niet voor te betalen. Hij zou een eerwraakmoord voor ons uitvoeren en niemand zou hem ervan verdenken, en ons al evenmin, als we tenminste onze mond hielden. En nou heb ik het u verteld.'

'Niet alles, Ahmed,' zei Wexford. 'Dat is nog lang niet alles. Hier kun je het niet bij laten. Nu moet je ook alles vertellen.'

Ahmed sloeg zijn handen voor zijn gezicht. Door zijn vingers heen fluisterde hij: 'Ik kan het niet. Ik kan het niet.'

'Ik wel,' zei Yasmin.

Toen hij de schrik en ontzetting in de ogen van zijn vader zag, was Osman naast hem gaan zitten. Wexford vroeg zich af of hij ooit eerder een volwassen zoon de hand van zijn vader op zo'n manier had zien vasthouden als Osman nu. Hij hield zijn hand stevig om die van zijn vader geklemd. Dit gezin kende een onderlinge solidariteit die hij vóór de komst van de immigranten slechts zelden had gezien. Hij richtte zijn blik op Yasmin.

'Nou, mevrouw Rahman?'

'Ik was erbij,' zei ze. 'Wat Ahmed zegt, is waar.' Haar manier van spreken maakte nu een subtiele verandering door. Wexford vroeg zich af of het werkelijk waar was dat liegen ertoe leidde dat de bloeddruk stijgt. Plotseling zag ze eruit alsof haar bovendruk naar tweehonderd was gestegen. 'Hij was vervuld van afschuw over wat die man tegen hem had gezegd. En ik ook.' Ze herhaalde het. 'En ik ook. Wij zijn niet van die onwetende en wrede mensen die een dochter zouden willen vermoorden vanwege een of ander verouderd besef van éér.' Dat laatste woord kwam eruit op een manier die gevaarlijk veel op spuwen leek.

Hoewel dat eigenlijk nergens op sloeg, kwam er plotseling een dichtregel van Anne Finch, hertogin van Winchilsea in Wexford op: *De bleke, de gevallene, het ongepaste offer / voor die verdoolde schrijn, aan uw valse afgod Eer!* Maar het enige wat hij zei was: 'Nou?'

'Ahmed zei hem dat hij weg moest gaan. Hij zei dat hij niets te maken wilde hebben met wat die man zojuist had voorgesteld. "Ga weg," zei hij tegen die man, en de man is weggegaan.'

'Hoe is hij weggegaan, mevrouw Rahman?'

'In zijn auto natuurlijk. Hij is hier gekomen in zijn auto, en daar ook in weggereden.'

Nu nam Ahmed het over. 'Hij is weggereden in zijn auto. Hij reed weg. Ik heb hem gezien. Maar hij moet naderhand zijn teruggekomen.'

Na hem nam Mohammed het woord. Zijn stem klonk zacht en berustend. 'Ik was niet in orde, ik was in mijn slaapkamer. Ik keek om halfzeven uit het raam. Ik weet nog dat het halfzeven was. Ik heb op de klok gekeken toen. Die auto stond er toen nog.'

'Uitstekend,' zei Wexford. 'Ik wil dit huis laten doorzoeken, en als dat nodig mocht blijken, ook het huis hiernaast. Of u kunt daar toestemming voor geven, dan doen we het nu; of ik zorg dat ik een huiszoekingsbevel krijg. Dat gaat alleen maar vertraging opleveren, maar de keuze is aan u.'

'Wij zijn gezagsgetrouwe mensen,' zei Mohammed. 'Wij willen alleen maar doen wat juist is. U mag het huis doorzoeken.'

'Zoekt u naar het lijk van mijn zus?' Osman had misschien niet goed begrepen wat er aan de hand was, of niet goed gevolgd wat eraan voorafgegaan was. Plotseling leek hij jaren ouder dan hij was. 'Denkt u dat die man haar toch heeft vermoord?'

Damon Coleman en Lynn Fancourt voerden de huiszoeking uit, samen met een geüniformeerde agent. Naderhand zei Lynn dat ze nog nooit een huis had doorzocht dat zo schoon was. Al het meubilair was blinkend gepolitoerd, de badkuipen en de aanrechten blonken, het linnengoed rook heerlijk fris en was zorgvuldig gestreken. Toen ze de kamer van Tamima doorzocht en eraan dacht wat er ongetwijfeld van het meisje geworden was, raakte ze erg van streek. Er hingen posters van popzangers aan de muren. Tamima had een piepklein roze radiootje, en een met roze en witte stof gevoerd roze strooien mandje, dat tot de rand gevuld was met tiener-cosmetica. De kamer die Ahmed deelde met zijn broer – de grootste van het huis – was een tempel van technologie, vol met kabels en computer-onderdelen, plus een desktop en een laptop, terwijl Osmans persoonlijk-heid kennelijk geen enkel stempel op het vertrek had gedrukt. Misschien sliep hij hier alleen maar, en lag hij hier elke nacht zeven of acht uur in dat kleine eenpersoonsbed, dat met opzet zo ver van Ahmeds manier van leven en de wijze waarop hij aan de kost kwam af leek te staan als maar mogelijk was. Wexford, die even een kijkje nam terwijl de huiszoeking werd uitge-voerd, dacht dat als zijn vermoeden waar bleek te zijn, als Ahmed en zijn moeder hadden gelogen en Ahmed zelf had meegeholpen bij de moord op Tamima, het niet lang meer zou duren voordat de twee zoons van de fami-lie Rahman ieder een kamer voor zich alleen zouden hebben. Of anders gezegd: er zou maar één zoon in huis achterblijven.

Het was al gaan schemeren toen ze hier waren gekomen, en nu, in het diepe donker van een winteravond, was het gaan regenen. De huiszoeking in Glebe Road nr. 34 was voltooid, en er was niets gevonden. Tijdens de huiszoeking had de familie Rahman in de woonkamer gezeten, samen met Wexford, Burden en Hannah Goldsmith, en voor het eerst had Yasmin geen thee of koffie aangeboden. De lampen brandden, en het meeste licht was afkomstig van de tafellamp. Na een tijdje had Ahmed de avondkrant gepakt en nu zat hij ernaar te kijken. Zou hij ook werkelijk zitten lezen? Wexford kon het niet goed uitmaken. Misschien tuurde Ahmed alleen maar met nietsziende ogen naar de gedrukte letters. Yasmin stond op en trok de gordijnen dicht om de donkere, natte avond buiten te houden.

Wexford dacht na over het buitengewone fenomeen Eric Targo. De man had drie mensen vermoord. Het konden er ook meer zijn, maar de drie slachtoffers waarvan Wexford zeker was, waren Elsie Carroll, Billy Kenyon en Andy Norton. In al die gevallen had hij iemand vermoord van wie hij vermoedde dat iemand anders er heel graag van verlost wilde worden. Als je rekening hield met de neiging van sommige immigrantenfamilies om dochters te vermoorden die hun eer hadden bezoedeld, dan was ook Tamima Rahman iemand geweest van wie een aantal andere mensen mis-schien wel verlost wilde worden. Maar als Targo haar had vermoord – ervan uitgaande dat ze dood was – waarom was hij dan afgeweken van zijn gebruikelijke procedure, waarbij hij de moord pleegde zonder om toestemming te vragen? Het leek zo'n ingrijpende afwijking van zijn gebruikelijke manier van doen, waarmee hij ervoor zorgde dat hij veilig bleef. Behalve dan dat hij daar al eerder van was afgeweken. Wexford herinnerde zich dat Tracy Thompson hem had verteld dat ze haar relatie met Targo had beëindigd toen hij haar vroeg of er misschien iemand was die hij voor haar kon vermoorden.

Wexford stond op en zonder ook maar een woord tegen de zwijgende mensen in de kamer liep hij het huis uit en door de voortuin de straat op. Er viel een lichte motregen. Merkwaardig genoeg had iemand een Mercedes recht voor het huis van de familie Rahman geparkeerd, maar deze was zwart. Ahmeds verhaal klopt niet helemaal, dacht hij, maar sommige delen ervan kloppen wel. Dat is de reden waarom Targo geen hond had meegenomen; hij was van plan om hier weg te rijden, Tamima te zoeken en haar te vermoorden. Zou het zo gelopen zijn omdat Ahmed en zijn moeder in één opzicht hadden gelogen? Misschien hadden ze Tamima wél willen laten vermoorden om de eer van de familie te redden en dus hun mond hebben gehouden nadat de moord eenmaal was gepleegd. Maar misschien had Targo wel een andere reden gehad om in dit geval toestemming te vragen, of anders geformuleerd, om hun te vertellen wat hij van plan was. Zij zouden de schuld krijgen van haar dood, en niet hij. Niemand zou geloven dat hij, niet meer dan een klant van Ahmed, hierbij betrokken was geweest...

Net toen hij het huis weer binnenliep, kwamen Lynn, Damon en de geüniformeerde politieman de trap af.

'Niets gevonden, meneer,' zei Lynn.

'Goed. Dan beginnen we in het huis hiernaast, in die winkel die Webb & Cobb heet.' Wexford liep de woonkamer binnen en vroeg Mohammed om de sleutel.

Nadat de vader van Tamima hem die zwijgend had aangereikt, overhandigde Wexford de sleutel aan Damon, en vervolgens liepen ze allemaal naar de bruin geschilderde deur, en maakte Damon die open.

'Webb & Cobb, dat is toch zeker een verwijzing naar een spin in een web?' vroeg Damon.

'Alleen als je het met één B schrijft,' zei Wexford.

Ze gingen het huis binnen. Wexford liep ook mee. Het was er bedompt en stoffig, en het rook er naar verf en ook enigszins naar schimmel, maar verder nergens naar. De champignonachtige lucht was vermoedelijk afkomstig van het optrekkende vocht, dat ervoor had gezorgd dat er een grote hoeveelheid zwarte schimmel tegen de muur op klom. Burden deed de lamp aan. Het was er een van het soort dat midden in het vertrek aan een draadje bungelde. Nergens waren spinnen te bekennen, en al evenmin spinnenwebben. De benedenverdieping, waar vroeger de winkel gevestigd was geweest, bestond uit drie ruimten: de grote voorkamer, een kleinere achterkamer en een soort vervallen keukentje naast de trap. Het was allemaal schoon, en Wexford kwam tot de conclusie dat Yasmin er een gewoonte van maakte om het hier bijna net zo smetteloos schoon te houden als bij haar thuis. Bijna, want ze had geen poging gedaan om de schimmel van de muren te krabben, of als ze dat wel had geprobeerd dan was ze daar niet in geslaagd, noch had ze dan veel succes gehad met het verwijderen van de donkergrijze vlekken van de keukentegels.

De grootste ruimte was natuurlijk de ruimte die te zien viel als je vanaf de straat door de kieren tussen de platen voor de etalageruit tuurde. De inbouwkasten waren leeg, op een kan met een barst erin en een tuitloze theepot na. Op de vloer stonden een stuk of twintig grote houten kisten, en een even groot aantal kartonnen dozen. Ook de tafel was leeg, op een dienblad vol gebroken serviesgoed na, en ook in de lade onder het tafelblad was niets te bekennen. Zonder iets te vinden, maakten ze de ene kist en doos na de andere open.

De keuken was leeg, maar in de achterkamer stonden verschillende kisten van hetzelfde soort als die in de voorkamer. Er was hier maar één kast, en er stonden geen dozen, maar alleen kisten. Ook nu weer werden de kisten geopend, deze keer door Hannah. Ze pakte er porseleinen serviesgoed uit: een theestel met bloemetjesmotief, een stuk of twintig kleine koffiekopjes, stuk voor stuk in vloeipapier gewikkeld. Daaronder of in de eerstvolgende kist verwachtte ze het lijk van Tamima te vinden. Ze was er zeker van dat ze het hier zou vinden, en daar was ze al zeker van geweest sinds ze uit Brighton was weggereden, waar ze een verontwaardigde man en vrouw had achtergelaten die haar op boze toon hadden verzekerd dat ze werkelijk Khan heetten, en hadden aangeboden om haar hun boterbriefje te laten zien.

De kisten waren nu leeg en er zat niets anders op dan alles weer terug te stoppen. Wexford had inmiddels de enige kast in deze kamer opengemaakt. Omdat er geen planken in zaten en hij nog geen dertig centimeter breed was, leek die geen enkel nuttig doel te dienen. Wexford had net zo'n smalle kast in zijn eigen huis, maar daar waren de elektriciteitsmeter en de stoppenkast in ondergebracht, en deze kast was leeg. De linkerzijwand was niet van baksteen maar van hardboard, en dat gold ook voor het stukje muur tussen de kast en het raam. Het viel hem nu op dat de hele kamer niet lang geleden geschilderd was. Dat kon een verklaring vormen voor een van de bestanddelen van de lucht die er hing. De muren waren geschilderd in de gedekt witte mengkleur die door Engelse huisschilders wordt aangeduid als 'magnolia'.

'Hoe is dat hardboard hier bevestigd?' vroeg hij aan Damon.

'Schroeven, denk ik, meneer. Waarschijnlijk zijn die weggewerkt met plamuur.'

'Zoek dat uit, wil je? Ik wil dat dit wandje hier wordt weggehaald. Alleen dit stuk hier tussen de kast en het raam.'

De geüniformeerde agent, Moyle, nam het over. Zoals Damon had gezegd, vond hij al snel een stel schroeven, acht stuks in totaal. Moyle liep terug naar de bestelwagen waarin hij was gekomen, en kwam terug met een schroevendraaier. Hannah, die stond te kijken, merkte dat ze huiverde. Rustig en weloverwogen draaide agent Moyle de schroeven los, tot de plaat hardboard helemaal loszat, waarna hij die met beide handen lostrok en tegen de muur zette. Er was nu een lege ruimte te zien, met een andere plaat hardboard als achterwand. Ooit had deze ruimte samen met het smalle kastje ernaast een grote inloopkast gevormd.

Moyle zei: 'Zal ik ook hier de schroeven eruit halen, meneer?'

'Ja, doe maar.'

Hannah was de eerste die het rook. Het was geen sterke geur, nog niet, maar sterk genoeg om de geur van verf en schimmel te overstemmen. Een slachthuislucht, dacht Wexford, want lang geleden had hij die uitdrukking ooit ergens gelezen. De lucht werd sterker toen Moyle de achterwand lostrok. Er hing nu een zware stank. Hannah sloeg haar handen voor haar neus en mond, en Burden trok een vies gezicht. In de ruimte die nu te zien viel, was een strak in groen plastic en bruin pakpapier gewikkeld pakket schuin tegen de muur gezet. Het was ongeveer een meter tachtig hoog en er zat touw en elektriciteitskabel omheen gewikkeld.

Toen Moyle het touw doorsneed en samen met Damon het plastic en pakpapier begon los te wikkelen, nam Wexford de rest van de wandkast onder de loep. Die was echter volkomen leeg. Het voorwerp in die lijkwade van plastic en pakpapier had hier geen enkel spoor achtergelaten. De smerige stank van verrotting vloog hem aan toen hij de kast uit stapte en het laatste stuk pakpapier loskwam, zodat het lijk zichtbaar werd.

En toen keek hij recht in het verwrongen gezicht en de starre, door niemand dichtgedrukte ogen van Eric Targo.

21

Het was bijna middernacht. Het parkeerterrein van het politiebureau was leeg, op Wexfords eigen auto en die van Hannah Goldsmith na. Ahmed Rahman zou die avond niet naar huis gaan.
Toen hij de trap afliep naar verhoorkamer 2, dacht Wexford erover na dat hij was beroofd van de grote slag die hij het grootste deel van zijn leven had gehoopt ooit nog eens te kunnen slaan. Targo had deze keer geen slachtoffer gemaakt, maar was zelf slachtoffer geworden. Het zou niet lang duren voordat hij herinnerd zou worden als een respectabel burger, en ongetwijfeld zou in de overlijdensberichten, voor zover hij die zou krijgen dan, worden verwezen naar zijn successen als iemand die zich op eigen kracht had opgewerkt, zijn 'liefdevol ingerichte huis', zijn verzameling dieren, zijn honden, en zijn dierenliefde.
Ahmed zat aan de ene kant van de tafel, met een kop thee voor zich. Achter hem, naast de opnameapparatuur, stond agent Moyle, die een oogje in het zeil hield. Wexford dacht aan de tijd waarin iedereen die werd verhoord in deze kamer of de kamer hiernaast – waar Yasmin Rahman straks verhoord zou worden door Burden en Damon – had zitten kettingroken, en niet alleen regelmatig van thee voorzien had moeten worden, en vroeg of laat van sandwiches, maar ook van pakjes Rothmans King Size of Players. Zelf had hij nooit gerookt en toch had hij last gehad van de rook. Hij had ervan moeten hoesten en was er hees van geworden. Maar het was onmogelijk geweest om er iets tegen te beginnen en al dat gepaf was pas opgehouden toen er in het hele politiebureau een algemeen rookverbod was afgekondigd.
Hannah kwam binnen en ging tegenover Ahmed zitten. Nogal traag en weloverwogen ging Wexford bij hen aan tafel zitten. Het was een hele schok geweest voor Hannah om de dode Targo daar als een soort mummie aan te treffen. Ze was er zeker van geweest dat ze nadat al het pakpapier en

plastic was afgewikkeld, het slanke, deerniswekkende lijk van Tamima te zien zou krijgen, en nu moest ze opnieuw aan haar speurtocht beginnen. Wexford hoopte maar dat het waar was wat ze zei, en dat ze werkelijk enorm opgelucht was, maar omdat hij wist hoe hard de vrouw het nodig had om altijd gelijk te hebben en hoe sterk ze steunde op allerlei vaak nergens op gebaseerde zekerheden, was hij daar niet zo zeker van.

Nadat hij Ahmed had verteld dat het verhoor zou worden opgenomen, dat zij hoofdinspecteur Wexford en brigadier Goldsmith waren en dat het nu 23.37 uur was, begon hij met Ahmed te vragen wat zich op die middag dat Targo op bezoek kwam werkelijk had afgespeeld in het huis in Glebe Road. 'En laat al dat gedoe over die software die hij wilde kopen om dingen aan en uit te zetten maar zitten. Je hoeft ons ook niet wijs te maken dat Targo is weggereden maar hier vóór halfzeven weer is teruggekomen. Inspecteur Burden verhoort je moeder in de kamer hiernaast, en volgens mij gaat jouw moeder niet liegen.'

'Nee, ze gaat niet liegen,' zei Ahmed.

'Nou, vertel dan maar.'

'Ik zal wel moeten, neem ik aan. Ga ik nu naar de gevangenis?'

'Waarschijnlijk wel, ja. Dat hangt ervan af wat je gedaan hebt.'

'Ik heb hem gedood,' zei Ahmed, 'maar niet expres. Het ging per ongeluk.'

'Begin maar met wat hij zei toen hij aanbood om Tamima te vermoorden,' zei Hannah.

Ahmed knikte en schoof zijn halflege theekopje weg. 'Mijn moeder was erbij. Ze was iets aan het naaien. Ik denk dat Targo wilde dat ik haar wegstuurde, maar ik kon haar in haar eigen huis de kamer niet uit sturen. Toen haalde hij min of meer zijn schouders op, alsof hij daarmee wilde zeggen: "Nou goed dan, als je het zo wilt. Laat haar dan maar blijven." Daarna vroeg hij me naar die officemanagersoftware, en ik heb hem wat plaatjes laten zien uit een brochure die ik had liggen. "Koop er maar een voor me, wil je?" zei hij, en ik zei dat ik er een zou bestellen en dat het een dag of tien zou gaan duren. Nou, eigenlijk zei ik, dat het vijf tot tien werkdagen zou gaan duren. En toen zei hij, heel prettig en beleefd, op dezelfde toon als daarvoor: "Jouw zus gaat uit met een blanke man, hè?" Ik was zo verbaasd dat ik hem alleen maar zat aan te gapen. Mijn moeder legde haar naaiwerkje neer maar zei niets, toen nog niet. Targo zei: "Mensen als jullie houden daar toch niet van, dacht ik? Het is toch zeker slecht voor jullie familie-eer of zo?" Dat waren zijn woorden: "familie-eer of zo". Toen zei mijn moeder: "Dat kunnen we niet met u bespreken." Maar daar ging hij niet op in. "Jullie willen haar vast wel uit de weg laten ruimen, hè? Dood en spoorloos verdwenen, zonder dat er vragen worden gesteld. Ik regel dat wel voor jullie, en het kost jullie helemaal niets.'"

'Wat zei je daarop?' vroeg Wexford.

'Ik zei dat ik vond dat hij maar beter kon gaan. Mijn moeder stond op. Ze droeg natuurlijk een hijab, en een sjaal om haar schouders. Maar toen ze hem aankeek, trok ze die sjaal ook over haar hoofd en hield die voor haar gezicht. Volgens mij wilde ze zich voor hem verbergen. Die man was zo'n monster.'

Ja, dacht Wexford, inderdaad, hij was een monster. Iets uit een nachtmerrie, een gruwel. 'Ga verder,' zei hij.

'Maar hij ging niet weg. Hij lachte. "Ik weet dat jullie dat willen. Ik heb ze zien kussen – dat is toch zeker niet de manier waarop een deugdzaam moslimmeisje zich hoort te gedragen? Jullie willen haar vast niet meer bij jullie in huis hebben, en dat hoeft ook niet. Laat het maar aan mij over. Ik weet haar wel te vinden, waar ze ook uithangt."

Toen heb ik hem een klap gegeven. Hij was een ouwe man, en bovendien korter van stuk dan ik, dus ik weet dat ik dat niet had moeten doen, maar ik was zo boos dat het me schemerde voor de ogen. Echt waar, ik zag een rood waas. Ik gaf hem een stomp op zijn kaak en hij sloeg achterover.' De woorden kwamen er nu heel snel uit. 'Hij viel achterover tegen de open haard en sloeg met zijn hoofd tegen die stenen plaat... hoe heet zo'n ding ook weer?'

'Een schoorsteenmantel,' zei Wexford.

In verhoorkamer 1 had Yasmin Rahman inmiddels min of meer hetzelfde punt in haar relaas bereikt. Ze was zwaar gesluierd, ongeveer zoals Ahmed net had beschreven, met de sjaal over haar hijab omlaag getrokken, zodat die in een piek over haar voorhoofd hing en haar sterke en knappe gezicht, met die lange, rechte neus van haar, en die donkere ogen, er bijna geheel achter schuilging. Alleen haar mond was goed zichtbaar.

'Mijn zoon Ahmed heeft hem geslagen. Hij vroeg erom... zo zegt u dat toch hier in dit land? Hij had erom gevraagd. Die man, Targo, viel, en er kwam bloed uit zijn hoofd. Ik dacht dat hij dood was, maar ik wist het niet zeker. Hoe moest ik dat nou weten? Ik ging naar de keuken om water te halen en iets om het bloed mee af te vegen, en toen ik terugkwam luisterde Ahmed naar zijn hartslag en zei toen dat die man dood was.'

'Terwijl dat gebeurde,' zei Burden, 'waar waren uw man en uw andere zoon toen?'

'Osman was op zijn werk. Mijn man lag boven in bed. Hij had griep. Hij hoorde de man vallen en riep naar me om te vragen waar het geluid vandaan kwam. Ik ging naar boven en zei tegen hem dat het iets op straat was. Het was tien voor vier, en Ahmed zei dat we het lijk van de man moesten verbergen, terwijl we erover nadachten wat we moesten doen. We moesten het ergens verbergen waar Osman het niet kon zien. We droegen het naar het huis naast ons.'

Ze was heel rustig en beheerst. Burden dacht dat ze waarschijnlijk ook zo geweest zou zijn toen Ahmed Targo een stomp had gegeven en er even later achter kwam dat de man dood was. Die buitengewone waardigheid van haar, de manier waarop ze lange tijd achter elkaar roerloos kon blijven zitten, zonder zelfs maar even met haar ogen te knipperen. 'En wat hebt u toen gedaan?' vroeg hij.

'We hebben de auto weggehaald,' zei ze rustig. 'We hebben gewacht tot het nacht was, en toen zijn we een heel eind gaan rijden, naar het dorpje waar mijn neef, meneer Mansoor, het postkantoor beheert. Melstead heet het. Meneer Mansoor weet nergens van. Hij was thuis in Thaxted.'

In de kamer daarnaast zei Wexford: 'Als hij nog niet dood was toen hij de vloer raakte, waarom hebben jullie dan geen ambulance gebeld? Je zei toch dat het een ongeluk was? Dan was het jouw schuld niet.'

'Ik weet niet of hij toen al dood was, maar niet lang daarna was hij dat wel. Dat wist ik omdat er geen bloed meer uit de wond kwam. Dat wil toch zeggen dat iemand dood is?' Ahmed wachtte het antwoord niet af. 'Ik dacht dat niemand me zou geloven als ik zei dat het een ongeluk was.'

'Soms geloven we weleens wat de mensen ons vertellen, hoor,' zei Wexford droogjes. 'Maar dat wordt een stuk moeilijker voor ons als die mensen proberen een delict verborgen te houden door een lijk te verstoppen en dan veel moeite doen om ons om de tuin te leiden. En daarmee heb ik het dan over de spelletjes die jullie hebben gespeeld met de auto van meneer Targo. Wat hebben jullie gedaan? Zijn jullie daarmee naar dat dorpje in Essex gereden waar jullie een of andere neef hebben wonen, om de indruk te wekken dat meneer Targo het land had verlaten via de luchthaven van Stansted?'

'Zodra we in de gaten hadden dat hij dood was, hebben we het lijk naar de winkel naast ons huis gedragen. In onze woonkamer hebben we een deur naar de kamer waar we hem verborgen hebben. Die deur hebben we laten maken tijdens de verbouwing. Toen hebben we gewacht tot het laat was, zodat er niemand meer op straat was. Ik reed in Targo's Mercedes en mijn moeder reed achter me aan in onze eigen auto. We hadden geluk, want mijn vader lag ziek in bed met iets besmettelijks. Daarom sliep mijn moeder op de kamer van Tamima en heeft mijn vader niet gemerkt dat ze niet thuis was.'

'Waarom zijn jullie niet naar Gatwick gereden?'

'Dat was te dichtbij,' zei Ahmed. 'De auto zou de volgende dag al gevonden zijn.'

'Wie heeft die kast in de winkel naast jullie huis verbouwd? Jij, neem ik aan?'

'Ik heb het lichaam in plastic en pakpapier gewikkeld, er een soort pakketje van gemaakt, en het toen achter in de kast gezet. Daarna heb ik er een paar platen hardboard voor gezet en die toen geschilderd.'

Wexford leunde achterover in zijn stoel en zweeg. Hannah was degene die zei: 'Waar is je zus nu, Ahmed?'

'Dat weet ik niet. Wist ik het maar. Hij heeft haar niet vermoord, dat weet ik. Dat heb ik in elk geval weten te voorkomen.'

Tenzij hij dat al had gedaan voordat hij met jullie kwam praten, dacht Wexford. 'Jij was dus degene die mevrouw Targo heeft gebeld met een bericht dat zogenaamd afkomstig was van haar man?' Die merkwaardig bekende stem, dacht hij. De stem van iemand die ooit eens bij Targo thuis had gewerkt, zoals Ahmed, die daar een computer had geïnstalleerd.

'Ja,' zei Ahmed vermoeid. 'Dat was ik.'

Later die nacht werd Yasmin op borgtocht vrijgelaten, maar haar zoon werd vastgehouden in een van de twee cellen op het bureau, voor nader verhoor de volgende ochtend.

21

Doodslag, dat zou de aanklacht worden, of misschien dood door schuld, want ook dat stemde overeen met de bevindingen van dokter Mavrikian, die de lijkschouwing had verricht. De dood was het gevolg geweest van die ene diepe wond in de schedel, waarvan de vorm paste bij de scherpe hoek van de granieten schoorsteenmantel in het pand aan Glebe Road nr. 34. Bovendien was er een kneuzing op Targo's linkerkaak – toevallig precies het punt waar vroeger de wijnvlek had gezeten – waar de vuist van de rechtshandige Ahmed Rahman hem had geraakt. Yasmin Rahman zou alleen maar beschuldigd worden van medeplichtigheid aan een misdrijf en er waarschijnlijk, zo vermoedde Wexford, met een voorwaardelijke straf afkomen. Hij hoopte dat Ahmed niet meer dan twee of drie jaar zou krijgen, en als het minder werd, zou hij dat helemaal niet erg vinden. Die jongen had de wereld verlost van een monster dat weliswaar oud was, maar nog steeds heel sterk, en dat nog minstens een jaar of twintig geleefd zou kunnen hebben. Maar natuurlijk was die manier van denken voor een hoofdinspecteur van de recherche volstrekt ongepast. Hij ging in eigen persoon bij Mavis Targo langs om haar op de hoogte te stellen van de omstandigheden waaronder haar man was gestorven, en haar zoveel opheldering te verschaffen over de loop der gebeurtenissen als hem goed voor haar leek. Het zou een fraai en sentimenteel besluit van het verhaal zijn als Ming, de Tibetaanse spaniël, nu van verdriet zou wegkwijnen, maar het dier leek inmiddels wel over het verlies van zijn baasje heen te zijn, en toen Targo aanbelde was hij Sweetheart aan het helpen met het opeten van het Chinese tapijt. Mavis leek zich ook al niet erg te bekommeren om Targo's overlijden. In elk geval gaf ze geen blijk van emotie, maar sprak alleen maar over de zorgen die ze zich maakte over het van de hand doen van al die dieren. Hoewel Targo het grootste deel van zijn eigendommen, waaronder ook zijn gehele aandelenpakket, had nagelaten aan zijn kinderen, was het huis nu van haar, en ze was van plan het zo snel mogelijk te verkopen en zich een flatje in het centrum van Londen aan te schaffen.

'U vroeg me of ik gelukkig getrouwd was,' zei ze tegen hem. 'En natuurlijk ging ik u niet aan uw neus hangen dat dat niet zo was. Maar we hadden al besloten om uit elkaar te gaan. Godzijdank zijn we daar niet aan toegekomen. Als het eenmaal zover geweest was, zou hij zijn testament hebben aangepast.'

'Wat ik niet kan begrijpen,' zei Burden naderhand, 'is hoe hij al die vrouwen zover heeft gekregen om met hem te trouwen. Een lelijk mannetje met een grote wijnvlek, voordat hij die had laten weghalen dan. Ik snap niet wat ze in hem zagen.'

'Anthony Powell,' zei Wexford, 'schrijft ergens dat vrouwen weliswaar nogal kieskeurig zijn over met wie ze naar bed gaan, maar heel wat minder moeilijk doen als het om trouwen gaat. Er wordt wel gezegd dat vrouwen vallen op mannen die een gevoel van kracht of macht uitstralen, en dat was bij Targo zeker het geval.'

Ze waren onderweg naar het huis van de familie Hanif in Stowerton. Het was de eerste keer dat ze erheen gingen. Het was halfvijf 's middags, wat ongeveer de tijd was waarop Rashid terug zou komen van het Carisbrooke zesdeklascollege, waar hij een formidabel lespakket volgde dat bestond uit wiskunde, biologie en natuurkunde. Nadat ze ongeveer een kwartier hadden zitten luisteren hoe Fata Hanif een uiterst lovende beschrijving gaf van het curriculum vitae van haar oudste zoon, en intussen appelmoes in de mond van haar jongste kind lepelde, kwam Rashid de kamer binnen. Hij liep met een kruk, en zijn been zat tot aan de knie in het gips.

Voordat Wexford of Burden ook maar iets kon zeggen, begon hij zich al te verdedigen, en toen hij even stilviel om naar adem te happen, werd hij onmiddellijk bijgevallen door zijn moeder.

'Ik heb haar in weken, nee, maanden niet gezien. Ik weet niet waar ze is, dus het heeft geen zin om het mij te vragen.'

'Natuurlijk heeft hij haar niet gezien. Mijn zoon is een goede jongen. Hij is gehoorzaam. Hij respecteert zijn ouders.'

'Goed,' zei Wexford. 'Rustig nou maar. Tamima wordt vermist. Haar ouders hebben geen idee waar ze is. Geen van haar familieleden heeft ook maar enig idee waar ze zou kunnen uithangen. Wij beschikken over getuigen die jou samen met haar gezien hebben. Eén keer maar, en al een tijdje geleden. Misschien zijn die getuigen niet betrouwbaar, dat zou ik niet weten. Maar één ding staat vast, Tamima is gesignaleerd met een blanke man of jongen, en jij bent blank, Rashid.'

Fata Hanif legde de lepel neer, veegde de appelmoes van het gezicht van het kind en zei, terwijl ze de woorden bijna uitspuwde: 'De Britse politie is structureel racistisch, dat is algemeen bekend.'

'En u,' zei Burden, 'bent Brits staatsburger, een blanke vrouw uit een familie in het voormalige Joegoslavië. Wat is daar racistisch aan?'

'Mijn man is een Aziaat.'

'Dat zou kunnen. Maar Rashid heeft een blanke huid en blauwe ogen,' zei Wexford. 'Als getuigen verklaren dat ze Tamima hebben gezien in gezelschap van een blanke man, dan zou dat Rashid geweest kunnen zijn, maar als hij dat ontkent, zullen we hem voorlopig op zijn woord geloven. Je wilt toch zeker dat Tamima wordt gevonden, Rashid?'

'Dat kan hem niet schelen!' riep mevrouw Hanif.

En al even luid zei Rashid, die al zijn respect nu vergeten leek: 'O, hou toch je kop, ma!'

De baby begon te huilen en trommelde met zijn hieltjes op de voetensteun van de kinderstoel. 'Kijk nou eens wat je gedaan hebt,' zei mevrouw Hanif met een zachte, kregelige stem. Ze was duidelijk geschrokken van Rashids uitdagende toon.

'Tamima moet gevonden worden,' zei Wexford. 'Volgens mij wil jij ons wel helpen, Rashid. Ik wil dat je met ons meegaat naar het bureau om een verklaring af te leggen.'

Rashids mond zakte open. 'Waarover dan?'

'Over de laatste keer dat je Tamima hebt gezien, wat ze toen tegen je heeft gezegd, of ze je nog heeft gebeld, dat soort dingen. Je kunt nu meteen met ons mee. Dan hoef je niet te lopen.'

Wexford had erover gedacht om Mohammed en Yasmin Rahman te vragen op de televisie te verschijnen en een beroep te doen op het publiek om uit te kijken naar hun vermiste dochter. Hij had erover gedacht en besloten dat dat geen goed idee zou zijn. De intelligente, zachtmoedige Mohammed zou misschien een goede indruk maken, maar zijn vrouw niet. Ze zou de kijkers tegen zich innemen met haar strenge gezicht en de strakke blik in haar ogen. Ze deed hem denken aan een borstbeeld van Athena dat hij in Griekenland ooit had gezien, en hij dacht dat de helm die de godin had gedragen, haar niet slecht gestaan zou hebben. Bovendien was Yasmin samen met haar zoon betrokken bij de dood van Targo. Het leek hem beter om foto's van Tamima te verspreiden, en meneer en mevrouw Rahman waren met alle genoegen bereid die aan te leveren. Ze was een aantrekkelijk uitziend meisje, al leek ze te veel op haar moeder om ooit leuk genoemd te worden, maar met haar donkere huid en zwarte ogen, en de hijab die ze vaak maar niet altijd droeg, zou een groot deel van het publiek haar niet weten te onderscheiden van ieder ander Aziatisch meisje.

In zijn verklaring zei Rashid dat Tamima en hij ooit goede vrienden waren geweest, maar 'niets meer dan dat'. De laatste keer dat hij haar had gezien, was een maand geleden geweest, toen hij haar had gesproken in de winkel van haar oom, het Raj Emporium. Niet lang daarna was ze bij haar tante in Londen gaan logeren.

De foto's in de kranten hadden geen resultaat opgeleverd, of in elk geval geen resultaat van het soort waar Wexford op gehoopt had. Een heleboel mensen beweerden Tamima gezien te hebben, maar telkens bleek het om een ander Aziatisch meisje te gaan. Hij begon zich opnieuw af te vragen of het mogelijk was dat Targo Tamima al had vermoord voordat hij Ahmed zijn aanbod deed, en hij herinnerde zich wat Osman had gezegd. 'Denkt u dat die man haar toch heeft vermoord?' Het was mogelijk, en op een wat merkwaardige manier zou het ook echt iets voor Targo zijn geweest. Stel dat hij Tamima gevonden had, haar had gewurgd – wat had hij dan met het lijk gedaan? – en vervolgens naar Ahmed was gegaan om te vragen of hij zijn zus soms wilde laten vermoorden. Als het antwoord ja had geluid, zou hij gezegd hebben dat het al gebeurd was. Wexford hoorde het hem bijna zeggen. 'Het is al voor elkaar, hoor. Jullie hoeven niets te betalen. Het was me een genoegen om jullie van dienst te kunnen zijn.'

Als hij daaraan dacht, moest hij huiveren, want het leek niet onmogelijk. En toen dacht hij aan al die dieren, die vleeseters, en hij voelde zich misselijk worden. Nee, nu ging zijn verbeelding met hem aan de loop... Toen hij jonger was, had hij zich nooit zo gevoeld. Toen was hij harder geweest. Zet die lelijke en afschuwelijke beelden van je af, dacht hij, doe ze in een doosje en zet dat doosje ergens neer waar je het niet snel terugvindt, in de diepste krochten van je eigen geest... maar dat vermogen leek hem nu in de steek te laten.

Hij ging naar Londen om Jacqueline Clarke en Clare Cooper te spreken, en kreeg meer uit hen los dan Hannah. Het scheen dat Tamima weliswaar bij hen was ingetrokken met het plan om een baantje te zoeken en een paar weken te blijven, misschien zelfs wel tot aan de kerst, maar dat ze na een week al was vertrokken. Ze ging terug naar Kingsmarkham, had ze gezegd.

'Heeft ze het ooit gehad over een zekere Eric Targo, een oude man?'

'Volgens mij niet,' zei Clare. 'Toen ze hier voor het eerst kwam, heeft ze het eigenlijk nooit over iemand gehad, maar een dag of twee later zat ze voortdurend te bellen op haar mobieltje. Volgens mij werd ze trouwens meer gebeld dan ze zelf belde.'

'Was een van die bellers soms Rashid Hanif?'

'Ik weet niet door wie ze gebeld werd. We vonden het niet prettig om haar dat te vragen.'

Alsof haar zojuist iets was ingevallen, zei Jacqueline Clarke: 'Er is hier een keer een man voor haar aan de deur geweest. Hij wilde niet binnenkomen. Ik weet niet waarom niet. Tamima ging naar beneden om open te doen en kwam toen de trap weer op om iets te halen. Ze liet hem in de deuropening staan. Ik keek uit het raam en heb hem gezien. Maar het was toen al donker.'

'Wat voor iemand was het?' vroeg Wexford snel.

'Jong. Behoorlijk lang van stuk. Volgens mij had hij bruin haar, niet erg donker in elk geval. De kleur van zijn ogen kon ik echt niet zien.'

Dat was beslist Targo niet geweest, dacht hij. Rashid Hanif dan? Heel goed mogelijk. Maar waar Tamima zich nu ook mocht bevinden, gesteld dat ze nog leefde, dan was ze daar toch niet samen met Rashid. Maar Targo kon haar niet vermoord hebben. De timing klopte niet. Targo kon haar alleen maar vermoord hebben als hij er absoluut zeker van was geweest dat Ahmed zijn aanbod met beide handen zou aangrijpen en niet naar de politie zou stappen.

Hij had inmiddels de gewoonte ontwikkeld om elke dag bij de familie Rahman langs te gaan. Dat was ongebruikelijk, maar niet tegen de regels. Yasmin was inmiddels vrijgelaten en zat nu thuis, maar die kreeg hij nooit te zien. Ze leek te beseffen dat het verstandig was om uit de buurt te blijven als hij langskwam, en niet met hem te praten. Ze zette thee of koffie en liet die brengen door een van de mannen. Mohammed en Osman waren allebei weer aan het werk, en dus ging hij er meestal aan het begin van de avond langs, als hij op weg naar huis was. Er werd niet veel gezegd... en al helemaal niets over de moord op Targo en het verbergen van het lijk. Als ze al praatten, hadden ze het over Tamima. Soms ging Hannah ook mee,

en dan stelden ze vragen over alle mensen die het vermiste meisje had gekend, tot diep in haar vroege jeugd, om er op die manier achter te komen
bij wie ze nu zou kunnen zijn en waar ze naartoe gegaan zou kunnen zijn,
ervan uitgaande natuurlijk dat ze nog in leven was.

Webb & Cobb was niet langer een plaats delict en Mohammed Rahman
was van plan om het winkelgedeelte te renoveren en opnieuw te verhuren,
en terwijl ze met de renovatie bezig waren ook de buitenkant opnieuw in
de verf te zetten, nadat ze eerst de ramen in het appartement boven de
winkel hadden vervangen. Dit alles liep natuurlijk nogal wat vertraging op
en in die tijd verliet Sharon Scott de bovenste woning, zodat de echtgenoot
van wie ze scheidde, Ian Scott, nu als enige huurder achterbleef.

Yasmin Rahmans strenge opvattingen over fatsoen en moraal leidden ertoe
dat ze het afkeurde dat Scott een vrouw in huis had gehaald met wie hij
niet getrouwd was. Op een avond zaten Wexford, Hannah, Mohammed
en Osman daarover te praten. De mannen van de familie Rahman waren
wat minder streng in de leer. Osman stelde zich op het stevige standpunt
dat Scotts liefdesleven hun niet aanging zolang hij de huur maar betaalde.
Mohammed was ertegen om een oordeel uit te spreken. En bovendien, de
tijden veranderen en wij moeten daarin meegaan, maar hij wist niet hoe hij
zijn vrouw daarvan zou kunnen overtuigen. Niet voor het eerst verwon-
derde Wexford zich over het selectieve moralisme van de mens. Kennelijk
was het prima dat Yasmin haar zoon had geholpen om het lijk te verbergen
van een man die door zijn toedoen om het leven was gekomen, en vervolgens een poging te doen om de politie om de tuin te leiden door mee te
helpen met het verbergen van de auto van het slachtoffer, terwijl het helemaal verkeerd was om een appartement dat haar eigendom was te verhuren
aan een stel dat ongehuwd samenwoonde.

Hij was niet van plan om Mavis Targo nogmaals te bezoeken, maar ongeveer een week voor de kerst kwam hij haar tegen in High Street in Kingsmarkham. Met twee volle tassen op de stoep naast zich stond ze peinzend
naar de Mercedes te kijken, die ze kort tevoren had teruggekregen, en naar
de geel geschilderde metalen wielklem om een van de achterwielen. Ming
en Sweetheart sprongen druk heen en weer op de achterbank en waren allebei hysterisch aan het blaffen.

'Kunt u daar niet iets aan doen?' zei ze tegen Wexford.

'Daar ga ik niet over, mevrouw Targo.' Hij wist de verleiding te weerstaan
om daaraan toe te voegen dat hij niet van de verkeerspolitie was, en kreeg

toen een klein beetje medelijden. 'Als u het nummer belt dat ze u hebben opgegeven en de boete betaalt, bent u zo van dat ding verlost.'

'Ik wist wel dat het een vergissing was om die rotwagen te nemen. Die heeft me altijd al narigheid bezorgd.'

Hij zei niets over alle dieren of het huis. Haar aanwezigheid hier herinnerde hem eraan dat hij had gefaald. Targo mocht dan dood zijn, maar hij was om het leven gekomen bij iets wat eigenlijk een ongeluk was geweest, en al net zomin een vorm van gerechtigheid als wanneer hij om het leven was gekomen bij een auto-ongeluk. En zelfs als het lijk van Tamima uiteindelijk toch nog ergens gevonden werd, als het ergens begraven bleek te zijn, of gedumpt in een meer, of in stukken gehakt om er eenvoudiger van af te kunnen komen, dan kon Targo daarvoor niet verantwoordelijk worden gesteld. En toch had Wexford het gevoel dat hij het meisje moest zien te vinden, dood of levend. Hij vond het verschrikkelijk dat de politie het hele land naar dat meisje had afgezocht en dat haar foto in alle media was verschenen, en dat ze toch nog steeds vermist werd. Hij probeerde zich te troosten met het besef dat het heel wat eenvoudiger is om een levend mens te verbergen, of voor een levend mens om zichzelf te verbergen, dan om een lijk weg te werken. Een lijk kan zich niet bewegen, en niet zelf opstaan en een nieuwe schuilplaats zoeken. Het blijft roerloos liggen waar het is achtergelaten of neergezet, al kan de plek waar het zich bevindt zich weleens diep onder de grond bevinden.

De ruiten van Webb & Cobb waren vervangen en het buitenwerk was opnieuw geschilderd voordat Ian Scott er zijn intrek nam. Kennelijk maakte Yasmin Rahman zich inmiddels niet druk meer over Scotts privéleven. Ze had wel wat anders om zich zorgen over te maken. Haar zoon Ahmed zou in februari voor de rechter moeten verschijnen en ze had geen reden om te denken dat haar dochter Tamima voordat het zover was al gevonden zou worden – als ze ooit nog gevonden zou worden.

De kerst ging voorbij. Mavis Targo verkocht Wymondham Lodge en verhuisde. Dora Wexford kreeg griep en moest het bed houden terwijl haar dochter Sylvia elke dag langskwam om haar te verzorgen. En hoewel hij elke dag manhaftig naar zijn zesdeklascollege hinkte, bleek de enkel van Rashid Hanif niet te helen, en moest hij een operatie ondergaan. Een gigantische renovatie van het politiebureau begon met bouwvakkers en schilders die het bureau binnendrongen en daar een stuk of tien politiemensen ernstig hinderden bij hun werk. Eind januari, toen het heel koud was, de bomen onder een dikke laag rijp wel van zilver leken en de trottoirs schuilgingen onder een dun laagje sneeuw, kwam Wexford Yasmin Rahman tegen terwijl ze vanuit Glebe Road High Street overstak.

Toen hij haar zag, was hij op weg naar het Dal Lake Restaurant, waar hij zou gaan lunchen met Burden. Hij had haar al opgemerkt toen ze zich nog aan de overkant van de straat bevond. Ze had een dikke zwarte sjaal om haar hoofd gewonden en droeg een onflatteuze, van boven tot onder dichtgeknoopte, zwarte jas die tot aan haar voeten reikte, zodat alleen haar zware zwarte schoenen zichtbaar waren. Maar ondanks dat alles, moest ze ooit heel mooi zijn geweest, dacht hij, en nog terwijl hij dat dacht, kwam het bij hem op dat het werkelijk afschuwelijk was om zoiets van een vrouw te zeggen: alsof schoonheid noodzakelijkerwijs uitsluitend was voorbehouden aan de jeugd.

Ze stak de straat over toen het licht net op rood sprong en kwam recht op hem af. Op haar gezicht zag hij een uitdrukking die hij niet kon definiëren. Haar eerste woorden gaven hem een verklaring.

'Ik ben diep geschokt. Ik weet niet wat ik moet beginnen.' Ze fronste haar wenkbrauwen, om de schuld op hem te schuiven, zoals haar gewoonte was, en voegde daaraan toe: 'Als u de stad in gaat, zal ik wel weer naar huis moeten, neem ik aan.'

Hij had geen idee wat er gebeurd zou kunnen zijn. Ze stonden voor een klein cafeetje dat zich gespecialiseerd had in 'biologisch' eten, maar waar ook koffie en thee werden geserveerd. 'Misschien kan ik u een kopje koffie aanbieden, mevrouw Rahman? U hebt de afgelopen maanden al genoeg koffie voor mij gezet.'

Als ze had geweigerd, zou hem dat niet verrast hebben. Het leek haar een bepaalde voldoening te schenken om afwijzend te reageren. Maar toch ging ze deze keer op zijn aanbod in, zij het met een nogal aarzelend knikje. 'Volgens mij hoor ik misschien helemaal niet eens met u te praten. Ik ben nu toch een veroordeelde?'

Als ze daarmee bedoelde dat ze binnenkort een strafblad zou hebben, dan kon hij dat alleen maar bevestigen, maar het enige wat hij zei was: 'Het is wel goed. Maakt u zich maar geen zorgen.' Hij trok een stoel voor haar weg onder een tafeltje niet ver van het raam.

Ze waren de enige twee mensen in het café, maar toch keek ze voortdurend opzij en over haar schouder om er zeker van te zijn dat er niemand meeluisterde. Wexford bestelde twee koffie, wat door de serveerster nadrukkelijk 'twee Americano's' werd genoemd. Yasmin Rahman hoorde het zwijgend aan totdat het meisje weg was, en zei toen met vaste, vastberaden stem: 'Ik heb mijn dochter gezien. Ik heb Tamima gezien.'

Hij zei niets, maar keek haar recht in de ogen.

'Ik heb haar gisteren gezien, maar ik kon mijn ogen niet geloven.' Ze zei het langzaam en weloverwogen. 'Ik dacht dat ik het me maar verbeeldde. Ik heb me zo ongerust gemaakt, ziet u.'

'Natuurlijk hebt u zich ongerust gemaakt,' zei hij.

'Maar vanochtend heb ik haar opnieuw gezien. Voor het raam. Ze ging half schuil achter het gordijn, maar ik heb haar gezien. Ik herkende haar. Natuurlijk herken ik mijn eigen dochter als ik haar zie.'

Zoals anderen hém niet hadden geloofd, zo geloofde hij nu haar niet. 'Bent u daar heel zeker van, mevrouw Rahman?'

'Heel zeker. Ik herken mijn eigen kind toch wel? Het was Tamima.'

'Over welk raam gaat het? Waar hebt u haar gezien?'

Uitgerekend op dat moment kwam de serveerster de koffie brengen. Zodra het meisje aan hun tafel verscheen, klemde Yasmin Rahman haar lippen op elkaar en bleef roerloos zitten terwijl ze naar het werk aan de weg keek dat aan de andere kant van het raam werd uitgevoerd. De serveerster leek opzettelijk langzaamaan te doen, terwijl ze melk en suiker op het tafeltje zette, en zich toen herinnerde dat het kommetje met zakjes zoetstof nog op haar dienblaadje stond. Yasmin tuurde aandachtig naar de man met de graafmachine en de man met de drilboor.

'Over welk raam gaat het?' herhaalde Wexford toen de serveerster eindelijk weg was.

Yasmin slaakte een diepe zucht en draaide haar hoofd weer naar hem toe. 'Een van de nieuwe ramen. In het bovenste appartement, waar meneer Scott woont.'

'Boven Webb & Cobb, bedoelt u?'

'Als u het zo wilt omschrijven.' Yasmins zwarte mouw schoof iets omhoog, zodat een paar zware gouden armbanden om haar smalle en broos aandoende pols zichtbaar werden. Het viel hem op hoe lang en mager haar handen waren. 'Ik dacht dat die man haar vermoord had. Vanaf het moment dat hij Ahmed en mij dat aanbod deed, was ik bang dat hij haar al had vermoord. Maar toen zag ik mijn dochter daar bij het raam staan. Ze keek tussen de gordijnen door naar buiten.'

'Heeft ze u gezien?'

'Dat weet ik niet. Ik heb niets tegen mijn man gezegd. Het is nog maar een uur geleden, en hij is aan het werk.'

Wexford dronk zijn koffie op en zei: 'We gaan er nu naartoe. Ik neem brigadier Goldsmith wel mee.'

Hij ging afrekenen, en toen hij terugkwam hoorde hij haar zeggen: 'Mag het ook iemand anders zijn?' Ze zei het op haar gebruikelijke waardige en beheerste manier, maar de woorden waren streng. 'Ik mag die vrouw niet. Ik vind het niet prettig om zo neerbuigend behandeld te worden.'

Wat zou Hannah dat erg vinden, dacht hij, dat van alle politiemensen uitgerekend zij misschien weleens tekort zou kunnen schieten in het contact met mensen uit andere culturen, terwijl ze juist zo graag wilde voldoen aan haar eigen maatstaven, en zwarten, Aziaten en blanken allemaal op volstrekt dezelfde rechtvaardige en onpartijdige wijze tegemoet wilde treden. Tegelijkertijd bewonderde hij het lef van deze vrouw, die probeerde het bevoegde gezag de wet voor te schrijven. En dus gaf hij toe. Hij belde Burden en zei dat hij naar het café moest komen, en vervolgens liepen ze met zijn drieën naar Glebe Road. Met een snelle blik op de in het zwart gehulde gedaante naast hem vroeg Wexford zich af of dit voor het eerst was dat Yasmin Rahman over straat liep in gezelschap van twee mannen die niet tot haar naaste familie behoorden.

Een bord aan het raam op de benedenverdieping van Webb & Cobb liet weten dat hier winkelruimte te huur was, en dat geïnteresseerden zich bij een bepaald makelaarskantoor konden vervoegen. Het was een donkere winterdag. Het appartement vlak boven de winkel zag er onbewoond uit, maar op de tweede verdieping brandde licht achter de dichtgetrokken gordijnen van Ian Scott.

'Er is iemand thuis,' zei Burden. 'Zullen we dan maar aanbellen?'

'Het is de bovenste.'

Yasmin belde aan, maar er gebeurde niets en er werd niet opengedaan. Ze belde opnieuw. Het licht op de bovenste verdieping ging uit en ze zagen het gordijn bewegen. Er was geen intercom, maar wel een brievenbus. Wexford duwde die open en riep met zijn sterke, galmende stem: 'Politie. Doe open alstublieft.'

Opnieuw geen reactie.

'Alstublieft, mag ik het proberen?' Yasmins nederige woorden waren niet in overeenstemming met haar bevelende toon. Door de brievenbus riep ze:

'Tamima, ik ben het, je moeder. Je moet de deur opendoen.' Ze keek naar Wexford. 'Want anders laat u die toch openbreken?'

'Ik hoop dat dat niet nodig zal zijn.'

Maar net toen ze 'Anders breken ze hem open!' riep, werd er opengedaan door een jeugdig aandoende man met blauwe ogen en bruin haar. Hij droeg een wit vest en een spijkerbroek en er hing een badhanddoek over zijn schouders. 'Ik stond me te scheren. Het is ijskoud hier,' zei hij. 'Wat wilt u?'

'U weet wat we willen, meneer Scott,' zei Wexford.

Hij bleef niet wachten of Scott daar nog iets op te zeggen had, maar liep naar de trap, op de voet gevolgd door Yasmin en Burden. De trap kwam uit op een overloop. Toen hij zijn voet op de tweede trede van de volgende trap zette, keek hij omhoog en zag daar, boven aan de trap, het meisje dat hij voor het laatst had gezien toen ze thuiskwam van school, met een schooltas op haar rug.

Op de bovenste verdieping, in Scotts spaarzaam gemeubileerde appartement, zat Tamima op het ene uiteinde van het bed en haar moeder op het andere. Ze keken elkaar nadrukkelijk niet aan. Wexford zat op de enige stoel in het vertrek. Burden en Scott op krukjes die Scott uit de keuken had gehaald. Wexford was degene die de stilte verbrak.

'Hoe lang woont u hier al, meneer Scott?'

'Sinds medio november,' zei de man nors, en toen voegde hij er met heel wat meer energie aan toe: 'Ik heb het recht om hier te zijn. Ik ben de huurder.'

'En jij zit hier al die tijd al bij hem in huis?' Nu had Wexford het tegen Tamima.

Ze haalde haar schouders op. 'Sinds eind november of zo.' Net als haar minnaar leek ze door iets te zeggen plotseling nieuwe energie te krijgen. 'Het hangt me allemaal zo de keel uit. Het is allemaal zo vreselijk saai. Hij zei dat hij me zou meenemen naar een luxueus appartement. Maar dat heeft hij nooit gedaan. Hij heeft me meegenomen naar deze dump hier, en nog in het holst van de nacht ook, zodat niemand me zou zien.'

Ze keek haar moeder aan. Gehuld in haar sombere en strenge zwarte gewaad zat Yasmin Rahman aandachtig te kijken hoe haar dochter gekleed ging. Waarschijnlijk had ze nog nooit een deugdzaam islamitisch meisje gezien dat er zo bij liep, van haar laag uitgesneden topje en superkorte minirokje tot aan haar netkousen en goedkope paarse pumps. Met een bevallig gebaar hief Tamima haar hoofd op en draaide haar moeder de rug toe.

'Heb je de kranten dan niet gezien? En geen tv-gekeken?' Dat was Burden. 'Er wordt in het hele land naar je gezocht. Wist je dat niet?' En met een blik op Scott voegde hij daaraan toe: 'En wist jij dat dan niet?'

'Ze was bang voor haar familie.'

'Ik zou het ze vertellen,' zei Tamima. 'Dat was ik echt van plan. Elke dag weer was ik van plan om naar hiernaast te gaan en het ze te vertellen. Maar ik weet het niet, ik weet niet waarom ik het niet gedaan heb. Nou ja, dat weet ik eigenlijk best. Ik wilde niet dat mijn vader en moeder een hekel aan me zouden krijgen. Ik was heus niet bang dat ze me bij hém zouden weghalen, hoor. Ik ben die vent spuugzat.'

'Wat zeg je dat weer leuk,' zei Scott. 'Bedankt hoor.'

'Ik neem aan dat je Tamima Rahman voor het eerst hebt gezien toen je hier woonde met je vrouw,' zei Wexford.

'Als u dat zo wilt zeggen,' zei Scott.

'Is er dan nog een andere manier?'

'Ik weet niet waar ik het aan heb verdiend om zo ondervraagd te worden. Ik heb niets misdaan.' Toen schoot hem iets angstaanjagends te binnen. 'Ze is toch wel boven de zestien?'

'Natuurlijk ben ik dat, verdomme! Hoe vaak heb ik je dat nou al niet gezegd?' Maar plotseling leek Tamima al haar stoerheid te verliezen. Haar gezicht werd vuurrood en ze duwde haar onderlip naar voren, als een pruilend kind van acht. 'Ik wil naar huis,' jammerde ze, en ze keerde zich naar haar moeder toe, dook op haar af en klampte zich aan haar vast.

Een ogenblik bleef Yasmin stokstijf zitten, zonder te reageren. Maar toen werd haar gezicht zachter en sloeg ze langzaam haar armen om Tamima heen. Ze vlijde haar wang tegen die van het meisje, streelde Tamima over haar lange, zwarte haar en begon tegen haar te fluisteren in iets wat vermoedelijk Urdu was. Wexford zat er even naar te kijken en richtte zijn aandacht toen op Ian Scott. De man had gelijk gehad toen hij zei dat hij niets had misdaan. Vergeleken met wat de broer en de moeder van Tamima hadden gedaan, hadden die kleine stommiteiten van hem weinig te betekenen. Hij stond op.

'Wij hebben hier verder niets te zoeken,' zei hij tegen Burden en samen liepen ze de trap af en het huis uit.

'Jenny zal blij zijn dat dat meisje niets is overkomen,' zei Burden, terwijl ze bezig waren met de zo lang uitgestelde lunch. 'Ze was bang dat het hier om een gedwongen huwelijk ging, en misschien zelfs om eerwraak.'

Ze hoopte op een spectaculaire zaak, dacht Wexford hardvochtig.

'Niet dat ik ooit in een van beide mogelijkheden heb geloofd,' zei Burden.

'Ik neem de kedgeree,' zei Wexford. 'Volgens mij is dat trouwens helemaal geen Indiaas gerecht, laat staan iets uit Kasjmir. Volgens mij hebben wij Britten dat uitgevonden in de tijd dat we daar de dienst uitmaakten.' Ze bestelden. 'Nu kunnen we in elk geval "Heb ik het niet gezegd?" tegen Hannah zeggen.'

'Ik neem aan dat Scott degene was die ze in het Raj Emporium heeft zien rondhangen.'

'En Scott is ook degene die Targo in gezelschap van Tamima heeft gezien, wat hem op de gedachte heeft gebracht dat de familie Rahman haar wel zou willen laten vermoorden.'

'De kedgeree is op, vrees ik,' zei de serveerster. 'Die was vandaag heel populair.'

'Goed, dan neem ik wel kip tikka massala. Volgens mij is dat ook iets uit de koloniale tijd.'

'Ik ook,' zei Burden. 'Door al dit gedoe ben ik me wel gaan afvragen hoe vaak die gedwongen huwelijken nu eigenlijk voorkomen. En eerwraak trouwens ook.'

'In Azië heel vaak, vrees ik. Hier een stuk minder. Ik durf rustig te zeggen dat we zoiets niet nog een keer zullen tegenkomen.'

Een of ander vaag gevoel van ongemak beroofde hem van zijn eetlust. Hij liet de helft van zijn hoofdgerecht staan en hoefde verder niets meer te hebben. Burden had zoals gebruikelijk een flinke eetlust, en rondde de maaltijd af met iets wat hij 'die alom bekende Kasjmirse specialiteit' noemde: een groot stuk appeltaart met slagroom. Het was halfdrie. Terwijl ze zaten te eten was het een stuk kouder geworden, en een ijzige noordenwind gierde door de smalle zijstraatjes en steegjes. Wexford geloofde niet in telepathie, voorgevoelens, helderziendheid of voortekenen, maar terwijl hij in de bittere kou over straat liep, werd hij zich steeds sterker bewust van een onheilspellende gewaarwording, een voorgevoel dat hem iets afschuwelijks te wachten stond, en hij begon sneller te lopen, zodat Burden vroeg waarom hij zo'n haast had.

De warmte die hen tegemoetkwam toen ze door de zware deuren de hal van het politiebureau binnenliepen, vormde zo'n opluchting dat alle andere gewaarwordingen even naar de achtergrond verdwenen. Toen zag Wexford dat Hannah naar hen toe kwam lopen, met haar telefoon in de hand. Iets in haar gezichtsuitdrukking maakte hem duidelijk dat hij vandaag het triomfantelijke nieuws over Tamima niet aan haar zou doorgeven.

'Ik was u net aan het bellen, chef,' zei ze, en nog voordat ze was uitgesproken, begon zijn telefoon te piepen.

'Een geval van eerwraak. Deze keer is het echt gebeurd. Een vrouw in Stowerton is dood aangetroffen in haar kamertje. Haar keel is doorgesneden. Ze was weggegaan bij haar man, met wie ze nog maar een jaar getrouwd was, en de man en haar vader hebben gezworen dat ze haar zouden vermoorden. Ik ga er nu heen.'

'We gaan er allemaal naartoe,' zei Wexford, en in gedachten voegde hij daaraan toe: 'In elk geval weet ik deze keer dat Targo het niet gedaan kan hebben.'

Later

De jaren verstreken, twee of drie. Zoals Wexford had voorspeld werd Yasmin Rahman voorwaardelijk veroordeeld wegens medeplichtigheid aan een misdrijf. Degene die het misdrijf had gepleegd was haar zoon Ahmed, die werd veroordeeld wegens doodslag op Eric Targo. Ahmed had zijn laatste jaar in de gevangenis doorgebracht in een instelling met licht regime en werd vervroegd vrijgelaten. Tegen die tijd was de familie Rahman weggegaan uit Glebe Road, waar enkele buren, onder wie met name Ian Scott – nu met een nieuwe partner – en de bewoners van Burdens oude huis hun het leven zuur hadden gemaakt. Nadat ze met tamelijk goede cijfers was geslaagd voor het examen van het Carisbrooke zesdeklascollege, was Tamima niet lang geleden aan een universiteit in de Midlands begonnen aan een vierjarige opleiding Islamkunde.

De familie Rahman woonde nu in Myringham, waar Mohammed nog steeds werkte, maar nu in een staffunctie, omdat het hoofd Maatschappelijke Dienstverlening had besloten dat het niet verstandig zou zijn om het risico te nemen dat hij het mikpunt werd van scheldpartijen door cliënten en andere onaangenaamheden. Yasmins strafblad maakte in haar bestaan heel weinig verschil. Wat Osman betrof: die had zijn baan als verpleegkundige opgezegd en studeerde nu medicijnen aan University College in Londen.

Op een zomerse zondag kwam Ahmed naar het huis van Wexford. Wexford zat opnieuw zonder tuinman en was het gras aan het maaien, of liever gezegd, nadat het gazon half gemaaid was, was hij er vol weerzin mee opgehouden en nu zat hij in een rotanstoel met dikke kussens op het terras een roman van Ivy Compton-Burnett te lezen.

Ahmed was niet door het huis heen gelopen. Kennelijk was hij op weg naar de voordeur de tuin binnengestapt en had Wexford toen zien zitten. Hij liep zachtjes naar hem toe totdat hij niet meer dan een meter van de hoofdinspecteur verwijderd was en schraapte toen zijn keel. Wexford keek op.

'Ik stoor u, ben ik bang,' zei Ahmed.

'Maakt niet uit. Hoe gaat het met je?'

'Niet slecht. Beter dan een tijdje geleden.'

Wexford legde zijn boek met de rug naar boven op het tafeltje naast hem.

'Wat brengt jou hier?'

'Ik wil u iets opbiechten. Mag ik gaan zitten?'

Een ogenblik leek het alsof de zon al zijn kracht verloor en er iets anders, iets wat niet te zien viel, maar toch op grimmige wijze aanwezig was, de tuin binnen was gelopen en nu naast hem op het terras stond. Er was niemand maar toch zag Wexford een schaduw vallen, de schaduw van een gedrongen en gespierde gedaante, met wit haar en een dikke blauwwitte sjaal om zijn nek. Ahmed herhaalde zijn laatste woorden.

'Mag ik gaan zitten?'

'Nee, Ahmed,' zei Wexford. 'Dat lijkt me geen goed idee, want ik wil niet horen wat je te zeggen hebt.'

'Ik moet het u vertellen. Ik denk dat u er wel blij mee zult zijn. U had ook een hekel aan hem. Toen mijn moeder de kamer uit was, heb ik...'

Wexford viel hem zachtjes maar vastberaden in de rede. 'Ik hoor dit niet,' zei hij, en hij stond op. 'Ik hoor helemaal niets. Ik heb je niet eens gezien.' Hij liep het huis binnen en trok de terrasdeuren achter zich dicht.

Ahmed bleef nog even buiten staan. Zijn mond ging open en dicht zonder dat er iets te horen viel en hij hield zijn handen op, maar Targo, die eigenlijk nooit echt te zien was geweest, was nu verdwenen. Zou hij zijn gaan zeggen wat hij volgens mij wilde gaan zeggen? vroeg Wexford zich af. Wat had Ahmed anders kunnen opbiechten? Maar ik wil er niet aan denken. Ik zal er nooit meer aan denken. Ik stop het monster weer in zijn doosje en dat doosje gooi ik op de vuilnisbelt. Dat is de beste plek voor hem, de enige plek.